DR. PIERRE DUKAN

60 dias comigo
OBJETIVO: -10KG

Seu diário de bordo

Com a preciosa colaboração de Rachel Levy

Tradução
Ana Adão

3ª edição

Rio de Janeiro | 2015

À minha querida mãe, a quem devo minha vida e o que fiz dela.

Aos meus dois filhos e minha mulher, que deram continuidade ao meu trabalho.

A vocês, meus pacientes, meus leitores. Ah, se vocês soubessem!

Prefácio

Quando olho para trás, percebo que minha vida profissional e o percurso da minha vida particular se casam de maneira muito precisa com a história do sobrepeso. Quando nasci, o sobrepeso não existia, ou dizia respeito a bem poucos indivíduos. Mais tarde, em 1960, durante meu primeiro ano de medicina, já havia 1 milhão de pessoas em sobrepeso na França. Atualmente, esse número aumentou para 24 milhões, entre os quais, 6,5 milhões são obesos e têm uma expectativa de vida inferior à média em nove anos. A epidemia do sobrepeso nasceu mais ou menos na mesma época que eu, logo após a Segunda Guerra Mundial. Ela teve seu ponto de partida ao mesmo tempo que a sociedade pós-escassez.

Por que a sociedade pós-escassez nos faz engordar? Porque vivemos em um mundo "rico demais", como peixes não adaptados a seu novo aquário. Nossa sociedade é fundada em uma palavra-mestra: *o crescimento*. A cada ano nosso modelo social nos incita a produzir mais. Mesmo já empanturrado, o consumidor é estimulado a consumir cada vez mais. Ora, na realidade o objetivo do ser humano não é produzir ou consumir mais, mas ser o mais *feliz* possível.

Durante muito tempo, a sociedade esteve a serviço do indivíduo. A sociedade e o indivíduo avançavam em conjunto: seus objetivos eram complementares. Infelizmente, a partir de 1945, essa relação de forças se inverteu: a sociedade mercantil apoderou-se do indivíduo e impôs a ele seu modelo de consumo de crescimento ilimitado. No entanto, o homem continua a ser governado por seus instintos primordiais. Penso na sexualidade em sua acepção mais ampla (relacionamento, amor e família), na necessidade do homem de se alimentar, mas também na sua necessidade de exercer uma profissão, cuidar do corpo, proteger seu habitat, praticar jogos ou, ainda, estar em contato com a natureza, com o sagrado e o belo. A satisfação dessas necessidades fundamentais é recompensada por uma sensação natural e gratuita: o prazer! Toda necessidade saciada é fonte de prazer, quer se trate do amor, dos prazeres da alimentação, das satisfações profissionais etc. Hoje, esse modo de funcionamento primordial do indivíduo concorre com a sociedade mercantil, cujo objetivo é incitar as pessoas a consumir. O marketing, a publicidade e o lobby foram criados para nos fazer esquecer nossas necessidades fundamentais, em favor de necessidades pagas e artificiais, oriundas do consumo. É aí que começa o sobrepeso: quando trocamos, mesmo que inconscientemente, o prazer que vem de nossas necessidades profundas por uma satisfação fácil, fornecida por produtos manufaturados.

Gostaria, agora, de fazer uma pergunta essencial: por que a medicina moderna, ainda que tão brilhante e eficaz, nunca conseguiu erradicar a epidemia do sobrepeso? Porque tem um compromisso com algo mais forte que ela! A medicina moderna tem de afrontar atores econômicos muito poderosos: antes de mais nada, a rede industrial do açúcar e, em seguida, a da farinha refinada (com todas as guloseimas feitas a partir dela). Finalmente, a medicina tem de lutar — o que é paradoxal! — contra a própria indústria farmacêutica, que prospera com doenças induzidas pelo sobrepeso ao vender medicamentos contra o diabetes, o colesterol, a hipertensão, as doenças cardiovasculares e o câncer. Os lobbies alimentares e farmacêuticos têm uma força considerável, que ninguém (e, especialmente, os políticos) teve coragem de afrontar. Quanto aos nutricionistas "clássicos", estes se agarram desesperadamente ao velho dogma da contagem de calorias. À margem desse pensamento dominante, certos nutricionistas propõem caminhos alternativos. Infelizmente, muitos continuam dependentes dos lobbies alimentares e farmacêuticos.

Em todo o mundo, a epidemia do sobrepeso gera sua "cota" de reações alarmistas. Em matéria de saúde pública, as perspectivas são catastróficas! Mas, como diz Michael Bloomberg, o prefeito de Nova York, "todo mundo sabe, mas ninguém faz nada". No momento em que você lê este livro, 72% da população americana se encontram em estado de sobrepeso ou obesidade. Ora, vocês sabem a que ponto os Estados Unidos têm influência no resto do mundo... Se não reagirmos, em breve seremos tão obesos quanto os americanos!

É chegado o momento de me apresentar. Tive diversas vidas. Solteiro, estudante de medicina, homem casado, médico e especialista em nutrição, engajei-me em uma missão essencial: a luta contra o sobrepeso. Médico especialista em nutrição há mais de quarenta anos, tive a imensa alegria de criar um método que reuniu mais de 30 milhões de pessoas em sobrepeso de todo o mundo. Um evento assim é raro na vida de um homem. E a felicidade que vem com isso me obriga compartilhá-la.

O que um médico pode fazer diante de uma doença da civilização? O que pode fazer diante das forças da estagnação, diante de interesses econômicos extremamente poderosos? *Poderíamos pensar que ele não pode fazer NADA contra tudo isso. Na realidade, ele pode TUDO.* Um médico como eu pode agir. Mas, para isso, deve mudar de interlocutores, afastar-se das instâncias que favorecem o sobrepeso. Ele deve se dirigir diretamente aos homens e às mulheres em questão. Apenas esses homens e mulheres sofredores poderão parar e reverter a progressão dessa calamidade. Pois, intuitivamente, pressentem uma coisa: o que lhes é proposto não tem a intenção de ajudá-los a emagrecer de maneira rápida ou durável. No entanto, despertar os que dormem gritando que há fogo não basta! É necessário, também, um meio de apagar o fogo e, claro, obter a participação plena das pessoas. As pessoas em sobrepeso esperam por *fatos* (atos e provas). O que pode mudar o jogo é um método rápido, simples, natural e estruturado, do qual a fome está excluída; um método reconhecido, cuja inocuidade seja provada. Dez milhões de franceses já aderiram a meu método e minha dieta! E qual é o resultado? Não cabe a mim responder... Deixo a palavra às estatísticas.

A cada três anos, a pesquisa Obépi estabelece o desenvolvimento do sobrepeso e da obesidade na França. Em 2012, essa pesquisa oficial demonstrou, pela primeira vez em sua história, uma clara curvatura na progressão do sobrepeso: em três anos, essa progressão foi de apenas 0,5% (contra 1,2% no período precedente). Além disso, a pesquisa demonstrou que 455 mil pessoas em sobrepeso ou obesas emagreceram o suficiente para sair das estatísticas. O que aconteceu nesse intervalo de tempo? Mais uma vez, não cabe a mim responder. Duas sondagens TNS Sofres — 2011 e 2012 —, assim como o estudo nacional Nutrinet de 2012, trouxeram, no entanto, um elemento de resposta: atualmente, meu método é uma das dietas mais utilizadas pelos franceses! E isso tudo apesar da surda e poderosa oposição de lobistas preocupados com o meu sucesso...

Esses resultados poderiam me deixar inteiramente feliz. Contudo, o médico que sou não se satisfaz. Além disso, mesmo que desconhecidos me agradeçam todos os dias, muitos outros me procuram e me perguntam se posso acompanhá-los pessoalmente.

Em resposta aos inúmeros pedidos de acompanhamento, concebi este livro: *60 dias comigo*. Não tenho a possibilidade de receber dezenas de milhares de pessoas em meu consultório. Por isso, imaginei um livro concebido como uma experiência única: um percurso em que eu acompanhe cada um de meus leitores, em forma de diário de bordo. Eu não conheço você... mas sei como você reage diante do sobrepeso. Conheci, acompanhei e ajudei tanta gente ao longo da minha vida que tenho acesso a esse "perfil", comum a todos os pacientes em sobrepeso. Essa experiência me permite, hoje, falar *com uma mesma voz a todos e a cada um, ao mesmo tempo*. Além disso, mesmo que eu não os conheça pessoalmente, vocês ME conhecem. Quer você seja um homem ou uma mulher, jovem ou idoso, quer tenha 8, 15 ou 30kg a perder, ou mais, eu me dirijo a você neste livro. Se eu pudesse, não teria fixado um limite de duração de percurso de perda de peso. Mas meu editor me trouxe de volta à realidade e me concedeu até quatrocentas páginas. Como desejo que cada dia que passaremos juntos seja suficientemente completo para fazê-lo trabalhar continuamente, fixei uma duração de percurso de 60 dias: é o tempo médio necessário e suficiente para perder 10kg. Ao longo desses 60 dias, vou guiá-lo através das *duas primeiras fases* da minha dieta. A *fase de ataque*, curta e fulminante, vai ocupá-lo de três (caso tenha de 5 a 7kg a perder) a sete dias (caso tenha mais de 25kg a perder). Em seguida, a *fase de cruzeiro* virá, até que se percam os 8kg restantes (perdidos em uma média de 1kg por semana).

Cada dia é uma etapa única. Todas as manhãs, depois de se pesar, você vai persistir com uma missão dupla, ao mesmo tempo ofensiva (que consiste em queimar suas reservas) e defensiva (que consiste em evitar os deslizes de alimentação, sem baixar a guarda). Todos os dias, consagrarei a você seis páginas, divididas em dez partes precisas.

Eis como será cada um desses dias: ao se levantar, você vai se pesar e anotar o peso. Vou apresentar a você o quadro alimentar do dia. Este é o momento de estabelecer o nível de sua motivação e ajudá-lo a recarregá-la. Na parte seguinte, eu o ajudarei a evitar os deslizes... ou a compensar os deslizes eventuais. Em seguida, vou focar na atividade física. Posteriormente, vem o momento-chave do dia, a parte chamada "**Minha mensagem de apoio para você**": nessa parte, cumprirei minha promessa e estarei realmente ao seu lado. Depois, passo à parte saborosa da "Receita do dia" e, nesse mesmo espírito, à parte da "Cesta de compras do dia" (com o foco em um alimento em particular). Mais adiante, estarei esperando por você na coluna "Seu ambiente de saúde", na qual vou esclarecer um aspecto da saúde em particular. Você deve saber que o sobrepeso comporta riscos de saúde, dos quais é bom estar a par. Também não esquecerei de prescrever seus "Exercícios do dia", levando em conta sua idade e seu nível de treinamento. Uma vez por semana, você vai tirar suas medidas (cintura, quadris, coxas e peitoral). Ao fim do dia, você estará convidado a escrever em "Seu diário": esse espaço de expressão livre é um excelente instrumento de acompanhamento, motivação e assimilação do aprendizado. "Pensar em uma ideia" já é o primeiro passo para sua realização. Expressar essa ideia em voz alta, verbalizá-la, é um passo a mais. Mas escrevê-la é praticamente passar ao ato!

Todas as semanas, falarei também sobre sua felicidade. Ao longo da minha carreira, entendi que meus pacientes ganhavam peso quando esperavam que a comida compensasse satisfações que não encontravam suficientemente em outros setores da vida. Em nosso programa instintivo, todos nós dispomos de um acesso programado aos *dez provedores da felicidade*: a comida é apenas um deles (o mais disponível de todos). A cada semana, falarei de um dos pilares de felicidade: explicarei como domar cada um deles, um após o outro, para reduzir seu modo de compensação, que está muito concentrado no ato de colocar comida na boca.

Você vai ver: juntos, faremos um ótimo trabalho. Até daqui a pouco!

Pierre Dukan

Antes de começar...

Ao longo dos 60 dias que passaremos juntos, proponho a você exercícios abdominais e de agachamento que devem ser realizados todos os dias.

Como executar seus exercícios corretamente?

■ **Para fazer os abdominais:** eis o movimento ideal. Quis que fosse suficientemente simples para entrar em seu cotidiano.

Alongue-se sobre suas costas, dobre os joelhos em ângulo reto, com os pés no chão, e estique os braços. Leve seu tronco até a vertical e seus braços até a horizontal. Em seguida, desça, inspirando, até tocar o chão, em posição totalmente estendida. Repita o movimento. Variante mais fácil: coloque um ou dois travesseiros grandes sob suas escápulas.

■ **Para treinar os quadríceps de suas coxas:** os maiores dos músculos do corpo e os maiores consumidores de calorias, eis um movimento de simplicidade absoluta, que deve ser conservado como um precioso amigo.

De pé, com os pés ligeiramente afastados e os braços apoiados em uma mesa, uma pia ou no encosto de uma cadeira, abaixe-se, dobrando os joelhos e inspirando, até que seus glúteos toquem os calcanhares, que devem estar inteiramente encostados no chão. Em seguida, volte à posição inicial, expirando, até que suas pernas estejam totalmente esticadas. Tome cuidado para manter as costas bem retas durante todo o exercício.

Sua tabela de bordo: curvas e medidas

Minha curva de peso

Visualize seu progresso anotando, a cada dia, o peso que perdeu.

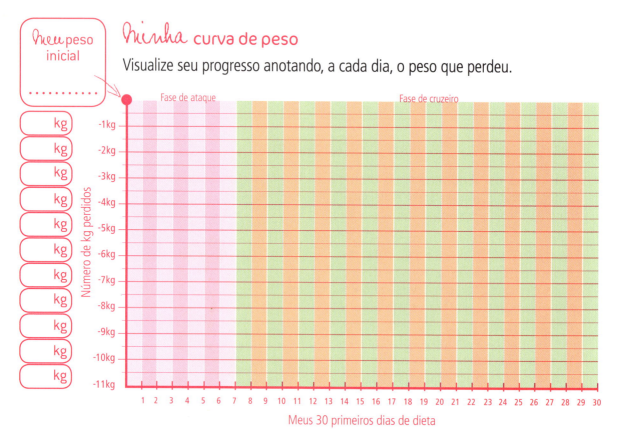

MULHER: minhas medidas

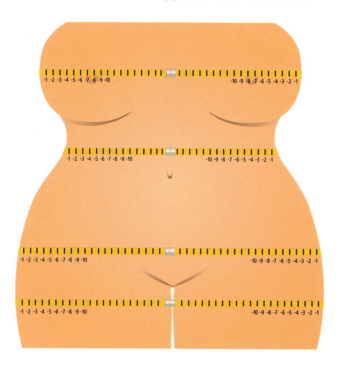

Toda semana, meça **as quatro partes de seu corpo**. Cada parte da fita métrica corresponde a um centímetro de medida, tanto à direita quanto à esquerda...

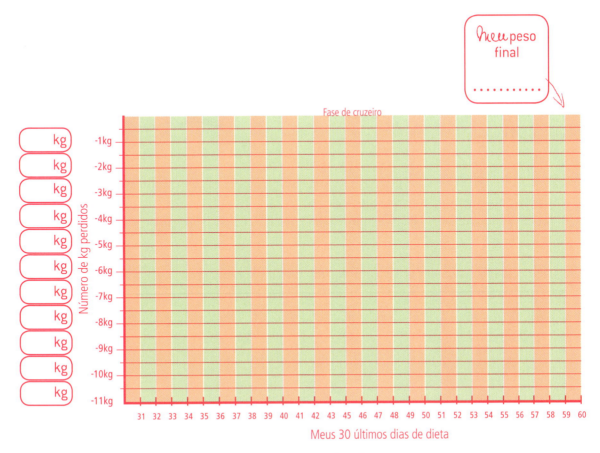

HOMEM: *minhas* medidas

...marque com um ponto e, a cada semana, **ligue as quatro partes** para visualizar as medidas perdidas.

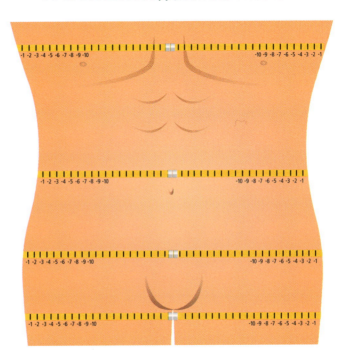

Fase de ataque • Semana 1

Semana 1
da minha dieta Dukan

Os pilares da felicidade

Gostaria de apresentar a você o que chamo de dez pilares da felicidade. **Somos, na verdade, movidos por dez grandes necessidades fundamentais**. Nossa sobrevivência depende delas.

Satisfazer essas dez necessidades fundamentais faz com que tenhamos prazer, satisfação e felicidade duráveis.

Infelizmente, nossas sociedades reprimem essas satisfações simples, naturais e gratuitas, em benefício de satisfações complexas, artificiais e que custam dinheiro, frequentemente motivadas pelas ilusões do consumo.

Quando não são plenamente satisfeitas, essas dez necessidades "frustradas" limitam nosso acesso à felicidade e nos levam a uma alimentação de compensação, que contribui para o sobrepeso.

A cada semana, na seção "Minha estratégia de felicidade", evocarei cada uma dessas nove grandes necessidades (a décima é a necessidade de comer!). Incitarei você a redescobri-las... e a recolonizar as que estão ao seu alcance. **Quando essas necessidades são satisfeitas, geram no cérebro a serotonina e a dopamina, responsáveis pelo prazer e pela vontade de viver**. Quanto mais você reativar e satisfizer uma dessas nove necessidades, menos terá necessidade de recorrer à comida.

Minha "estratégia de felicidade"

Felicidade, amor e sexualidade

Por sexualidade falo de tudo que deriva do encontro magnético de dois seres: o amor, o casal, os filhos, os pais, os familiares, a família etc. **Quando essa necessidade é satisfeita, ela tem um poder de realização considerável!** Juntamente com o prazer de comer, é um dos maiores e mais primitivos fornecedores de serotonina. Em um universo em que o instinto e as necessidades naturais se perdem aos poucos, tal necessidade permanece solidamente enraizada.

A solidão, as carências afetivas e as separações são agentes de corrosão dessa pulsão fundadora. Se tiver como, faça o impossível para sair desses impasses. E,se tiver a sorte de ter um ser amado, uma família unida e uma sexualidade viva, proteja esse tesouro: é sempre mais fácil perdê-lo que recuperá-lo.

Autoavaliação:

☐ Entendi a mensagem

☐ Não me diz respeito

☐ Vou tentar

☐ É meu ponto forte

Minhas medidas esta semana

Circunferência peitoral:	Circunferência da cintura:	Circunferência dos quadris:	Circunferência das duas coxas:
....	....	....	....

Sugestões de cardápios para a semana

		Meu café da manhã	Meu almoço	Meu lanche	Meu jantar
SEGUNDA-FEIRA	PP	Bebida quente **Uma panqueca de farelo de aveia** Requeijão 0% de gordura	Enroladinhos de peito de peru com cottage (0% de gordura) Shiratakis à bolonhesa Iogurte 0% de gordura e sem açúcar, com essência de coco	Cottage 0% de gordura	Camarões sortidos (rosa e cinza) Fatias de frango com vinagre de sidra ou de maçã Ovos nevados caseiros
TERÇA-FEIRA	PP	Bebida quente **Bolo de iogurte** Cottage 0% de gordura	Camarão ao molho shoyu Bacalhau ao açafrão Iogurte 0% de gordura	Ricota light	Pasta de atum com maionese Dukan Fígado de frango com molho de vinagre balsâmico Pudim caseiro de baunilha e noz-moscada
QUARTA-FEIRA	PP	Bebida quente Uma omelete de claras com ervas finas Queijo frescal 0% de gordura	Peito de frango Almôndegas de carne com ervas Shiratakis ao molho de soja Sorvete caseiro de farelo de aveia	Um ovo cozido Um iogurte 0% de gordura	Salmão defumado **Sashimi de vieiras ao limão galego** Requeijão 0% de gordura
QUINTA-FEIRA	PP	Bebida quente Uma panqueca de farelo de aveia Um iogurte 0% de gordura com essência de baunilha	Cavala ao vinho branco Robalo grelhado com ervas Sorvete caseiro de chá de menta	Bastões de kani Queijo frescal 0% de gordura	Sopa missô **Omelete de tofu** Iogurte sem açúcar 0% de gordura com gotas de baunilha
SEXTA-FEIRA	PP	Bebida quente Cottage 0% de gordura Duas fatias de presunto magro Uma panqueca de farelo de aveia com cacau sem açúcar	Mousse de salmão Fatias de lula com molho de salsa, azeite e alho Shiratakis com molho de salsa, azeite e alho Cottage 0% de gordura	Um iogurte 0% de gordura com essência de coco	Sardinha em lata (sem óleo) **Bacalhau à Brás** Gelatina zero açúcar
SÁBADO	PP	Bebida quente Ricota light Peito de peru ou vitela Um muffin de farelo de aveia (sabor coco)	Duas fatias de presunto de frango Hambúrguer (5% de gordura) grelhado com uma colher de sopa de ketchup zero Queijo frescal 0% de gordura	Queijo frescal 0% de gordura	Tofu sauté ao curry com aroma de amendoim **Coxinha** Mousse caseira de limão
DOMINGO	PP	Bebida quente Pudim ou flan zero Um ovo cozido, fatias de peito de peru	Caviar de atum com queijo fresco (0% de gordura) Escalope de vitela ou carne magra com limão Queijo frescal 0%	Mingau com leite desnatado e uma colher e meia de sopa de farelo de aveia	Buquê de camarão **Espetos de carne moída** Granitado de café e canela

Fase de ataque · PP · Dia 1

Dia 1
da minha dieta Dukan

Meu peso inicial:
....

Meu peso do dia:
....

Meu peso ideal:
....

Panorama do seu primeiro dia

Hoje é o primeiro dia de uma viagem que faremos juntos. Temos, agora, uma missão em comum. Esta missão é levar você, dia após dia, ao seguinte objetivo: perder uma média de 10kg em 60 dias (ou seja, em dois meses a partir de hoje).

Talvez você conheça meu método. É possível que já o tenha seguido... talvez sem sucesso! Dito isso, é raro conseguir emagrecer e não voltar a engordar da primeira vez que tentamos. É a mesma coisa com o tabaco: são necessárias diversas tentativas antes de uma privação definitiva do cigarro!

Pessoalmente, acredito que engordar é, na maioria das vezes, o sinal de uma adaptação a um ambiente de vida difícil, hostil. Para emagrecer é preciso que o ambiente volte a ser favorável, que se tenha aprendido a lidar com suas dificuldades sem recorrer à comida... Ou, melhor ainda, que se faça da perda de peso um projeto de vida maior, que se inscreva na resistência e na recusa da submissão.

Ao longo desses 60 dias, eu lhe darei as chaves que vieram da minha experiência, assim como da de todos que emagreceram e nunca mais engordaram. Levei e ainda levo em conta esses depoimentos: cada uma dessas pessoas encontrou em meu método (e, principalmente, dentro de si mesmas) um elemento maior, que lhes proporcionou uma mudança de paradigma.

Meu método é composto de **quatro fases: duas para emagrecer e duas para não engordar mais.** Cada uma dessas fases tem sua missão e programa próprios.

Neste livro, vamos nos concentrar nas duas primeiras fases.

A primeira fase, que você vai começar hoje, chama-se **fase de ataque**: é tão curta quanto fulminante em seus resultados. Sua duração depende do peso que você tem a perder.

Para saber qual é seu **Peso Ideal**, aconselho que você visite meu site www.dietadukan.com.br e responda ao questionário do Peso Ideal. Um algoritmo poderoso vai integrar esses elementos; ele vai deduzir o peso que você pode ter de maneira realista, sem se estafar, e com o qual terá mais chances de se estabilizar a longo prazo.

Meu quilos a perder:	Duração da fase de ataque:
....	....

ESSENCIAL: você mesmo pode calcular a duração da fase de ataque. Ela depende do peso que você deve perder. Explico o cálculo abaixo.

Para calcular a duração de sua fase de ataque, comece por determinar seu Peso Ideal (cf. questionário gratuito no site www.dietadukan.com.br) e subtraia-o de seu peso atual.

Exemplo: seu Peso Ideal é de 70kg e você pesa 85kg hoje de manhã. Seu peso a ser perdido é, então, de 15kg.

Consulte o quadro a seguir para saber a duração de sua fase de ataque.

Peso a ser perdido	Duração da fase de ataque
Entre 2 e 5kg	3 dias
Entre 5 e 10kg	4 dias
Entre 10 e 20kg	5 dias
Entre 20 e 30kg	6 dias
Mais de 30kg	7 dias

Você precisa perder 15kg? Sua fase de ataque deve durar, portanto, cinco dias.

Minha mensagem de apoio para você

"*Olá a todos,*

*Evidentemente, não nos conhecemos. Mas, pelo menos, sei de uma coisa essencial. Homem ou mulher, jovem ou idoso, você está diante desta página: **isso significa que você quer emagrecer**.*

Se você quer emagrecer, é porque engordou. Por experiência, sei que ninguém engorda voluntariamente. Por outro lado, antes de engordar e enquanto engordava, você certamente sabia que comer demais (ou comer mal) faz com que você ganhe peso. No entanto, foi o que lhe aconteceu... pois, como sempre dizem meus pacientes, você não conseguiu evitar. Dessa forma, concluo que você usou a comida para aliviar o estresse e as dificuldades do cotidiano. Comeu para se acalmar e encontrou seu refúgio na comida.

Em minha vida profissional encontrei muita gente como você. Vou compartilhar minha experiência e usá-la ao longo de todo o caminho que nos levará, espero eu, à vitória.

Até amanhã."

Pierre Dukan

Fase de ataque • PP • Dia 1

Cesta de compras do dia

Para ter êxito em sua dieta e não "cair em tentação" **você deve ter sempre por perto os alimentos necessários** para torná-la mais fácil, ou mesmo mais agradável de ser seguida. Não se esqueça de que o inimigo o rodeia e tem a mais temível das forças: ele está dentro de você. Pior ainda: ele faz parte de você e, mais especificamente, está na sua cabeça — ele reina em seu cérebro reptiliano, que se encarrega da gestão de seus instintos, e em seu sistema límbico, que gere o prazer e o desprazer. Esses dois cérebros primitivos querem, ambos, se opor ao seu projeto de emagrecer, que é um ato consciente e voluntário, e gerenciado pelo que chamamos de neocórtex. Este é meu conselho: tenha na geladeira e na despensa apenas o que for autorizado. É a melhor maneira de se defender dos dois cérebros primitivos, que só agem por si mesmos.

Em minha dieta você pode comer 66 alimentos ricos em proteínas à vontade: isto é o suficiente para afastar as tentações!

Eis o que você precisa. Ao longo desses poucos dias de fase de ataque **você poderá se alimentar desses 66 alimentos ricos em proteínas, todos eles** "à vontade", ou seja, sem limite de quantidade, horário ou combinação. Todos eles estão liberados, e NADA MAIS, durante esses poucos dias.

CARNES: vitela, boi, animais de caça, coelho e vísceras. Atenção: nada de cordeiro ou porco. Todos os cortes de churrasco, como o bife, o filé, o contrafilé, o escalope e a costela de vitela. Preparo: grelhada, assada ou em papelote, mas nunca frita.

PEIXES: todos, sem qualquer exceção, inclusive — e de preferência — os peixes gordurosos, como salmão, atum fresco ou em lata (sem óleo), ou cavala, sardinha etc. Cozimento sem gordura; se forem feitos na frigideira, apenas algumas gotas de óleo e um pouco de papel-toalha para absorver o excesso de gordura. O salmão defumado e o arenque também estão autorizados.

FRUTOS DO MAR: crustáceos, camarões, mariscos, mexilhões, ostras... Em resumo, TUDO que vem do mar e dos rios, sem qualquer exceção.

AVES: todas as aves, de criação e selvagens, inclusive, evidentemente, o frango, o peru etc., mas não as aves de bico chato (pato e ganso). As aves devem ser consumidas sem a pele.

OVOS: um ou dois ovos por dia para os que não têm problema de colesterol. Para os que têm, apenas uma gema de ovo duas ou três vezes por semana e liberdade total para as claras.

PRESUNTOS: os lights, de frango ou peru, além da vitela ou peito de peru, a bresaola italo-suíça ou a cecina espanhola.

PROTEÍNAS VEGETAIS: como o tofu (firme ou cremoso), o seitan de trigo e as proteínas de soja texturizadas.

LATICÍNIOS: 0% de gordura, iogurtes, requeijão, cottage e ricota. O leite, também, mas cuidado: os laticínios são os únicos alimentos desta lista que contêm lactose, **que é um açúcar de absorção rápida**; juntamente com o farelo de aveia, o único carboidrato autorizado. Procure não passar de 700g de laticínios em geral, se sentir que a perda de peso está muito lenta.

Beba de um litro e meio a dois litros de **LÍQUIDO** por dia. Beba água, mas também chá, café, infusões e refrigerantes zero.

TEMPEROS: tomilho, alho, salsa, cebola, picles e alcaparra etc. estão autorizados, assim como todos os condimentos. Chicletes sem açúcar também estão autorizados.

Nada além disso durante esses poucos dias da fase de ataque, que é de importância crucial para o desenrolar das outras fases. Se forem seguidos corretamente, esses poucos dias vão lhe abrir um vasto caminho, que não se fechará tão cedo. Por isso, evite tudo que puder diminuir o ritmo do lançamento do foguete da fase de Ataque!

Nessa fase você deve consumir uma colher e meia (sopa) de farelo de aveia. **O FARELO DE AVEIA** é um alimento-chave do meu método. Vou explicar o seu papel, mas já posso adiantar que as fibras solúveis que ele contém possuem duas propriedades físicas, ambas aliadas da minha dieta. **Seu poder de absorção** faz com que ele absorva mais de 20 vezes seu volume de água. Uma colher de sopa de 15g de farelo de aveia no estômago — se você beber bastante líquido durante a refeição — se transforma em uma bolha de 300g, o que lhe dá um poder de saciedade mecânico e muito rápido. Quando chega ao intestino, **a viscosidade natural de suas fibras** faz com que ele se cole nos nutrientes próximos, diminua seu ritmo de penetração no sangue, ou mesmo, para uma pequena parte, impeça-os de penetrar no sangue, levando-os consigo nas fezes. A saciedade e o gasto de calorias fazem com que o farelo de aveia, alimento pobre e outrora negligenciado, seja um alimento de resistência à atual abundância e ao sobrepeso.

Existem inúmeras maneiras de consumir sua dose de farelo de aveia. Pode ser como os ingleses, em forma de mingau, com leite desnatado e adoçante, levado ao micro-ondas. Pode ser em forma de panqueca, preparada com requeijão e claras de ovos, ou, ainda, em forma de muffin... E existem muitas outras receitas que vou ensinar você a fazer ao longo desses dias. Fique atento, pois o farelo de aveia não é uma punição, mas um prazer duplo: no plano culinário, tudo que preparamos com farelo de aveia se torna algo verdadeiramente delicioso e traz o prazer de emagrecer mais rápido e, ao mesmo tempo, sem fome.

Farelo de aveia

Fase de ataque • PP • Dia 1

Seu ambiente de saúde

Qualquer que seja a sua idade, se você tiver um problema de peso, habitue-se a estar atento a alguns parâmetros biológicos de um exame de sangue atual ou futuro.

A glicemia além de 1,26g mostra a existência de diabetes. Se a sua estiver normal (cerca de 1g), aconselho, caso existam casos de diabetes em sua família, que você faça um exame a cada ano. Caso contrário, faça um exame a cada cinco anos, até os 50 e, depois, com mais frequência.

O colesterol (total, a soma do colesterol "bom" e "ruim") deve ser acompanhado, especialmente se você tiver uma predisposição familiar. As dietas pobres em açúcares e em gorduras melhoram sistematicamente as taxas elevadas de colesterol no sangue.

Os triglicerídeos representam o marcador biológico que mais tem melhoras com a perda de peso, principalmente em pessoas que consomem vinho e carboidratos (açúcares) com regularidade.

A pressão arterial é um dos marcadores de saúde mais simples e preditivos do seu futuro. Saiba que emagrecer é o primeiro de todos os tratamentos. Existem hipertensões resistentes a inúmeros tratamentos, mesmo que estes sejam conjugados a outros... mas que melhoram quando se emagrece o suficiente.

O estado renal: ureia e creatinina devem ser examinadas para descobrir uma insuficiência renal grave, habitualmente conhecida pelo paciente e pelo médico. Na maioria das vezes, trata-se de uma nefrose diabética causada por uma intolerância ao açúcar. É importante saber que, dos três nutrientes universais — proteínas, lipídios e glicídios —, os dois primeiros — proteínas e lipídios — não têm qualquer ação nociva ou trazem qualquer perigo para os rins. Em contrapartida, o açúcar, quando consumido em alta quantidade e por um longo período de tempo, é capaz de devastar os rins e, frequentemente, leva à necessidade de diálise. Estudos recentes chegaram a demonstrar que os ratos, tendo adquirido diabetes através de um consumo elevado de açúcar e tendo os rins em estado terminal de deterioração, readquiriram seu vigor e se reestruturaram com uma dieta totalmente privada de glicídios.

Sua atividade física

O mínimo possível para continuar nessa estrada comigo é aceitar caminhar 20 minutos por dia. Se você não o fizer, não precisa continuar, pois não vai ver resultados: mesmo que você consiga emagrecer apenas com a dieta, corre o risco de estagnar quando tiver de perder os quilos mais difíceis. E mesmo que chegue ao seu Peso Ideal, vai ficar cansado com essa dieta, se ela não for contrabalançada com uma atividade física suficiente.

Diga a si mesmo que, ao se mexer, o esforço da dieta não será tão difícil de suportar: consequentemente, ele parecerá menos frustrante. E, assim, você terá mais facilidade para estabilizar seu Peso Ideal, quando o tiver alcançado.

Então, não se esqueça de fazer seus **20 minutos de caminhada**. E eu deixo você fazer um pouco mais, se desejar...

Suas medidas

Tirar suas medidas é permanecer em contato com seu corpo e conseguir acompanhar suas variações de volume.

Existem três tipos de corpo:

 O ginoide, essencialmente feminino, um corpo violão, com cintura fina e coxas e quadris mais marcados.

 O modelo androide, próximo da formação masculina com o pescoço, os ombros e a cintura mais marcados que os quadris e as coxas.

 O modelo equilibrado, no qual tudo é harmonioso, inclusive após o ganho de peso.

Se seu corpo é do tipo ginoide, o que importa para você é medir a circunferência da cintura, dos quadris e das coxas. A medida da cintura se faz, normalmente, em sua parte mais estreita.

A circunferência dos quadris deve ser feita posicionando-se a fita métrica do lado superior do triângulo dos pelos pubianos.

A medida das coxas deve ser feita na parte em que, abaixo dos quadris, a circunferência é mais larga.

De acordo com seu tipo de corpo, preencha com suas medidas a página da semana correspondente. Pessoalmente, se tiver tempo, anote todas, pelo menos no início, pois isso vai lhe dar referências.

Você poderá medir seu corpo sempre que quiser, mas, para nós, o que interessa é anotar as medidas uma vez por semana.

"Escapadas" da dieta

Já lhe disse: de forma alguma você deve sair da dieta hoje. Se houvesse apenas um dia em que não pudesse sair da dieta, esse seria o dia. É o primeiro dia. Nesse estágio, escapar da dieta tiraria toda credibilidade e futuro do seu projeto de perda de peso. Diga a si mesmo que essa "escapada", por mínima que seja, **teria o poder de destruição de uma picada de agulha em um enorme balão de gás.**

Além da importância metabólica desses primeiros dias de proteínas puras, eles também têm o valor de um teste de sua determinação... pois raros são meus pacientes ou leitores que recuam durante a fase de ataque, ainda mais porque os resultados são espetaculares. Se, por acaso, você acabar não resistindo durante a fase de ataque, recomece do zero!

Exercício do dia

- **Jovem e ativo:** Comece com 30 abdominais + 12 agachamentos por dia, mas com o passar do tempo vamos aumentar.
- **Com mais de 50 anos e sedentário:** Comece com 10 abdominais e cinco agachamentos por dia.

Fase de ataque • PP • Dia 1

Minha lista de compras

- Farelo de aveia
- Farelo de trigo
- Requeijão 0% de gordura
- Shirataki
- Vitela ou peito de peru
- Carne moída magra
- Cottage 0% de gordura
- Iogurtes naturais 0% de gordura
- Escalope de frango
- Adoçante
- Ovos
- Camarões

Sua receita de hoje

Comece com a panqueca de farelo de aveia. Nesse primeiro dia, é a receita ideal. O farelo de aveia está autorizado na quantidade de uma colher e meia por dia. Isto basta para ajudá-lo a emagrecer.

Panqueca de farelo de aveia

 5 min   10 min   4

8 colheres (sopa) de farelo de aveia
4 colheres (sopa) de farelo de trigo
8 colheres (sopa) de requeijão
0% de gordura
4 claras de ovos batidas em neve

1. Misture todos os ingredientes, menos as claras, até obter uma massa homogênea.
2. Incorpore as claras em neve à massa.
3. Quando a massa estiver pronta, despeje um quarto em uma frigideira aquecida em fogo médio e cozinhe durante 5 minutos. Vire a massa com a ajuda de uma espátula e deixe cozinhando por mais 5 minutos.
4. Você também pode adicionar uma colher de café de cacau sem gordura para uma panqueca de chocolate ou variar com versões salgadas, adicionando temperos.

Sua motivação

O que é a motivação? É uma força e uma energia capaz de mobilizar você para um objetivo e uma direção.

Não sei há quanto tempo você quer emagrecer, mas, hoje, você conseguiu passar ao ato. "**A força está com você**", uma força capaz de esmagar qualquer obstáculo em seu caminho. MAS você e eu sabemos que essa força é passageira e que corre o risco de se apagar.

Você acaba de acender um fogo que queima rápido e forte... mas que não vai durar, a não ser que o reforce e o alimente. Para manter sua motivação o melhor jeito é partir para um verdadeiro ataque contra seus primeiros quilos.

Então, hoje, seja exemplar e comece a tomar velocidade. Em seguida, juntos, vamos trabalhar para manter sua motivação.

Meu diário pessoal

Para que serve seu diário?

Dizer em voz alta o que se quer fazer para atingir um objetivo torna essa ação concreta: por mais estranho que possa parecer, assim é mais fácil realizá-la. Mas escrevê-la lhe dá ainda mais realidade e eficácia!

Reserve um tempo para escrever aqui, a cada vez que sentir que o que está pensando faz sentido e tem importância. Fale das forças e emoções positivas que o fazem progredir. Quanto mais falar nelas, mais vai manter essa motivação a longo prazo. Fale também do que lhe faz bem ao longo da travessia desse percurso de emagrecimento.

Escreva sobre a satisfação de ver seu corpo mudando e o ponteiro da balança abaixando.

Escreva, também, sobre as dificuldades que encontrou, mas, principalmente, sobre o modo como as resolveu e contornou. Vá fundo no que está acontecendo dentro de você e escreva: o que chega à consciência é mais forte do que aquilo que acontece na sombra. Cabe a você expressar-se, adquira esse hábito e procure as palavras para falar dele. Cristóvão Colombo não teria descoberto a América se não tivesse tido um diário de bordo; ele mesmo o escreveu.

Fase de ataque • PP • Dia 2

Dia 2
da minha dieta Dukan

| Meu peso inicial: | Meu peso atual: | Meu total de kg perdidos: | Meu peso ideal: |

Panorama do seu segundo dia

Seu segundo dia de ataque tem quase tanta importância quanto o primeiro, pois também faz parte das bases da dieta. Depois do dia de ataque de ontem já aconteceram muitas coisas em seu organismo. Seu sangue agora tem **menos açúcar, menos gordura e menos água**, seus tecidos estão menos inchados, certamente, há um pouco menos de colesterol circulando; sim, já. Sua pressão arterial já pode ter diminuído em um ou meio ponto.

E tudo isso é apenas o começo. Amanhã de manhã tudo vai correr ainda melhor, então, segure firme.

Sua motivação

Quanto mais avançarmos nesse projeto em comum, mais você vai entender que **a motivação é o coração de sua empreitada.**

Com a motivação devidamente enraizada, você estará no comando de um trator que esmaga tudo por onde passa. Mas cuidado para não pensar que essa força lhe pertence. Ela só vai continuar agindo se você conseguir impedir que os parasitas se interponham entre você e ela.

Além disso, saiba que, quando você tem motivação, esta não se aplica apenas ao seu projeto de emagrecer, mas **transborda e fertiliza todos os seus outros projetos.** Então, prudência e vigilância, não faça nada que possa fragilizá-la.

"Escapadas" da dieta

Em minha dieta existe a escapada zero, que é a minha preferida. Há, também, a pequena escapada, a média, a grande e a enorme. Hoje, você não tem escolha, é necessária **a escapada zero, nenhuma outra.** Não se esqueça da metáfora da agulha no balão de gás.

Sua atividade física

Atenção! Não se esqueça dos seus **20 minutos de caminhada**, eles são parte integrante do nosso contrato. Esses 20 minutos são a prova de que você não está paralisado, nem paraplégico. Mesmo que pareçam insuficientes ou irrisórios, para mim, bastam, na falta de algo melhor, e eu lhe peço que faça tudo para que eles entrem em seus hábitos. Seu corpo precisa disso, mas não tem como dizê-lo a você, pois a necessidade fundamental de se mexer está na fisiologia do seu corpo e no seu inconsciente.

Não se esqueça de que somos os únicos animais do mundo que ficam de pé sobre os dois membros inferiores, e isso há milhões de anos, o que talvez seja o primeiro sinal de nossa humanidade, muito antes de sabermos transformar pedras em armas. No entanto, ao satisfazer essa necessidade natural de fazer seu corpo funcionar, você vai rapidamente sentir a recompensa com o que se chama **estar em forma, o que nada mais é que uma das manifestações da felicidade e da satisfação.**

Exercício do dia

- **Jovem e ativo:** Ontem, você fez 30 abdominais + 12 agachamentos. Hoje, vai fazer 31 e 13. Nada grandioso, mas, dia após dia, aumentaremos a série.
- **Mais de 50 anos e sedentário:** Ontem, você fez 10 abdominais e 5 agachamentos. Hoje, faça 11 e 6: você vai conseguir fazer sem dificuldade.

Minha mensagem de apoio para você

"**Você está na fase de ataque e gostaria de lembrá-lo que você tem direito a 66 alimentos ricos em proteínas.** Isto quer dizer que você tem muitas opções, folheie sua lista: há, certamente, alguns alimentos que vão atraí-lo mais que outros. Nos primeiros dias, coma aquilo que tiver mais vontade. Mas não se feche no que mais gosta, para não enjoar e acabar desistindo da dieta. Se você gosta de carne, saiba que saciam mais que os peixes, mas nunca se esqueça de variar.

Não coma rápido demais, tome seu tempo para dar lugar ao prazer que vem da comida para aguçar suas sensações e não deixe de estar atento às emoções que daí resultam. Não se esqueça de que o prazer é o primeiríssimo alimento, qualquer que seja sua origem. Pare e pense: quando lhe acontece algo de bom, por que você vai querer que se acabe rápido e desapareça? Então, se experimentar uma comida agradável ao paladar, no gosto ou na consistência, faça com que o prazer dure. Se engolir tudo de uma vez, não vai sentir o gosto e vai precisar comer mais para obter a mesma intensidade de sensações."

Pierre Dukan

Fase de ataque • PP • Dia 2

Cesta de compras do dia

Sua cesta é apenas uma sugestão, mas cabe a você adaptá-la a seus gostos e preferências. Não se esqueça de que os laticínios são preciosos nesta dieta, pois sua fórmula e fabricação melhoraram tanto nesses últimos anos que minha dieta, que não limita quantidades, vem se tornando cada vez mais vigorosa e eficaz. Laticínio significa leite desnatado, iogurtes e queijos 0% de gordura.

Sua receita de hoje
Bolo de iogurte (PP)

 8 min   35 min   2

2 ovos inteiros
2 claras
3 colheres (sopa) de farelo de aveia
2 colheres (sopa) de farelo de trigo
8 colheres (sopa) de pó de proteínas puras (opcional)
1 iogurte natural 0% de gordura
½ colher (sopa) de fermento
3 colheres de sopa de adoçante para uso culinário
Essência à escolha (avelã, baunilha, amêndoa...)

1. Preaqueça o forno a 200°C.
2. Misture todos os ingredientes.
3. Despeje o preparo em uma forma de silicone e leve ao forno micro-ondas durante 8 minutos ou durante 25 minutos no forno a 180°C.
4. Verifique o cozimento antes de retirar do forno, usando a ponta de uma faca ou um palito, que devem sair secos.

Nota: Durante a fase de cruzeiro você poderá usar 4 colheres de sopa de farelo de aveia.

Minha lista de compras

- Queijo fresco 0% de gordura
- Proteína em pó (uso culinário)
- Camarões
- Bacalhau
- Fígado de frango
- Atum sem óleo
- Iogurtes naturais 0% de gordura
- Ovos

Seu ambiente de saúde

Se você acha que seu peso mede apenas a massa do seu corpo, está enganado. **Ele fala muitas outras coisas sobre você.** Imagine dois carros de luxo, conhecidos por sua solidez ao sair da fábrica. O primeiro será usado por uma família de cinco pessoas; o segundo, por uma pessoa solteira, que nunca dá carona. Cinco anos depois, faça um teste de controle técnico e você vai se surpreender ao constatar que os órgãos essenciais do carro terão envelhecido de maneira bastante diferente. O mesmo acontece a um corpo humano vivo. Logo, qualquer que seja sua idade, você deve evitar sobrecarregar seu corpo, pois, um dia, poderá se arrepender.

Ao longo de todo o nosso percurso falarei, todos os dias, sobre um elemento ligado à relação entre seu peso — passado, atual e futuro — e sua saúde. Se você for jovem, vai torcer o nariz ao ler essa parte, pois, na sua idade, pensamos ser inoxidáveis; e, de fato, somos, mas um dia não seremos mais. **Se você é alguém inteligente, saiba que você é o seu corpo,** e como seu cérebro faz parte do seu corpo, você deve se preocupar com ele, informar-se sobre ele. Vou ajudá-lo, mas não quero falar ao vento.

Meu diário pessoal

Mesmo que você se sente diante deste diário e não consiga pensar em nada para escrever, você está enganado. Espere e verá que as mensagens que dizem respeito a você virão. Basta estar atento.

....
....
....
....
....
....
....
....
....
....
....
....
....
....
....
....
....
....
....
....
....
....
....
....
....
....
....
....

Fase de ataque • PP • Dia 3

Dia 3
da minha dieta Dukan

| Meu peso inicial: | Meu peso atual: | Meu total de kg perdidos: | Meu peso ideal: |

Panorama do seu terceiro dia

Se você seguiu corretamente os primeiros dias de ataque, já está salvo, pois tirou deles os primeiros benefícios. **Você provavelmente perdeu 1kg**, suas roupas já devem estar um pouco menos apertadas, suas extremidades, mãos e pernas, menos inchadas. É pouco... mas o suficiente para que você fique mais tranquilo. Seu esforço está sendo retribuído, continue.

Sua motivação

A motivação não pode ser decretada. Ela nunca está em nós por acaso. A motivação vem das profundezas da face oculta, arcaica e animal que existe em você para, justamente, motivá-lo a fazer o que seu corpo deseja que você faça.

Não pense que essa motivação serve apenas aos seus objetivos fisiológicos ou metabólicos. Ela está também, se não mais, a serviço de sua necessidade de sensações, emoções e prazeres capazes de satisfazê-lo. Desse modo, a motivação mantém solidamente fixado seu desejo supremo de viver.

Assim sendo, você deve, a todo custo, cultivar essa motivação, cujo vigor mostra seu apego à vida. Deixe-a fazer seu trabalho, ela vai ajudá-lo a manter-se firme diante da tentação onipresente da comida. **Mantenha-se firme, apenas você pode decidir por si mesmo e, agora, possui todas as armas. Aguente até amanhã.**

"Escapadas" da dieta

Tenho certeza de que você ainda não saiu uma única vez da dieta. De fato, menos de 5% dos usuários do meu método recuam durante a fase de ataque. Logo, não existe qualquer motivo para que isso lhe aconteça. Saiba que estou ao seu lado, para ajudá-lo.

Você certamente já viu a balança falar e dizer coisas agradáveis. Não deixe acontecer nada que possa diminuir seu ritmo ao longo desse terceiro dia. Mas, caso isso aconteça, não entre em pânico e não se sinta culpado. **Faça mais 20 ou 30 minutos de caminhada para reparar o erro e esquecê-lo.** E, acima de tudo, não diga a si mesmo: "Já que está tudo perdido, não tenho mais por que me esforçar!" Existe um abismo entre uma pequena escapada, como a que você talvez tenha acabado de fazer, e uma grande escapada.

Seu ambiente de saúde

Sempre fico surpreso ao constatar até que ponto poucas pessoas conseguem distinguir o essencial do acessório em suas vidas. Penso especialmente em homens e mulheres **tão preocupados com suas vidas profissionais que acabam se esquecendo de suas vidas pessoais.** É claro que admiro o movimento de se agarrar, com determinação, à decisão de reforçar a saúde de uma empresa... mas desprezo que esse mesmo movimento negligencie a própria vida (e, com ela, às vezes, a saúde).

Quando temos menos de 40 anos, pensamos ser imortais. Entre 40 e 50 anos, começamos a ser chamados à ordem através das vértebras, a taxa de colesterol ou a pré-menopausa. Entre 50 e 60 anos, a saúde começa a se tornar um valor primordial. Seria assim tão razoável pensar nela tão tarde? Não sei qual é a sua idade, mas, quanto mais se preocupar previamente, mais aproveitará no futuro.

O interesse de um jovem por sua saúde é o seu melhor seguro de vida.

Minha mensagem de apoio para você

" **O terceiro dia da fase de ataque** está destinado a colocar a fase de cruzeiro (segunda etapa do meu método) em órbita. Esta etapa o levará, definitivamente, ao seu Peso Ideal.

Você ainda está no primeiro estágio do lançamento do foguete, em que qualquer incidente pode fazer com que o lançamento seja malsucedido. A prudência é essencial, pois, o que tiver conquistado nesses primeiros dias 'ofensivos' é SEU, como um pequeno tesouro de guerra que se conseguiu tomar do inimigo. **Os primeiros quilos perdidos serão uma margem de segurança** para o seu projeto, pois serão conquistados e você não vai recuperá-los facilmente. Além disso, o peso perdido vai lhe dar confiança e vontade de continuar.

A experiência mostra que a dificuldade da dieta é sentida principalmente à tardinha, quando começa a noite. Dobre a atenção quando voltar para casa depois de um dia de trabalho tenso e estressante, quando terá vontade de relaxar. **Para isso existem outras coisas além de abrir as portas da despensa ou da geladeira.** Escute música, beba alguma coisa agradável e relaxante, tome um banho. Se estiver com vontade de colocar algo na boca, não existe problema algum, com a condição de que você não saia da minha lista! Pegue um iogurte ou uma fatia de peito de peru ou vitela, abra uma lata de atum sem óleo com um pouco de suco de limão.

Se estiver se sentindo tentado a comer algum alimento 'proibido', não se sinta aprisionado pelo momento, como ficariam uma criança ou um animal. Tente ver a situação de outra perspectiva e espere a tentação passar. Pense em tudo que sua decisão de emagrecer vai lhe proporcionar, pense no seu projeto. Pense no AMANHÃ. "

Pierre Dukan

Fase de ataque • PP • Dia 3

Cesta de compras do dia

A cesta de compras de hoje é ainda aquela da fase de ataque. Você pode comprar fígado de frango, camarões, queijo fresco 0% de gordura, peito de peru ou de frango sem gordura e sem a pele.

Minha lista de compras

- Cottage 0% de gordura
- Ovos
- Peito de frango
- Carne moída magra
- Shirataki
- Salmão defumado
- Vieiras
- Limões verdes
- Iogurtes naturais 0% de gordura, sem açúcar

Sua receita de hoje

Sashimi de vieiras
ao limão galego (PP)

 10 min   60 min   4

12 vieiras
2 limões-galegos
2 caules de cebolinha picados
2 colheres (sopa) de molho shoyu
Um pouco de mostarda japonesa
Wasabi

1. Lave as vieiras e retire o excesso de água com uma toalha de papel. Em seguida, corte-as em três rodelas, com a ajuda de uma faca de lâmina bem fina. Lave os limões. Corte um em rodelas finas e retire o suco do outro. Despeje o suco em uma pequena tigela, adicionando o wasabi e o molho shoyu. Misture e reserve na geladeira. Reparta as tiras de vieira em pratos pequenos e decore com as rodelas de limão. Cubra com filme plástico e reserve na geladeira.

2. No momento de servir, adicione a cebolinha picada e reparta o molho em diversas tigelas pequenas, para que os convidados molhem seus sashimis de vieira.

Sua atividade física

Não me canso de repetir: a caminhada é a atividade mais humana que existe. Nenhum animal neste planeta caminha sobre os dois pés. O que diferencia os últimos macacos dos primeiros seres humanos é a postura e a caminhada. Isso aconteceu há milhares de anos, o que mostra como a atividade se imprimiu em nosso cérebro!

Hoje, qualquer que seja a programação do seu dia, arrume tempo para fazer seus 20 minutos de caminhada. A caminhada o protege e **nunca vai deixar de protegê-lo ao longo de sua vida...** Tenho a intenção de pedir que você continue caminhando depois de emagrecer.

Exercício do dia

- **Jovem e ativo:** Ontem, você fez 31 abdominais + 13 agachamentos. Hoje, vai passar a 32 e 14. Nada de muito cansativo, mas vamos aumentar, com o passar do tempo.
- **Mais de 50 anos e sedentário:** Ontem, você fez 11 abdominais e seis agachamentos. Passe para 12 e sete, o que você vai conseguir fazer sem maiores dificuldades.

Meu diário pessoal

Se você comprou este diário de bordo e ainda não escreveu uma palavra sequer nele, não o está aproveitando plenamente. **Dizer é predizer.** Vamos, escreva...

Fase de ataque • PP • Dia 4

Dia 4
da minha dieta Dukan

Meu peso inicial: ....
Meu peso atual: ....
Meu total de kg perdidos: ....
Meu peso ideal: ....

Panorama do seu quarto dia

Lembre-se: **a duração de sua fase de ataque depende do peso que você quer perder.** Este quarto dia talvez seja seu último da fase de ataque, se você tiver entre 5 e 10kg para "queimar". Se tiver entre 10 e 20kg para perder, será preciso continuar até o quinto dia (ou até o sexto, se tiver entre 20 e 30kg, ou uma semana, se tiver mais).

Sua atividade física

Vivemos em tempos bem singulares: **para muita gente, caminhar se tornou algo pesado e trabalhoso.** Você e eu somos, no entanto, programados para caminhar, assim como somos programados para respirar.

Todos os dias ouço de meus pacientes que eles não têm tempo para andar 20 minutos por dia. Que pena! É verdade — embora horrível — que não precisamos mais andar. Quando o fazemos, é porque assim decidimos. Mas caminhar faz parte da condição humana, tanto quanto pensar ou amar.

Não caminhar (e, por conseguinte, não se mexer) é simplesmente perder parte da nossa razão de existir. Quando negligenciamos nosso corpo e nos recusamos a saciar sua necessidade primeira, reduzimos nosso caminho natural até a satisfação e o prazer de viver. **Não raro, essa frustração é compensada pela comida.** Logo... caminhe e você ficará menos tentado a comer quando não tem fome!

Exercício do dia

Hoje e até o fim da fase de ataque vamos manter o ritmo do último dia, para você não se cansar:

- **Jovem e ativo:** Continue nos 32 abdominais e 14 agachamentos.
- **Mais de 50 anos e sedentário:** Continue nos 12 abdominais e sete agachamentos.

minha mensagem de apoio para você

" Se você ainda está na fase de ataque, é porque tinha entre 5 e 10kg a perder. E, se tinha esses quilos a mais, não era por luxo ou charme! Vamos supor que você tenha 10kg a perder. O que 10kg representam? Dez quilos representam uma carga suficiente para irritá-lo ou cansá-lo, fazê-lo transpirar quando faz esforço, ficar ofegante quando sobe escadas etc.

Ao escrever este diário de bordo meu papel é dirigir seu projeto e ajudar você, tornando o caminho mais fácil. Pela minha experiência, sei que se você iniciou meu método para emagrecer é porque tem apego suficiente a ele para aceitar, em pleno século XXI, era da abundância e do consumismo desenfreado, abandonar, por um período determinado, seu direito à espontaneidade alimentar. E você acha que isso é banal ou normal? Ora, nenhum animal no mundo já fez isso... o que significa que não deve ser algo óbvio, do ponto de vista da biologia e da fisiologia. A programação profunda, biológica e comportamental que existe em nós nasceu com nossa espécie, há já 200 mil anos. Desde então, nunca mais mudou. Ela surgiu com a falta de comida, a caça, as caminhadas exaustivas, o combate e a defesa, o frio intenso, e foi feita para que pudéssemos sobreviver a tudo que nos ameaçava à época. Essa programação para sobrevivência em meio a todas as adversidades faz com que o cumprimento de uma dieta se torne difícil, pois é quando nos privamos voluntariamente de certos recursos.

Você escolheu entrar em uma restrição voluntária. A partir de agora, tem duas possibilidades: ou vai até o fim ou abandona a estrada, para acabar recomeçando novas dietas diversas vezes. Como, hoje, você está comigo e está seguindo minha dieta, prometo fazer meu máximo para que tenha sucesso. **Prometo ajudar você a sair para sempre das estatísticas do sobrepeso.** Quanto a você, faça tudo que puder para sair vitorioso e para que seja sua última dieta! Tantas pessoas que acompanho todos os dias conseguem, seja através de consultas, com a ajuda dos meus livros ou pela internet. **Então, por que você não conseguiria? Ajude-me a ajudá-lo, prometo que é simples e fácil.** "

Pierre Dukan

Sua motivação

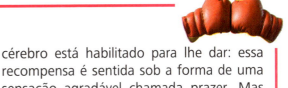

No estágio em que você está, hoje, no quarto dia, conheço poucas pessoas que tenham perdido a motivação. Agrada-me pensar que você faz parte daquele grupo que continua, sem desistir. A motivação é uma força estranha: é equivalente ao vento nas velas de um barco. Ela assopra e você avança, ela para de assoprar e você fica estagnado. Quem decide quando assopra esse vento favorável? É uma pergunta importante, essencial...

Na realidade, quanto mais você vive de acordo com o programa genético criado para a espécie humana, mais colhe a recompensa que esse programa criou e que seu cérebro está habilitado para lhe dar: essa recompensa é sentida sob a forma de uma sensação agradável chamada prazer. Mas o que você não vê e que circula, paralela e profundamente, é a produção que seu cérebro faz de dois mediadores químicos, a **serotonina** e a **dopamina**. O primeiro é capaz de lhe proporcionar prazer e, o segundo, de recarregar sua vontade de viver. Quando você emagrece e tende a voltar ao seu Peso Ideal, está fazendo nada mais que tentar permanecer humano! Então, continue nessa direção: isto vai ajudá-lo a manter sua motivação para emagrecer — e, de maneira mais geral, para viver bem.

Fase de ataque • PP • Dia 4

Seu ambiente de saúde

Você sabia que ao longo desta última metade de século ganhamos quase vinte anos de longevidade? Isto é ótimo, mas esses vinte anos de longevidade também são... aqueles que vivemos por último. Daí vem a necessidade de estar em boa forma para viver este presente oferecido pelo progresso! **Se estivermos em bom estado de saúde, esses 20 anos não serão um presente qualquer.** Livres e aposentados, poderemos continuar a viver dignamente. **Mas se tivermos de viver esse bônus sem saúde, então, teremos a pior das punições.** Então, é agora que devemos pensar nesse presente maravilhoso.... ou envenenado, depende de você. Emagrecer e comer bem são alguns dos poucos meios à sua disposição para atingir esse objetivo de longevidade com saúde: não se prive dele.

Sua cesta de compras do dia

A cesta continua a mesma, pois é adaptada à fase de ataque, com seus 66 alimentos ricos em proteínas. Mas, pensando em você, que eu não conheço mas que, mesmo assim, estou acompanhando, algo me diz que, talvez, você não goste de se alimentar de animais abatidos. Sem o menor problema! Coma peixes, frutos do mar ou produtos de origem animal como leite e ovos.

Você é vegetariano e nenhum animal pode lhe servir de alimento? Conserve, então, os ovos e os laticínios e adicione proteínas vegetais, como o tofu, o seitan e o tempeh.

Minha lista de compras

- Cavala
- Robalo
- Kani
- Missô ou sopa de missô pronta
- Ovos
- Tofu (queijo de soja)
- Iogurtes naturais 0% de gordura

Sua receita de hoje

Omelete de tofu (PP)

15 min • 5 min • 4

2 ovos
2 colheres (sopa) de molho shoyu
1 dente de alho picado
½ cebola verde picada com o caule
400g de tofu cortado em pequenos cubos
1 colher (sopa) de salsa picada
Pimenta-do-reino a gosto

1. Em um recipiente, bata os ovos com os temperos.
2. Adicione o tofu e misture.
3. Em uma frigideira, despeje o preparo da omelete. Cubra e cozinhe em fogo brando.
4. Salpique a salsa antes de servir. Sirva com o molho shoyu.

"Escapadas" da dieta

Se a sua fase de ataque durou apenas três dias, esta parte não é para você, mas para aquelas e aqueles que têm ao menos 5kg a perder. No entanto, aconselho que você a leia, pois ela vai lhe dar vontade de continuar mais forte diante das escapadas da dieta...

Se você continua na fase de ataque, ainda há o que ser feito. Seu corpo está no impulso e pode, hoje, perder algumas centenas de gramas estimulantes. Mantenha-se firme e lembre-se de que **seu melhor aliado é a possibilidade de usar a quantidade para neutralizar a restrição qualitativa.** Você não pode beber álcool ou comer chocolate (assim como muitos outros alimentos de ação sensorial forte e qualitativa), mas tem a vantagem de poder comer livremente os meus 66 alimentos. Esta liberdade nas quantidades é tida por muitos que seguem meu método como a primeira de suas vantagens, e o que explica seu sucesso.

Para proteger sua determinação, diga a si mesmo que está no quarto dia de uma corrida que lhe parecia inconcebível até pouco tempo e que, agora, você consegue realizar facilmente. Você decidiu conscientemente fazer o que está fazendo agora. Isto tem um sentido que vai bem além de mero objetivo de perda de peso. **Você está provando a si mesmo que é capaz de fazer esse esforço:** está provando a si mesmo que é capaz de controlar seus instintos e se afastar da vontade de gratificação imediata.

Meu diário pessoal

Provavelmente, nunca terei a oportunidade de ler o que você vai escrever neste diário. Mas o que sei é que o fato de escrever nele vai ajudar muito em seu processo de emagrecimento. Se escrever, vai reler seu conteúdo muitas e muitas vezes, pois vai perceber sua ação benéfica.

Fase de ataque • PP • Dia 5

Dia 5
da minha dieta Dukan

| Meu peso inicial: | Meu peso atual: | Meu total de kg perdidos: | Meu peso ideal: |

Panorama do seu quinto dia

Lembro a você que este quinto dia de ataque só lhe diz respeito se você tiver entre 10 e 20kg a perder. Caso contrário, passe diretamente ao primeiro dia da fase de cruzeiro, ao longo da qual você terá direito a 34 legumes e verduras que se adicionarão às 66 proteínas iniciais.

Quanto a você que ainda não acabou a fase de ataque, acredito que tenha **perdido entre 1,5kg a 2kg.** Cuidado: se você perdeu tanto peso, apenas a metade era realmente pura gordura de reserva. A outra metade, provavelmente, era água. Quando adicionar os legumes, você corre o risco de "estagnar" (quando a água perdida voltar). Não se preocupe, é normal!

Exercício do dia

A meta continua a mesma, continue a fazer as mesmas séries, para não se cansar.

- **Jovem e ativo:** Continue a fazer 32 abdominais e 14 agachamentos.
- **Mais de 50 anos e sedentário:** Continue a fazer 12 abdominais e sete agachamentos.

Sua atividade física

Neste quinto dia repito uma mensagem essencial: **CAMINHE 20 MINUTOS** hoje. O drama da modernidade e do excesso de comunicação é o fato de que tudo que não é novo e inédito rapidamente se torna banal. Ora, nada mais banal que a caminhada! Você deve até mesmo estar se perguntando por que insisto tanto para que você coloque um pé atrás do outro e repita a ação durante 20 minutos. Quanto mais simples e fácil, mais deveria ser óbvio... mas caminhar não está na moda e você nunca vai ver uma revista feminina propor essa atividade.

Em contrapartida, vai ler sobre danças exóticas, esportes de combate, *tae kwon do*... O mesmo acontece com o papel da água ao longo de uma dieta para emagrecer. Se as pessoas estivessem realmente convencidas de que beber água pode ajudá-las a emagrecer, beberiam muito mais. Mas beber e caminhar não são atividades suficientemente sensacionais para terem credibilidade.

Mesmo sem conhecê-lo, acho que você não caminha e não bebe líquidos o suficiente: afinal, é por isso que, hoje, você precisa emagrecer. Então, beba água e, principalmente, CA-MI-NHE, por favor.

Minha mensagem de apoio para você

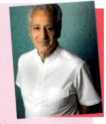

" *Você sabe que a duração da fase de ataque está ligada ao peso a ser perdido.* Hoje é o quinto dia dessa fase e, se você ainda não passou para a fase de cruzeiro, é porque tem mais de 10kg a perder. E como carrega esse peso nas costas, sabe que isto representa algumas dificuldades, irritação, riscos e redução do bem-estar da vida cotidiana.

Afligi-lo está fora de questão, mas quero incentivá-lo colocando em destaque os elementos que uma perda de peso coerente pode fazer desaparecerem. O que sei pela experiência é que, quando alguém começa um plano de emagrecimento, é porque o leva suficientemente a sério para aceitar, em pleno século XXI, terra de abundância e consumo desenfreado, abandonar, por um determinado tempo, seu direito à espontaneidade alimentar. Dito desse modo, pode parecer banal, mas nenhum animal no mundo jamais o fez, o que significa que não deve ser fácil em termos de biologia e fisiologia. Nossa espécie emergiu há 200 mil anos para sobreviver em um ambiente de miséria alimentar. **Nosso corpo, nossa mente e nossos comportamentos instintivos estão armados para se adaptarem a uma penúria imposta, mas não para nos impor a escassez em um ambiente de excesso alimentar.** Muito pelo contrário, estamos programados para não resistir às tentações alimentares, e esse programa de sobrevivência é o que dificulta nossos esforços para emagrecer.

Se você começou esta dieta, vai até o fim dela ou vai parar e recomeçar dietas indefinidamente. Então, faça de tudo para que este plano que estou traçando para você tenha êxito e para **que seja sua última dieta**. São tantas as pessoas que eu acompanho no dia a dia, em meu consultório, nos meus livros ou pela internet, que conseguem chegar ao objetivo, então, por que você não conseguiria? Ajude-me a ajudá-lo e prometo que vai ser simples e fácil. "

Pierre Dukan

Fase de ataque • PP • Dia 5

Sua cesta de compras do dia

Sua cesta continua centrada nos 66 alimentos de ataque. Varie entre os diversos tipos de carne: não fique restrito às carnes de hambúrguer com 5% de gordura. Pense em outras peças de carne, como o filé, o contrafilé... Evite as partes muito gordurosas da carne de boi, como o contrafilé e a costela.

Não se esqueça das ovas de peixe fresco que os peixeiros sempre guardam para eles. Se tiver a simpatia do seu peixeiro, peça a ele as ovas de linguado, extremamente crocantes, ou ovas de tainha (e, por extensão, de todos os peixes consumidos em filé, que são separados de suas ovas). É simplesmente uma delícia (e um dos alimentos que mais saciam).

Sua receita de hoje

Bacalhau à Brás

10 min | 40 min | 4

600g de bacalhau dessalgado e desfiado
4 cebolas grandes cortadas em rodelas finas
2 dentes de alho picados
3 tomates sem semente cortados em quadrados pequenos
5 ovos inteiros batidos
sal
pimenta branca em grãos (moídos na hora)
salsa
cebolinha francesa

1. Com o bacalhau dessalgado, cozinhe em água por aproximadamente 30 minutos. Reserve o caldo e desfie o bacalhau.

2. Refogue as cebolas, o alho e os cubos de tomate com o caldo do bacalhau reservado anteriormente até que as cebolas fiquem amolecidas e transparentes. Acrescente o bacalhau desfiado e temperos.

3. Bata os ovos inteiros e adicione ao bacalhau, mexa o tempo todo para que os ovos cozinhem de maneira homogênea, dando liga e sabor ao bacalhau.

4. Adicione salsinha e cebolinhas na hora de servir.

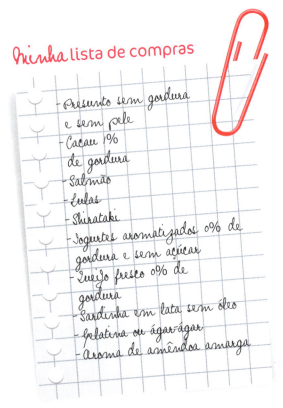

Minha lista de compras
- Presunto sem gordura e sem pele
- Cacau 1% de gordura
- Salmão
- Lulas
- Shirataki
- Iogurtes aromatizados 0% de gordura e sem açúcar
- Queijo fresco 0% de gordura
- Sardinha em lata sem óleo
- Gelatina ou ágar-ágar
- Aroma de amêndoa amarga

Sua motivação

Não podemos abastecer nosso estoque de motivação como abastecemos um carro no posto de gasolina. A motivação faz parte de nossa energia vital, que mostra nossa vontade de expansão. Vou explicar! Um ser vivo — você, por exemplo — existe em um dado ambiente. Existe em você um processo vital que faz com que você se alimente do mundo para crescer, assim como uma planta tira a seiva de suas raízes e cava sua energia através da captura de energia solar por suas folhas.

Em função do poder de sua energia vital e de sua idade, você está ou em expansão e possui forte motivação para viver, ou em "sub-regime" e, em vez de controlar o mundo que o cerca, submete-se a ele. **A boa-nova é que é possível fabricar motivação.** Como?

Agindo pelo pensamento consciente — o único que conhecemos — nas forças vindas do inconsciente. Explico melhor minha ideia: quando fixamos um objetivo e repetimos a nós mesmos que é possível atingi-lo, produzimos uma real motivação. Estou apenas procurando dizer a você esta coisa incrível: dizer que queremos alguma coisa e, principalmente, redizê-lo e repeti-lo já é efetuar parte do caminho. Dizer é uma ação que engaja inteiramente o indivíduo, consciente e inconsciente. Isto já é um passo para o sucesso. E ainda não falei tudo sobre esse segredo extraordinário.

Fase de ataque • PP • Dia 5

"Escapadas" da dieta

Minha experiência pessoal me mostrou que na fase de ataque existem dois tipos de perfil psicológico. O mais comum deles é o tipo "Tudo ou nada". **São pessoas inteiras e intensas, que não conseguem fazer nada pela metade.** Quando decidem se lançar em uma batalha, são voluntárias e ativas... Tão voluntárias quanto foram preguiçosas ao longo de suas fases de desmotivação e ausência de autocontrole! Elas sempre pedem mais: se não as paramos, continuam a lutar por muito tempo... desde que sejam encorajadas por uma substancial perda de peso.

Se você estiver nesse caso, cinco dias de proteínas não vão perturbá-lo. Devo dizer, no entanto, que essa vantagem tem sua desvantagem. Pode acontecer, em caso de crise ou de dificuldades, que a perda de peso seja interrompida ou até mesmo que seu peso aumente! Assim, a inversão será tão brutal quanto. Se você for esse tipo de pessoa, deve levar esse risco em conta e se preparar para ele.

Além disso, ao longo da fase de cruzeiro, é possível que você atravesse alguns períodos de estagnação, durante os quais, apesar da dieta levada a sério, seu corpo vai resistir e você não vai emagrecer. **E, numa bela manhã, todo o peso vai embora...** a não ser que você tenha perdido a confiança anteriormente e não tenha resistido à comida com a mesma determinação que tinha quando estava emagrecendo! O que você deve saber desde agora é que, se seguir a minha estrada, vai perder 10kg ao fim de 60 dias. Para alguns, que têm menos a perder, a viagem será mais curta e, para outros, mais longa. Assim que entrar na fase de cruzeiro, vou lhe explicar como calcular sua duração. Mas, por enquanto, saiba que o avanço se faz em 1kg por semana, em média.

E, enfim, o outro perfil psicológico: trata-se das pessoas que começam a se queixar cedo e que, rapidamente, acham o tempo longo demais... mesmo a partir do quinto dia. A boa-nova é que essas pessoas se queixam, mas continuam avançando. Não importa se você está no primeiro ou no segundo grupo, a palavra de ordem é clara: aguente firme durante a fase de ataque e não saia da dieta. Isto é muito importante, porque custaria caro sair dela. Coma muito, é o luxo da minha dieta. Varie, tente cozinhar.

Também **não se esqueça do farelo de aveia**, que é o principal e mais favorável elemento para aguentar a longo prazo. Você pode comer **uma colher e meia de sopa,** e aconselho que a consuma preparada em forma de biscoito, panqueca, crepe, muffin ou pão. Ao longo do quinto dia (talvez seu último dia de fase de ataque), é uma ajuda formidável. Use-o de forma inteligente.

ARREPENDA-SE DA ESCAPADA ANTES DE COMETÊ-LA!

Seu ambiente de saúde

Existem **quatro grandes razões para emagrecer:** a busca pela beleza e pelo poder de sedução, a busca pelo bem-estar, a necessidade de estar dentro da norma e não se sentir marginalizado pelo sobrepeso e, enfim, a necessidade de manter e proteger a própria saúde.

Quanto mais avançamos na idade, mais buscamos o essencial: a saúde é a condição de todas as coisas. Sem saúde, de que importam a norma, a sedução e o bem-estar? Pense na saúde, pois é uma evidência. Os animais não precisam pensar nela, pois seu programa os leva em sua direção naturalmente, por automatismo.

O homem também possui seus instintos de sobrevivência... Mas não se utiliza mais deles. Então, como um avião em perigo, viaje em modo manual, pois o piloto automático está em pane! Pense voluntariamente em sua saúde.

Meu diário pessoal

Peço que você escreva, pois posso garantir que quando começamos a fazê-lo isso se torna um hábito, uma facilidade que muda a vida. A luta contra o peso é um combate que, quando ganho, gera autocontrole e força. A perda de peso eleva, enquanto que engordar é se submeter. Escreva, prometo que você vai ter prazer e verá resultados.

Dia 6
da minha dieta Dukan

Meu peso inicial: ....
Meu peso atual: ....
Meu total de kg perdidos: ....
Meu peso ideal: ....

Panorama do seu sexto dia

Qualquer que seja o peso que você tenha a perder e o tempo de duração de sua fase de ataque, ela termina hoje ou amanhã. **Hoje, você certamente já perdeu entre 2 e 3kg.** Vamos, faça um último esforço, experimente uma calça que ficava apertada há cinco dias; isso vai ajudá-lo.

possível

Sua motivação

No estágio em que se encontra, você deve "fabricar" sua motivação a qualquer preço. Dito desta forma, isso pode parecer trivial ou simplista. Na verdade, somos tão complexos e sofisticados no funcionamento de nosso pensamento consciente e de nossa imaginação quanto as coisas são básicas no nível de nossas funções inconscientes de sobrevivência. O essencial é entender como as coisas acontecem para, em seguida, poder intervir.

A motivação é a energia que vem de suas profundezas biológicas para facilitar sua sobrevivência: você pode usá-la para reforçar sua força de vontade e emagrecer. É como se você tivesse um projeto comercial e tentasse convencer o gerente do seu banco a lhe dar o financiamento necessário. No nosso caso, o banqueiro é VOCÊ mesmo: seu papel é explicar a si mesmo que precisa emagrecer e, principalmente, o quanto VOCÊ tem interesse, humana e vitalmente, no bem dessa energia que chamamos de motivação. Imagine tudo que o sucesso vai lhe trazer... principalmente em termos de saúde! Jovem ou idoso, é um argumento decisivo, capaz de convencer as funções profundas que governam sua sobrevivência.

Diga a si mesmo que, quanto mais leve você for, melhor vai viver: você vai ser mais eficaz em cada gesto do cotidiano. Diga a si mesmo que, além disso, não será mais discriminado e vai encontrar um emprego com mais facilidade (e vai se sentir melhor para viver e sobreviver). Enfim, pense no seu poder de sedução, que será reforçado (isso também é biológico). No fim das contas, se você defender bem sua causa, vai encontrar a motivação necessária.

Sua atividade física

Em seis dias muitas coisas devem ter se passado no seu corpo! Seus músculos devem carregar seu novo peso com mais facilidade. Nesse estágio, pela minha experiência, ao concluir o sexto dia você deve ter perdido cerca de 2,5kg. Assim que tiver acabado a fase de ataque, você vai ter de começar a caminhar 30 minutos por dia... e não apenas vinte. Por enquanto, caminhe durante 20 minutos. E se quiser me agradar pessoalmente, por que não tentar fazer um pouco mais, só para provar que TUDO É POSSÍVEL quando decidimos.

"Escapadas" da dieta

Eis que estou aqui, ao seu lado, para abordar o sexto dia da sua fase de ataque. **Deduzo que você tenha entre 20 e 30kg a perder.** Que desafio... tanto para você quanto para mim, pois agora tenho a responsabilidade moral por ter sido escolhido para acompanhá-lo. Enquanto ainda estiver nesta fase, **peço que faça tudo para não sair da dieta.** Poucos são os que desistem antes do fim da fase de ataque, porque investiram e conquistaram muito. Você chegou ao momento em que o desafio vai ser ganho. Você só precisa aguentar mais algumas horas e terá acabado a primeira fase do meu método. Aguente firme: não conheço você pessoalmente, mas, seguindo minha dieta e meu método, você me é caro.

Exercício do dia

A meta continua a mesma, continue a fazer as mesmas séries, para não se cansar.

- **Jovem e ativo:** continue a fazer 32 abdominais e 14 agachamentos.
- **Mais de 50 anos e sedentário:** Continue a fazer 12 abdominais e sete agachamentos.

Minha mensagem de apoio a você

" *Gosto de pensar que o resultado obtido ao longo desses primeiros dias lhe está agradando.* Quando meus pacientes me telefonam cinco, seis ou sete dias depois para me deixar a par de sua satisfação com os resultados, sinto muita alegria. Essa alegria me transmite a energia necessária para lutar contra a inércia ambiente, fazer com que minha mensagem seja passada, assim como meus ensinamentos. Digo isso para que você entenda que não está sozinho nesta guerra e neste projeto! Estou ao seu lado.

Quanto a mim, tenho o direito de lhe pedir que se aplique. Pessoalmente, não preciso emagrecer, mas preciso que você emagreça. Por quê? Porque, se você emagrecer, será feliz. E, ao seu redor, você vai mostrar toda a sua felicidade, inclusive para aqueles que também precisam. É verdade: estabeleci uma missão um pouco louca para mim mesmo, que é fazer de tudo para conseguir assistir, ainda vivo, o sobrepeso diminuir no mundo. Então, sim, você é apenas um caso entre tantos outros na população em sobrepeso. Mas a experiência me mostrou que a batida da asa de uma borboleta na França pode causar um furacão do outro lado do mundo. Assim sendo, continue, até emitir felicidade. "

Pierre Dukan

Fase de ataque • PP • Dia 6

Sua receita de hoje

Coxinha

1 xícara de queijo cottage zero (fase ataque)
1 xícara de frango desfiado
1 clara de ovo
temperos a gosto
3 colheres de sopa de farelo de aveia

1. Leve a clara, o cottage e o tempero para o liquidificador ou processador e bata até formar uma massinha.
2. Coloque a mistura em uma vasilha e acrescente farelo de aveia até dar liga.
3. Molde as coxinhas recheando como desejar (frango ou carne e requeijão 0% de gordura) e "empane" em farelo de aveia.
4. Leve para assar em forno preaquecido a 180°C por cerca de 15 minutos.

Seu ambiente de saúde

A duração da sua fase de ataque me faz entender que você não está longe da obesidade! Independente de sua idade, essa sobrecarga representava uma ameaça para sua saúde. Se você viveu muito tempo com ela, assegure-se de que ela não deixou rastros. As companhias de seguro sabem bem disso: o sobrepeso é o primeiro risco e a primeira causa de mortalidade evitável no Ocidente.

No entanto, ainda se tenta esconder essa realidade! Torna-se o desejo de fazer uma dieta em algo sem importância, apresentando-o como a manifestação de um capricho feminino cultivado pelas revistas. Atrás dessa lei de silêncio existe a realidade de lobbies muito poderosos, muito cinismo e falta de informação. Isso dura há tanto tempo que se conseguiu fazer com que as pessoas acreditassem que o sobrepeso é uma fatalidade. A lição que você deve tirar disso é que nada virá "do alto". Fazer você engordar e depois tratá-lo é economicamente mais rentável e enriquece o setor agroalimentar.

Se você quiser emagrecer, conte apenas consigo mesmo e faça sua própria. Busque ao seu redor quem emagreceu (é fácil, pois é visível). **Interrogue aqueles que não apenas perderam peso, mas que conseguiram não engordar novamente.** Eles serão seus melhores conselheiros: ouça-os e siga-os, se conseguirem convencê-lo. E quando você mesmo tiver emagrecido e mudado de vida, faça o mesmo e passe a mensagem adiante.

Cesta de compras do dia

Hoje, mais uma vez, sua cesta permanece a mesma... mas o **número de alimentos autorizados à vontade é tal que pode se adaptar ao seu gosto.** Se você gosta de peixe, existem tantos que você tem muitas opções. Só o preço pode eventualmente reduzi-las, se você tiver um orçamento apertado. Se não, que alegria saborear um salmão defumado (ou fresco e grelhado numa crosta de sal, em papelote, carpaccio ou marinado...)! O salmão é um dos alimentos mais importantes da minha dieta, pois ajuda em sua eficácia.

Pense também no arenque, peixe pouco consumido, mas saboroso e cheio de ômega 3. Ou na sardinha, uma opção mais econômica. Você também pode degustar o linguado, um peixe branco fabuloso. Ou pode comer bacalhau fresco ou conservado no sal, robalo, pescada, dourado, atum cavala, carapau... Existem tantos e tantas receitas e preparos a serem feitos! Para quem tem menos dinheiro, a sardinha e a cavala e o carapau são, entre todos os peixes, os melhores para a saúde!

Minha lista de compras

- Vitela ou peito de peru
- Carne moída magra
- Ketchup light ou feito em casa sem gordura ou açúcar
- Cottage 0% de gordura e queijo branco light
- Tofu
- Ovos
- Salmão

Meu diário pessoal

Vou lhe contar um dos meus melhores segredos. À noite, antes de dormir, pegue este diário ou, se não tiver espaço suficiente, compre um caderninho e **escreva nele as quatro ou cinco tarefas importantes a serem realizadas amanhã,** acompanhadas de seu manual de instruções. Posso garantir que, amanhã de manhã, quando acordar, você vai ter a sensação de ter dormido melhor e vai se sentir mais em forma. Por quê? Porque sabemos que o sono não é um momento "desligado", como muitos imaginam, mas é formado por uma série de fases, algumas delas hiperativas, e ao longo das quais o que você deve fazer no dia seguinte é tratado e retratado, o que pode, às vezes, prejudicar a qualidade do sono. **Escreva as tarefas do dia seguinte e seu cérebro não precisará mais se preocupar com elas.**

Fase de ataque • PP • Dia 7

Dia 7
da minha dieta Dukan

| Meu peso inicial: | Meu peso atual: | Meu total de kg perdidos: | Meu peso ideal: |

Amanhã

Panorama do seu sétimo dia

Qualquer que seja seu peso, este sétimo dia será o último dia da fase de ataque. Amanhã, 34 legumes o esperam no cesto do Papai Noel (ou melhor, do "Papai Legumes").

"Escapadas" da dieta

Se ainda estamos juntos hoje, é porque você tinha mais de 30kg para perder no início da fase de ataque. Comumente, meus pacientes, leitores ou internautas que começam a fazer minha dieta com tanto peso a perder conseguem terminar esta fase sem sair da dieta (ou com apenas algumas escapadas mínimas, não significativas).

Espero que você não deixe de confirmar minhas estatísticas. Este sétimo dia, assim como o primeiro, tem uma importância simbólica forte. Ele faz com que você saia desta fase com uma moral e uma motivação reforçadas. Bastaria dar uma escapada hoje para acabar com o começo de um empreendimento que foi feito para durar. Sendo assim, prudência extrema!

Nos fins de semana sempre surgem almas caridosas que vão convidá-lo a experimentar seus dotes culinários ou de confeiteiria, com o eterno argumento do **"Ah, mas só uma vezinha!". A única verdadeira resposta é NÃO.**

Seu ambiente de saúde

Se existe um dia muito interessante para sua saúde em minha dieta este é, sem dúvida alguma, o último dia da fase de ataque (um período de sete dias ao longo do qual a perda de peso foi grande e seu corpo começou a respirar).

Em suas artérias, qualquer que seja sua idade, **o colesterol necessariamente diminuiu e a sua tensão, também.** Se você tinha tendência a ter uma **glicemia** mais elevada, ela **também deve ter diminuído.** Você deve se conscientizar do fato de que, em apenas uma semana, tornou seu corpo mais leve.

Isto terá importantes consequências positivas na qualidade de sua vida.

Sua atividade física

Hoje você tem uma missão especial: **termine bem esta semana** e comemore o fim da fase de ataque. Tente, excepcionalmente, ao longo do dia — não é obrigatório, mas seria FORMIDÁVEL se você pudesse fazê-lo —, **caminhar por uma hora**, sim, 60 minutos para terminar esta ofensiva fulminante que é a fase de ataque.

Dependendo da quantidade de peso que você tem a perder, pode perder até 5kg nesta primeira semana. Se este for o caso, você se sentirá protegido e cheio de uma **energia positiva** que vai ajudá-lo a aguentar melhor caso sua perda de peso se torne passageiramente mais lenta.

Exercício do dia

A meta continua a mesma, continue a fazer as mesmas séries, para não se cansar.

- **Jovem e ativo:** Continue a fazer 32 abdominais e 14 agachamentos. Nada o impede de fazer mais, se tiver uma boa parede abdominal ou coxas musculosas.
- **Mais de 50 anos e sedentário:** Continue a fazer 12 abdominais e sete agachamentos. E se quiser me provar que é jovem de espírito, faça um pouco mais. Eu certamente não vou saber, mas algo me diz que vou sentir seu esforço.

Minha mensagem de apoio a você

“ **Hoje é um grande dia, tanto para mim quanto para você:** para você, que está em sobrepeso, que começa seu último dia da fase de ataque; para mim, que tenho a satisfação de ter batalhado ao seu lado. Sem dúvida, não estou diretamente presente, mas um pouco, pelo menos, porque tenho informações a seu respeito.

Em minha carreira de médico, atendi um número suficiente de pacientes com grande sobrepeso para conhecer profundamente as forças e as fraquezas que estão em você. Tais forças e fraquezas se afrontam em cada um de nós, como os pratos de uma balança que sobem e descem, ao sabor dos acasos da vida. **Os "acasos negativos"**, todos nós conhecemos: o estresse, as insatisfações, a estupidez e a maldade dos que descontam nos outros seus próprios sofrimentos. **Os "acasos positivos"**, por sua vez, proporcionam alegria, prazer e vontade de viver.

Anuncio a você que hoje é um grande dia de acaso positivo: você está cumprindo uma proeza que não apenas vai fazê-lo emagrecer, mas que traz também a prova de que você tem valor. O que você está realizando não é pouco. Então, aproveite bem este dia! Amanhã, juntos, passaremos à fase de cruzeiro... até atingirmos o objetivo final.

Se tiver alguma pergunta importante a fazer ou algo a me pedir, escreva-me: receberei sua mensagem e vou respondê-la. ”

Pierre Dukan

Fase de ataque • PP • Dia 7

Sua motivação

Uma das principais fontes de contentamento para alguém que passou muito tempo se sentindo incapaz de emagrecer é **descobrir que sim, é capaz.** Ter êxito é provar que se consegue chegar a um autocontrole em um dos domínios em que somos mais vulneráveis.

É o momento de reforçar a confiança que concedemos a nós mesmos, a estima e o amor que temos por nós mesmos. Isso parece abstrato, mas, na prática, é de extrema importância (começamos a levar isso em conta nas ciências humanas e na medicina). Aquele que confia em si mesmo "se vira sozinho", enquanto que aquele que não acredita em seu próprio valor joga contra si mesmo... e, necessariamente, acaba perdendo.

Hoje não é um dia como os outros: é o sétimo dia, que conclui a fase de ataque. Vacilar está fora de questão! Vacilar perturbaria a percepção do seu grande feito, que deve continuar inteiro, exemplar: o que vem depois depende disso.

Sua receita de hoje

Espetos de carne moída

250g de carne bovina picada
2 colheres (chá) de páprica picante
1 ovo
1 dente de alho picado
3 gotas de molho de tabasco
Manjerona
3 colheres (sopa) de caldo de carne quente
Mostarda
Semente de mostarda
Adoçante (sucralose)
Essência de mel

1. Amasse a carne com todos os ingredientes, deixando o ovo batido para o final.
2. Misture bem e forme rolinhos com cerca de 5cm de comprimento e um dedo de largura envolvendo o espeto de madeira.
3. Grelhe-os de todos os lados, virando-os regularmente. Reserve.
4. Torre as sementes de mostarda até estourarem e ficarem mais escuras, liberando aroma e sabor. Acrescente a mostarda, a essência de mel e misture bem. Sirva acompanhando os espetos.

Minha lista de compras

- Pudim ou flan zero
- Ovos
- Peito de peru
- Atum em lata sem óleo
- Queijo fresco 0% de gordura
- Escalope de vitela ou carne bovina magra
- Limão
- Camarões
- Shirataki
- Salmão defumado

Cesta de compras do dia

Hoje é o último dia da cesta de compras da fase de ataque. Amanhã virão os legumes, o frescor, as fibras e as vitaminas.

Se quiser acabar esta fase em grande estilo, dê um presente a si mesmo: compre belos camarões para festejar o evento, um pouco de salmão defumado (que você poderá comer com uma panqueca de farelo de aveia), vitela, peito de peru ou almôndegas de carne moída repletas de condimentos e especiarias. Você também pode — por que não? — cozinhar um jantar japonês, com sashimis de salmão e espetinhos de frango ou peito de peru light. **Seu sétimo dia deve ser festejado!**

Meu diário pessoal

Vou lhe contar um pequeno segredo importante. À noite, antes de dormir, pegue este diário ou, se não tiver espaço suficiente, compre um caderninho e escreva nele as quatro ou cinco tarefas importantes a serem realizadas amanhã, acompanhadas de seu manual de instruções.

Posso garantir que, amanhã de manhã, quando acordar, você vai ter a sensação de ter dormido melhor e vai se sentir mais em forma.

Por quê? Porque sabemos que o sono não é um momento "desligado", como muitos imaginam, mas se constitui por uma série de fases, das quais algumas hiperativas, e ao longo das quais o que você deve fazer no dia seguinte é tratado e retratado, o que pode, às vezes, prejudicar a qualidade do sono. Escreva as tarefas do dia seguinte e seu cérebro não precisará mais se preocupar com elas.

Fase de cruzeiro · Semana 2

Semana 2
da minha dieta Dukan

*Cole
sua foto
aqui*

Minha foto da semana

Minha "estratégia de felicidade"

Felicidade e vida profissional

Como animais sociais, não podemos viver sem os outros. Também temos necessidade de assegurar nossa posição na sociedade. Neste contexto, **certos seres vivem como dominantes:** têm um apetite pelo poder e, por ele, estão prontos a assumir responsabilidades... e, às vezes, alguns riscos. Quando digo isso, penso nos políticos e chefes, pequenos ou grandes: a conquista após o exercício do poder produz grande satisfação.

Mas outros seres vivem para serem competentes: têm paixão pela excelência (penso, por exemplo, nos especialistas, tecnocratas, engenheiros...). Dominância e competência são vetores muito poderosos de serotonina. Sem reconhecimento profissional, frequentemente ficamos insatisfeitos com nosso trabalho. Se você trabalha, faça tudo para encontrar uma dimensão criativa em sua atividade; tente encontrar sentido no que faz e, assim, obter o reconhecimento: é fácil obtê-lo quando realmente queremos.

Autoavaliação:

- ☐ Não trabalho (ou não trabalho mais)
- ☐ Este já é meu ponto forte
- ☐ Entendi a mensagem
- ☐ Vou tentar

O segredo da semana:
mude radicalmente de atitude mental

Você quer emagrecer? Faça esta experiência: aprenda a amar o que você detesta e comece a procurar aquilo de que, normalmente, costuma fugir... Assim, em vez de considerar seus deslocamentos ou atividades como um calvário ou uma punição, considere-os como autênticos presentes que a vida lhe oferece.

Procure buscar oportunidades de agir e de fazer coisas com seu corpo. Seu corpo é seu espaço vital, não se deixe mais possuir pelas máquinas: carros, elevadores etc. Quando você as encarrega de seus esforços físicos, as máquinas se apropriam de parte da sua vida; elas o amolecem, tornam-no dependente e o colocam em uma espécie de imobilidade... e sobrepeso.

Minhas medidas esta semana

- Circunferência peitoral: ....
- Circunferência da cintura: ....
- Circunferência dos quadris: ....
- Circunferência das duas coxas: ....

Sugestões de cardápios para a semana

		Meu café da manhã	Meu almoço	Meu lanche	Meu jantar
SEGUNDA-FEIRA	PL	Bebida quente Uma panqueca de farelo de aveia Cottage 0% de gordura	Salada de alcachofra Berinjela com presunto ao forno Iogurte 0% de gordura e sem açúcar, com essência de baunilha	Queijo fresco 0% de gordura	**Flor de tomate três cores** Omelete de frutos do mar Salada Mousse caseira de limão
TERÇA-FEIRA	PP	Bebida quente Leite desnatado	Bastões de kani Escalopes de frango com ervas de Provence Shirataki Iogurte 0% de gordura com essência de coco	Chocolate quente com cacau sem açúcar	Ovos na tigela à moda indiana Picado de fígado com salsa e alho **Panna cotta de iogurte e laranja**
QUARTA-FEIRA	PL	Uma omelete de claras com ervas finas Queijo frescal 0% de gordura Pedaços de peito de peru	Torradas de panqueca de farelo de aveia e salada de cottage 0% de gordura Salmão com purê de funcho Café tipo vienense light	Queijo fresco 0% de gordura	Cenoura ralada **Quiche lorraine** Cottage 0% de gordura
QUINTA-FEIRA	PP	Bebida quente **Muffin de farelo de aveia** Um iogurte 0% de gordura com essência de framboesa	Camarões com maionese Dukan Medalhões de robalo e salmão com shiratakis Cottage 0% de gordura	Cottage 0% de gordura	Bastões de kani Posta de atum com gergelim e molho shoyu Sorvete de iogurte light
SEXTA-FEIRA	PL	Bebida quente Queijo frescal 0% de gordura Uma panqueca de farelo de aveia com cacau sem açúcar	Pimentões vermelhos grelhados no forno Frango assado e vagens francesas Um iogurte 0% de gordura e sem açúcar, com essência de coco	Um iogurte 0% de gordura 2 biscoitos de farelo de aveia sabor coco	Pasta de atum caseira Hambúrguer light Tomates provençais **Mousse cremosa de chá verde matcha**
SÁBADO	PP	Bebida quente Cottage 0% de gordura **Panna Cotta** Um muffin de farelo de aveia	Camarões Vieiras salteadas com shiratakis e molho shoyu com gengibre Queijo frescal 0% de gordura	Ricota light	Queijo branco com páprica à moda húngara Frango assado Mousse de café com amêndoa amarga
DOMINGO	PL	Bebida quente Pudim ou flan zero Um ovo cozido Cottage 0% de gordura	Salada de cenouras cozidas com alho e cominho Carne assada com legumes ao forno Bolo de chocolate Dukan	Mingau com leite desnatado e duas colheres de sopa de farelo de aveia	**Palmito Pupunha assado** Filé de robalo com estragão sobre cama de espinafres Iogurte 0% de gordura e sem açúcar

45

Fase de cruzeiro • PL • Dia 1

Dia 1
da minha dieta Dukan

| meu peso inicial: | meu peso atual: | total de kg perdidos: | meu peso ideal: |

Panorama do seu primeiro dia

Você acaba de sair da fase de ataque, fase extremamente importante, pois é a fase das provas e da instauração da confiança. Se tudo tiver corrido bem, como é o caso para a grande maioria das pessoas, você deve ter emagrecido rápido, muito, e podendo comer à vontade. Agora, você sabe o que significa a classificação "alimentos ricos em proteínas", pois os utilizou, verificando sua eficácia e poder de saciedade.

No começo desta segunda fase o conselho é simples: **adicione os 34 legumes da nova fase aos 66 alimentos ricos em proteína para chegar aos cem alimentos de meu método.** O acréscimo desses legumes deve se dar em alternância simples: um dia de proteínas + legumes (PL), seguido de um dia somente de proteínas (PP). Os legumes são consumidos dia sim, dia não: difícil ser mais simples e claro! Essa alternância introduz um fenômeno de ruptura sucessiva, que proíbe o corpo e seu metabolismo de se adaptarem a esse ritmo quebrado.

"Escapadas" da dieta

Procurei controlá-lo bastante durante a fase de ataque, pois esta tem uma importância estratégica de início das operações. Isso quer dizer que a partir de agora serei mais flexível? Sim, porque os legumes entram em seu novo horizonte.

Mas é preciso tentar não aceitar sair da dieta. Ainda mais porque o fato de adicionar legumes introduz água: toda aquela que você perdeu durante a fase de ataque pode voltar e aparecer no ponteiro da balança, dando-lhe a impressão de que o peso estagnou um pouco. Sendo assim, **tenha prudência neste período de transição para não perder a bela autoconfiança adquirida.**

Seu ambiente de saúde

O que é a saúde, exatamente? É infinitamente mais que a ausência de doença. É um estado global, físico e mental, em que todas as suas necessidades fundamentais são satisfeitas: sanitárias, nutricionais, mas também afetivas, sociais ou culturais. Na verdade, para ter uma boa saúde é preciso sentir-se bem, ser feliz.

É possível estar plenamente satisfeito quando temos mais de 10kg para carregar? Não. Esse tipo de sobrepeso é uma deficiência, principalmente quando se é ativo ou quando se tem uma idade avançada. Assim, se você **quiser proteger sua saúde, tenha menos peso e descubra o prazer de recuperar o corpo que ama.**

Os legumes são inúmeros e você tem direito a 34:

aspargos, berinjela, bróculis, repolho, aipo, cogumelos/shitaki, couve, couve-flor, couve-de-bruxelas, palmito, pepino, abobrinha, espinafre, erva-doce, vagem, quiabo, chuchu, nabo, alface, chicória, jiló, broto de soja (moyashi), endívia, agrião, cebola, alho-poró, pimentão, abóbora, rabanete, tomate, rúcula, cenoura, beterraba, alcachofra.

Para resumir, você tem direito a todos os legumes, menos os feculentos. Ou seja, nada de batata, arroz, milho, ervilha, lentilha, feijão ou mesmo quinoa. Não se preocupe, na fase 3, fase de consolidação, você vai voltar a comer esses alimentos.

Os legumes podem ser frescos, em conserva ou congelados. Podem ser consumidos cruz ou cozidos. E, principalmente, À VONTADE.

Quanto ao cozimento, use apenas três ou quatro gotas de azeite (e retire o excesso com uma toalha de papel) ou uma colher de creme de leite light.

Para o vinagrete, vou lhe dar minha receita pessoal: em um pote vazio de mostarda bem-lavado, coloque uma colher de sopa de mostarda de Dijon (ou melhor, de Meaux, com seus pequenos grãos). Adicione cinco colheradas de sopa de vinagre balsâmico, duas colheres de sopa de água e uma colher de café de azeite ou óleo de colza.

Se quiser saber quanto tempo essa fase vai durar, saiba que você vai perder, em média, 1kg por semana. Se você tem 10kg a perder, a fase vai durar 10 semanas (5kg = cinco semanas). Isto vai fazer com que você se antecipe e calcule o momento em que vai atingir seu objetivo de perda de peso. Em geral, se nada perturbar seu percurso, você não vai se enganar no cálculo...

Nota: neste diário de bordo, tomei como exemplo uma pessoa que tinha 10kg a perder antes de começar a dieta; esquematicamente, ela perdeu 2kg na fase de ataque. Ao longo da fase de cruzeiro, que vai durar oito semanas, ela vai perder os outros 8kg...

Sua motivação

Hoje, imagine que, ao sair da fase de ataque, você está no auge de sua motivação. Quando se fala em auge, se quer dizer que você não vai mais alto (o único risco é que essa motivação diminua com o tempo). Para mantê-la em bom estado concentre-se no que já conseguiu recentemente, em sua imagem mais fina, nas novas sensações proporcionadas pelo seu corpo: você ganhou uma primeira batalha contra o peso. Pense nisso, e pense novamente, não banalize essa pequena conquista e seus resultados positivos. Desde já, deve haver alguém que notou que você emagreceu e que comentou isso. Não se mostre indiferente ao seu prazer: nada de timidez inútil. Sim, você emagreceu, e é perceptível! Pois bem... agradeça e tenha orgulho de si mesmo.

Hoje, não existe mais vergonha em se seguir uma dieta. O que poderia ser vergonhoso é ter seguido uma dieta sem emagrecer... ou, pior ainda, não ter seguido dieta alguma. No mundo atual, muita gente gostaria de fazer como você. Essas pessoas vão inveja-lo.

Fase de cruzeiro • PL • Dia 1

Minha mensagem de apoio a você

"Hoje é o primeiro dia de uma nova fase, que eu chamo de Cruzeiro.

A novidade é a **introdução de legumes** em sua alimentação. Não sei quanto tempo durou sua fase de ataque. Mas, mesmo na versão mais breve, de três dias, costuma ser difícil para um ser humano abdicar do frescor, das vitaminas e das fibras dos legumes. E como esses legumes agora estão autorizados à vontade, **você pode, ou melhor, você deve consumir o máximo possível.** Você corre o risco de ver a água desses legumes aparecer na balança... mas, não se preocupe, o corpo não tem vocação para conservar essa água. Um ou dois dias depois ela vai sair do seu corpo através da urina, das fezes, da transpiração ou das lágrimas.

A propósito, **você vai ficar mais saciado graças ao volume desses legumes** e terá menos necessidade de proteínas. Assim, com certeza, vai manter a sua forma."

Pierre Dukan

Exercício do dia

- **Jovem e ativo:** Passe para 31 abdominais + 13 agachamentos.
- **Mais de 50 anos e sedentário:** Passe para 12 abdominais e seis agachamentos.

Minha lista de compras

- Farelo de trigo e farelo de aveia
- Cottage 0% de gordura
- Alcachofras
- Berinjelas
- Presunto magro
- Iogurtes 0% de gordura e sem açúcar
- Ricota light
- Tomate e alface
- Ovos
- Frutos do mar

Cesta de compras do dia

Sua cesta vai mudar com a chegada dos legumes.

No que diz respeito às proteínas, você já sabe. Pense na carne vermelha e magra do boi, na carne que chamamos de "branca" da vitela, com seu escalope e sua costela (mas tenha o cuidado de tirar a capa de gordura que a envolve). Não se esqueça dos cortes da carne para assar na brasa ou para fazer guisado: basta pedir ao seu açougueiro que lhe dê as partes magras. Quanto aos peixes, coma o que quiser. Aconselho, no entanto, que sempre varie. Se tiver grande apetite, saiba que existem peixes "carnudos", como o atum, o robalo, o peixe-espada e a garoupa, que são bastante firmes e saciam bem (mas são mais caros).

Quanto aos legumes, não se esqueça, principalmente, de comer **tomates, que são, para mim, os legumes que têm a melhor relação entre calorias, sabor e saúde.** Raras são as pessoas que não gostam de tomate! Além disso, os tomates são cheios de antioxidantes e agentes de proteção contra o câncer.

Sua atividade física

Hoje tenho uma novidade: você vai caminhar 30 minutos, em vez de 20. Meu desejo é que, quando já estiver habituado a caminhar, você acabe tendo prazer no ato. Não sei onde você mora, mas sempre tem um lugar bonito e agradável para caminhar perto de casa. Lembro a você que a caminhada é uma atividade tão natural que as crianças a aprendem sozinhas. A surpresa boa é que seu corpo pedirá esses 10 minutos a mais. Caminhe em um ritmo suficiente para sentir seus músculos das coxas e dos glúteos se contraírem.

Sua receita de hoje

Flor de Tomate
três cores

4 tomates vermelhos, 6 tomates vermelhos e 6 tomates laranjas
1 chalota ou minicebola
4 colheres (café) de azeite
4 colheres (sopa) de vinagre balsâmico
1 pequeno molho de coentro fresco ou manjericão
Sal e pimenta-do-reino a gosto

Esta receita contém a dose de óleo permitida por dia.

1. Corte os tomates de diferentes cores em fatias finas. Em belos pratos, disponha as tiras em forma de flor, com uma corola de cada cor (uma flor por prato).
2. Adicione o sal e a pimenta-do-reino.
3. Corte a chalota ou minicebola em pedaços bem pequenos e divida entre os tomates.
4. Despeje 1 colher (café) de azeite e 1 colher (sopa) de vinagre em cada prato.
5. Pique o coentro ou o manjericão e salpique em cada prato.

Meu diário pessoal

Não se esqueça de vir conversar consigo mesmo neste espaço, que é inteiramente seu. Para estimulá-lo, não vou ocupar muito o espaço que foi atribuído a você. Aqui, é você quem escreve. Saiba apenas que, quanto mais o fizer, mais terá influência sobre uma pessoa que lhe é muito cara: VOCÊ.

Fase de cruzeiro – PP – Dia 2

Dia 2
da minha dieta Dukan

| Meu peso inicial: | Meu peso atual: | total de kg perdidos: | Meu peso ideal: |

Panorama do seu segundo dia

Espero que, ontem, você tenha tido prazer ao comer legumes novamente. Hoje, **você vai voltar a ter um dia de proteínas puras. Por que esta alternância?** Antes, porque nada é mais eficaz para emagrecer que as proteínas puras. Se no passado você fez alguma dieta que conta calorias, sabe que os legumes tinham o valor supremo (são, ao mesmo tempo, ricos em água, em fibras e em micronutrientes e têm um número muito baixo de calorias). No entanto, esses fabulosos alimentos são muito pobres em proteínas, e as poucas proteínas que possuem são incompletas, logo, pouco ou dificilmente utilizáveis. **Ora, no meu método, não importam as calorias, mas as categorias.**

Nesta perspectiva, o açúcar (glicídios) e a gordura (lipídios) são duas categorias que dão gás ao corpo: são tão úteis à sobrevivência do "animal humano" que, em situação de escassez, o corpo os usa com avidez e aproveita plenamente. Contrariamente a eles, **as proteínas são alimentos de constituição** (de certa maneira, são "tijolos" do organismo). Quando o corpo utiliza as proteínas como complemento, a digestão, a assimilação e, assim, o proveito que tira delas é bem mais fraco que o dos açúcares e das gorduras. É por isso que dou a elas um status particular no meu método. O papel inovador das proteínas na estratégia de emagrecimento é ainda mais eficaz quando são consumidas puras e minimamente associadas aos açúcares. Eis o motivo da alternância e o porquê de, hoje, eu lhe pedir para não comer legumes; os legumes contêm açúcares (glicídios), poucos, certamente, mas o suficiente para diminuir o ritmo da sua perda de peso.

Sua motivação

Gostaria, agora, de afinar o componente-chave de nosso projeto, esse componente misterioso: a motivação. No seu sentido etimológico, encontra-se a noção de movimento. O animal se diferencia do vegetal pois não espera que a vida e o alimento venham a ele, mas dispõe de meios para ir até eles e garantir sua obtenção.

Mas, para tomar a decisão de ir, precisamos do que nos trouxe até aqui: a motivação. Emagrecer é uma ação e um projeto antinatural, você não tem a menor razão para se motivar a fazer uma dieta.

Para conseguir se sentir motivado, utilize artimanhas, atraia essa força estranha e vital que vem de suas profundezas por uma decisão consciente, inteligente, uma projeção no futuro, colocando todo o seu peso na balança da decisão. Mas para ter chance de conseguir é preciso não se contentar em querer uma vez: deve-se dizer, repetir, falar com as pessoas que lhe são próximas, rodear-se de testemunhas e **impregnar-se de depoimentos daqueles que o fizeram e desfrutam de uma alegria de viver reencontrada.**

Sua atividade física

A atividade física e a motivação estão interligadas. Se você não se mexer, ou se o fizer de maneira insuficiente, não vai exigir nada de seu corpo, de seus músculos, de seus tendões, de seus ossos, de suas articulações, de sua circulação, de seu trânsito intestinal, de seus pulmões... E acabará ignorando tudo que vive em você. Ora, é em seu corpo, e na parte escondida de seu sistema nervoso, que nasce seu ardor de viver, que tem grande implicação no seu projeto de emagrecer. Então, por favor, faça o esforço de se mexer mais: você não pode imaginar tudo que tem a ganhar com isso.

Exercício do dia

- **Jovem e ativo:** Passe para 32 abdominais + 14 agachamentos.
- **Mais de 50 anos e sedentário:** Passe para 13 abdominais e sete agachamentos.

Minha mensagem de apoio a você

" Nesta coluna quero estar ao seu lado todos os dias, durante 60 dias. Como não nos conhecemos, você pode imaginar que, para mim, é um exercício difícil... E que em pouco tempo não terei mais tantos argumentos. Eu não acredito nisso! **Ajudar os outros a emagrecer é tudo que sempre fiz em minha vida. É o que sei fazer de melhor, é minha grande paixão**. Não vejo a hora passar quando estou atendendo! Minha secretária costuma me interromper para me dizer que meu (minha) paciente seguinte começa a ficar nervoso com a demora...

Com meus pacientes, busco e encontro os argumentos que atingem seu objetivo com precisão e que, ao mesmo tempo, ajudam esses mesmos pacientes.

Hoje, manobre bem o nosso barco, esteja atento aos alísios, pois eles podem esconder ventos mais ou menos favoráveis. **Diga sempre a si mesmo que, a partir do momento em que colocar um alimento perigoso na boca, esse alimento vai pedir um segundo**. Não é você que estará em questão, mas um processo fisiológico e comportamental natural, ligado ao instinto de sobrevivência. Então, não pense ser mais forte do que de fato é. "

Pierre Dukan

Fase de cruzeiro • PP • Dia 2

"Escapadas" da dieta

É possível que você tenha inchado um pouco ontem, quando recomeçou a comer legumes ricos em água e sais minerais. **Tente não sair da dieta hoje, para que essa água não tenha motivos para ficar nos seus tecidos.** Limite o sal para fazer com que a água captada seja filtrada e eliminada pelos seus rins.

Cesta de compras do dia

Hoje, coloque em sua cesta alimentos ricos em proteínas, os da fase de ataque. Como os legumes são facilmente conserváveis na geladeira, você pode muito bem adicioná-los à sua cesta.

No que diz respeito aos laticínios, você sabe que apenas os desnatados são autorizados. Quanto aos iogurtes, por exemplo, temos muitos 0% de gordura que são muito bons, às vezes um pouco ácidos, dependendo da marca. Cuidado: não confunda iogurte aromatizado com iogurte de frutas, com pedaços de frutas. Esses não são autorizados.

Eles pertencem a um **grupo de alimentos "tolerados"**, sobre os quais vou falar mais adiante. Como o nome indica, os "tolerados" não são autorizados à vontade, mas aceitos em quantidades e frequência perfeitamente codificadas. Por enquanto, ainda não vou propô-los, pois você ainda está no início da dieta. Espere um pouco mais e logo terá uma boa surpresa, que vai ajudá-lo a se manter mais firme durante a dieta.

Sua receita de hoje

Panna Cotta
de iogurte e laranja (PP)

4 folhas de gelatina sem sabor
Suco de um limão
1/8 de raspa de uma laranja
1 colher (café) de aroma de laranja
1 colher (café) de água de flor de laranjeira
150g de iogurte natural 0% de gordura
Adoçante a gosto

1. Amoleça as folhas de gelatina em um pouco de água fria.
2. Uma vez amolecidas, escorra a água e coloque as folhas em uma panela com 300ml de água.
3. Adicione o adoçante, o suco de limão e 1/8 de raspa de laranja cortado em pedaços bem pequenos.
4. Aqueça em fogo brando, mexendo bem para dissolver as folhas de gelatina.
5. Deixe descansar fora do fogo durante 20 minutos.
6. Filtre a mistura em uma peneira.
7. Quando o preparo estiver frio, misture o iogurte e adicione o aroma de laranja e a água de flor de laranjeira.
8. Distribua em 4 copos individuais e deixe na geladeira durante 6 horas.

Minha lista de compras

- Leite desnatado
- Kani
- Escalopes de frango
- Shirataki
- Iogurtes 0% de gordura e sem açúcar
- Cacau sem açúcar
- Ovos
- Fígado
- Gelatina ou ágar-ágar
- Aroma de laranja

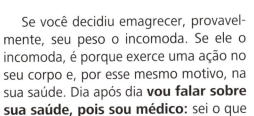

Seu ambiente de saúde

Se você decidiu emagrecer, provavelmente, seu peso o incomoda. Se ele o incomoda, é porque exerce uma ação no seu corpo e, por esse mesmo motivo, na sua saúde. Dia após dia **vou falar sobre sua saúde, pois sou médico:** sei o que o sobrepeso pode criar.

Se você é jovem e acha que falar de saúde é entediante, lamento muito, vou correr esse risco. Existem, em todo caso, fortes chances de que você leia e que a leitura lhe deixe um traço subliminar, capaz de protegê-lo como um anjo da guarda discreto. Enfim, se seu sobrepeso não lhe parece suficiente para merecer uma abordagem que leve em conta a saúde... Diga a si mesmo que todo grande sobrepeso já foi um pequeno sobrepeso, no princípio.

Meu diário pessoal

Espero, de todo o meu coração, que você já tenha começado a rabiscar alguma coisa nesta coluna de diário e que já tenha entendido sua importância e seu encanto.

Se for o caso, esteja certo de que, rapidamente, isto vai se tornar algo entusiasmante, um modo de expressão criativo, uma maneira de se fixar em um assunto e aprofundá-lo.

Fase de cruzeiro • PL • Dia 3

Dia 3
da minha dieta Dukan

| meu peso inicial: | meu peso atual: | total de kg perdidos: | meu peso ideal: |

Panorama do seu terceiro dia

Hoje você vai comer novamente os legumes associados às proteínas. Esta alternância será a sua rotina até a obtenção do Peso Ideal.

Não se esqueça de até que ponto os legumes são importantes na minha dieta, pois eles o protegerão e o acompanharão para o restante de sua vida.

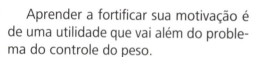

Sua motivação

Aprender a fortificar sua motivação é de uma utilidade que vai além do problema do controle do peso.

Esta força que o anima governa toda a sua vida. **Se você conseguir gerar motivação nesse setor particular, ela vai se espalhar para todos os outros setores de sua existência.** Por isso, é importante desenvolvê-la!

Atualmente, existem técnicas de desenvolvimento da motivação, certamente ainda pouco desenvolvidas, mas que alguns sabem muito bem praticar. Tentarei, ao longo do nosso percurso, transmitir alguns métodos.

Essas táticas são indispensáveis para emagrecer e você vai sentir seus efeitos tanto em sua forma quanto em sua qualidade de vida.

Exercício do dia

- **Jovem e ativo:** Continuaremos com os 32 abdominais + 14 agachamentos.
- **Mais de 50 anos e sedentário:** Continuaremos com os 13 abdominais e sete agachamentos.

Seu ambiente de saúde

Alimentar-se de maneira saudável e, ao mesmo tempo, manter um peso normal é algo que vai realmente proteger sua saúde no futuro. Quando estamos com sobrepeso, é necessário **emagrecer rápido**, com uma verdadeira dieta restritiva... e, depois, **estabilizar lentamente** e durante muito tempo o peso obtido.

É por esta razão que estou prescrevendo meu plano alimentar, que é a dieta **mais saudável, segura e rápida que existe.**

É, também, a única dieta que leva em conta, em um primeiro momento, a consolidação do peso e, em um segundo momento, **sua estabilização para o resto da vida.**

Você atualmente se encontra na fase chamada "de cruzeiro", uma fase que tem toda sua eficácia baseada no fato de evitar açúcares e gorduras, assim como os feculentos.

Esta fase vai ajudá-lo a emagrecer em um tempo bastante limitado, ao longo do qual **você vai emagrecer e, ao mesmo tempo, aprender a emagrecer.** Chegará o momento da reintrodução bastante controlada dos alimentos, associada ao ensinamento das bases necessárias para compreender e participar ativamente do seu projeto de controle de peso.

O objetivo final é, para mim, criar em você os reflexos e os hábitos para substituir comportamentos naturais e instintivos que você esqueceu depois de tanto tempo.

Minha mensagem de apoio a você

Continuarei a vir aqui nesta coluna todos os dias para trazer o meu apoio a você. É verdade, não estou fisicamente sentado diante de você, como faço com os meus pacientes.

*Você também sabe que os leitores deste diário de bordo lerão todos o mesmo texto. Contudo, acredito sinceramente que **existe uma maneira de, ao mesmo tempo, estar presente para todos e me dirigir a uma pessoa em particular.** Esta é a razão pela qual julgo tão importante escrever este diário de bordo, uma experiência nova no mundo editorial.*

*Para que a aposta dê certo, você também deve participar. Então, venha aqui me ler. Este livro foi escrito para ajudá-lo no cotidiano, dia após dia, quilo após quilo. Vou guiar você com as mãos de um especialista, cujo único objetivo é conduzi-lo ao seu objetivo: fazer com que você emagreça e, ao mesmo tempo, aprenda a emagrecer. **Quero que você adquira reflexos e hábitos duráveis.***

Pierre Dukan

Fase de cruzeiro • PL • Dia 3

Cesta de compras do dia

Sua cesta de compras adaptada à minha dieta começa a lhe parecer familiar. **Muitos são os que se inscrevem muito rapidamente na rotina e sempre compram um pouco dos mesmos alimentos.** Isto é bom e ruim ao mesmo tempo: bom, porque, enquanto você não estiver enjoado, tais alimentos lhe convêm; ruim, porque você acaba correndo o risco de não suportá-los mais quando enjoar deles! Para evitar esse tipo de coisa varie suas compras e descubra que outros alimentos podem surpreendê-lo.

Sua receita de hoje

Quiche lorraine

300ml de leite desnatado
4 colheres (sopa) de queijo cottage zero
4 colheres (sopa) de creme de ricota light
4 colheres (sopa) de requeijão 0% de gordura
4 colheres (sopa) de queijo branco ralado grosso
3 ovos
120 a 150g de Bresaola
sal, pimenta em grãos
Noz-moscada

1. Distribua as fatias de Bresaola num refratário e leve ao microondas até ficarem torradinhas como se fossem bacon. Espere esfriar, veja se estão crocantes, triture no mixer e reserve.

2. Todos os ingredientes devem estar em temperatura ambiente. Coloque os ovos na batedeira com 100ml de leite e espere formar um creme claro e homogêneo.

3. Bata o restante dos ingredientes no liquidificador e misture ao creme de ovos. Reserve 1 colher (sopa) cheia de queijo branco ralado e a mesma quantidade de bresaola para a cobertura.

4. Com uma espátula, misture a bresaola e o queijo branco à massa e ajuste os temperos. Tome cuidado com a quantidade de sal, pois a bresaola já é salgada. Esta massa é bem líquida. Leve ao forno a 180°C. Leve ao forno por aproximadamente 45 a 60 minutos, dependendo do forno e da forma.

5. Quando a quiche começar a ficar firme, acrescente o queijo reservado e a bresaola para a cobertura.

Minha lista de compras

- Ovos
- Queijo frescal 0% de gordura
- Cottage 0% de gordura
- Salmão
- Funcho
- Ricota light
- Cenouras
- Aipo-rábano ou nabo
- Presunto magro

Meu diário pessoal

Tenho certeza de que ao longo do dia, sozinho ou acompanhado, você pensa em sua dieta. Você é como um viajante que segue uma estrada e encontra obstáculos, atalhos, e às vezes erra e sai do caminho, tentado a sair da linha. Tudo isso deve ser escrito, a fim de que você possa voltar e acompanhar a construção do seu pensamento. Isso faz sentido, e vai ajudá-lo.

....
....
....
....
....
....
....
....
....
....
....
....
....
....
....
....
....
....
....
....
....
....
....
....
....
....

Sua atividade física

Subir quatro degraus de escada faz com que você queime uma caloria! **Toda oportunidade de se mexer vale a pena.** Quando, por acidente, você deixar cair um objeto no chão e tiver que pegá-lo de volta, não será o caso de uma punição, mas de uma oportunidade sonhada de fazer seu corpo funcionar... e emagrecer.

"Escapadas" da dieta

Por definição, a escapada é um acontecimento que deve ser evitado em qualquer dieta... mas ainda mais na minha, que autoriza a quantidade com a fórmula mágica "à vontade"!

Se quiser se beneficiar da quantidade, você não deve sair dos alimentos autorizados.

Fase de cruzeiro • PP • Dia 4

Dia 4
da minha dieta Dukan

| meu peso inicial: | meu peso atual: | total de kg perdidos: | meu peso ideal: |

Panorama do seu quarto dia

Dia de combate: hoje, apenas proteínas. Mas, amanhã de manhã, você talvez veja o ponteiro da balança descendo.

Com este pensamento, siga em frente, como um aventureiro decidido a passar por todas as tentações. Mantenha-se firme!

Exercício do dia

- **Jovem e ativo:** Hoje passaremos a 33 abdominais, mas continuamos nos 14 agachamentos.

- **Mais de 50 anos e sedentário:** Vamos tentar fazer 14 abdominais, mas continuamos nos sete agachamentos, a não ser que você se sinta capaz de fazer um ou dois a mais.

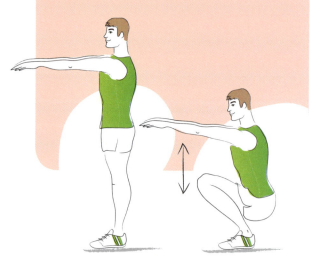

Sua atividade física

A diferença entre você e uma planta é que você precisa caminhar para manter suas necessidades de energia. Para sobreviver, você deve ir até a pessoa com quem vai contribuir para a reprodução da espécie. É assim há milhares e milhares de anos.

Você consegue perceber que essa aposta fundamental faz parte da sua natureza e das suas necessidades. Então, mesmo que a geladeira esteja cheia e que você já tenha todos os filhos que deseja, saia e dê uma volta... a pé.

Seu ambiente de saúde

No estágio em que você se encontra, depois de ter seguido corretamente a fase de ataque e no quarto dia da fase de cruzeiro, certamente seu sangue se livrou das impurezas, do excesso de sal e de água, e já deve circular melhor nas suas artérias e no seu coração.

Um sangue mais leve de açúcares e gorduras, menos carregado de colesterol e triglicerídeos, corre, a propósito, muito menos riscos de engordurar a parede das artérias. E isso acontece independente de sua idade!

Minha mensagem de apoio a você

" *Aqui estou, novamente ao seu lado. Agora, você está na corrida: já deve ter perdido peso suficiente para que seja visível, tanto por você quanto pelos outros. Você deve estar se sentindo mais à vontade em suas próprias roupas.*

Nesse estágio o apetite já não deve mais incomodá-lo. Você deve estar se sentindo mais dinâmico. É um período de graça, que deve usar como uma mola que se distende e prolonga sua motivação mesmo quando a perda de peso diminuir de ritmo. Pode acontecer que seu corpo tente resistir, depois de uma perda de peso rápida e significativa.

Assim, você vai atravessar um período extremamente habitual de estagnação. **Se isso acontecer, guarde a lembrança da satisfação que está sentindo hoje:** *isto vai ajudá-lo a evitar perder a confiança ou se desencorajar.* **O prazer tem o poder biológico e cerebral de neutralizar o desprazer.** "

Pierre Dukan

Fase de cruzeiro • PP • Dia 4

Cesta de compras do dia

Não se esqueça do farelo de aveia na sua cesta. Durante a fase de cruzeiro, você passa a ter direito a duas colheres de sopa por dia, com as quais pode preparar sua panqueca do café da manhã, que não apenas sacia muito, como também é simplesmente deliciosa.

Sua receita de hoje

Muffins de farelo de aveia

 10 min 30 min 6

4 ovos
12 colheres (sopa) de farelo de aveia
4 colheres (sopa) de requeijão 0% de gordura
1 colher (sopa) de adoçante líquido
½ colher (sopa) fermento
Sabor à escolha: raspas de limão (somente nos dias PL), canela (1 colher de café), café (1 colher de sopa), cacau sem açúcar (6 colheres de café), aroma de laranja (dosagem de acordo com o aroma)

1. Preaqueça o forno a 180°C.
2. Separe as gemas das claras dos 4 ovos.
3. Bata as claras em neve.
4. Misture os outros ingredientes: as gemas de ovo, o farelo de aveia, o requeijão, o fermento, o adoçante. Em seguida, adicione as claras batidas em neve ao preparo. Adicione o ingrediente do sabor escolhido.
5. Despeje o preparo em forminhas de silicone para muffins e leve ao forno aquecido a 180°C durante 20 a 30 minutos, sempre verificando o cozimento.

Minha lista de compras

- Iogurtes 0% de gordura e sem açúcar
- Camarões
- Maionese Dukan
- Robalo, salmão, atum
- Shirataki
- Requeijão 0% de gordura
- Queijo frescal 0% de gordura
- Kani
- Sorvete de iogurte Dukan

Sua motivação

Não ficamos motivados simplesmente apertando um botão mágico, mas sim nos condicionando através do pensamento repetitivo, até fazer com que o corpo aceite o projeto que escolhemos e decidimos realizar.

Minha filha me disse, certa manhã, enquanto eu me barbeava: "Papai, encolha um pouco a sua barriga." Imediatamente, um sorriso afetuoso me veio aos lábios: minha filha tocou num ponto sensível... Graças a ela, tive vontade de encolher a barriga, o que eu nunca teria feito espontaneamente.

A motivação é um cavalo selvagem que você deve domesticar e domar para, assim, chegar ao seu Peso Ideal.

"Escapadas" da dieta

Em um dia de proteínas puras (digamos em um dia de PP, é mais curto!), sair da dieta custa o dobro (ou mesmo o triplo). Em contrapartida, não tenha medo de comer, de beliscar, se tiver vontade de fazê-lo. Nos supermercados, você vai encontrar diversos alimentos que o ajudarão a evitar sair da dieta. Alguns são autorizados e outros tolerados. Amanhã falarei sobre os alimentos "tolerados".

TODO DIA É UM NOVO COMEÇO

Meu diário pessoal

Vou deixá-lo fazer seu trabalho de escrita. Tenho certeza de que você já adquiriu este hábito. Fale de suas tentações e da maneira como consegue não ceder a elas. Entre um tablete de chocolate e sua mão, que pode pegá-lo, há o seu cérebro e sua mente, que podem intervir: pense nisso!

Fase de cruzeiro • PL • Dia 5

Dia 5
da minha dieta Dukan

meu peso inicial: ....

meu peso atual: ....

total de kg perdidos: ....

meu peso ideal: ....

Panorama do seu quinto dia

Hoje os legumes estão de volta. Quando são autorizados, não se deve esquecê-los. Pense em comprar, armazenar e prepará-los de todos os modos, crus ou cozidos, com tantas ervas, temperos e condimentos quanto for possível.

Seu ambiente de saúde

Se, antes de começar sua dieta, você tinha a pressão levemente alta, pode ter certeza de que esta deve ter se normalizado (a pressão é, com a glicemia ou açúcar do sangue, o que melhora mais rápido com uma dieta). Se tinha um problema mais sério de pressão, não controlada por medicamentos, ela deve ter diminuído em um ou dois pontos: isso é maravilhoso.

Mas se sua pressão era controlada por um ou diversos hipotensores, verifique a pressão atual com seu médico... como ela deve ter diminuído, talvez seja necessário reduzir o efeito desses medicamentos.

Uma em cada duas vezes, depois de um emagrecimento considerável, os hipotensores não são mais necessários: uma boa-nova para os seguros e planos de saúde... mas não para os fabricantes desses produtos, que representam milhões de dólares de renda anual! A mesma coisa para os antidiabéticos orais: você também deve conversar com seu médico quanto a uma eventual diminuição da dose.

Sua atividade física

20 minutos de caminhada são noventa calorias queimadas. Em 365 dias, isso dá 32.850 calorias, ou seja, quase 4kg de gordura. Sim, noventa calorias queimadas por dia não é muito... mas, em um ano, é um tesouro de guerra.

Se você está caminhando, fico contente e orgulhoso que me ouça. Tente, a propósito, inserir a caminhada em seus hábitos... e, se possível, nas atividades que lhe agradam.

Podemos caminhar em qualquer lugar, de dia ou à noite, sem roupa específica em particular, sem transpirar e gratuitamente. **Vamos lá: caminhe e não pare de caminhar quando tiver emagrecido.**

"Escapadas" da dieta

Na prática, **minha experiência sempre me provou que os dias com legumes são mais sujeitos às escapadas que os dias de proteínas puras.** Isso pode parecer estranho, pois são dias em que há mais alimentos a consumir. O motivo é simples: quanto mais alimentos podemos comer, mais nos sentimos livres e mais sujeitos às tentações... e, assim, há menos enquadramento. Então, hoje, tome cuidado!

Se as proteínas são o motor da perda de peso, os legumes tornam sua eficácia possível a longo prazo. Então, faça tudo que for possível para usar e abusar dos legumes, durante a dieta e, ainda mais, depois dela.

Agora, use e abuse dos legumes, variando o máximo possível: você vai controlar seu peso e terá excelente saúde. Além disso, use os temperos, condimentos e vinagre balsâmico: assim, você vai combinar saciedade pelas quantidades e saciedade sensorial pela multiplicação de sabores.

Exercício do dia

- **Jovem e ativo:** Hoje passaremos a 33 abdominais, mas continuamos nos 14 agachamentos.
- **Mais de 50 anos e sedentário:** Vamos tentar fazer 15 abdominais, mas tentaremos oito agachamentos.

Minha mensagem de apoio a você

" *Para lhe dar meu suporte como faço todas as manhãs, aqui, nesta coluna, digo a mim mesmo que você comprou este livro com uma intenção: a de seguir a minha dieta em minha companhia, a cada dia, neste diário de bordo.* Tenho, então, todas as razões para pensar que **tenho, diante de mim, um homem, ou uma mulher, que, por definição, é tão meu aliado quanto eu sou seu aliado.**

Então, se você confiar em mim, gostaria que, hoje, pensasse na importância do que está realizando: você está fazendo bem à sua existência, tanto no nível do bem-estar, da beleza do seu corpo e de seu poder de sedução, de sua moral, quanto no de sua saúde. Olhe, tomando um pouco de distância, TUDO que você tem a ganhar quando aceita permanecer dentro dos cem alimentos autorizados à vontade. Está convencido(a)? "

Pierre Dukan

Fase de cruzeiro • PL • Dia 5

Sua motivação

Podemos viver muito tempo com um sobrepeso que nos incomoda sem ter coragem ou vontade de afrontá-lo. Sonhamos que esse sobrepeso possa ser resolvido magicamente... com um simples comprimido ou uma operação. **O freio, o volante e o acelerador estão funcionando, mas o motor de arranque está em pane e o carro está desesperadamente imóvel.**

E, um dia, sem realmente saber por que... um comentário, uma foto de férias... e, bruscamente, o contato renasce, o motor de arranque volta a funcionar e tudo pode recomeçar. O que aconteceu? Essa motivação misteriosa, que traz energia, inverteu o vapor: agora, tudo lhe parece possível. Você sabe bem que essa motivação está em sua toca e que, se você chamá-la, ela poderá sair.

Quando você fala com sua motivação e a chama, não é porque ela não o escuta que não sai de seu esconderijo... é preciso chamá-la constantemente e ter certeza de que o fato de repetir esse chamado vai acabar por mobilizá-la. Repito eu mesmo esse ensinamento, pois sei que é fundamental para avançar em seu projeto.

Cesta de compras do dia

Se fizer suas compras, **não se esqueça de comprar adoçante.** Você tem muitas escolhas, existem para todos os gostos: sintéticos, como a sacarina, o aspartame ou a sucralose, de vegetal puro, como a stévia... Vai depender do seu perfil (orgânico e natural a qualquer preço), do seu gosto e do modo de utilização.

Sua receita do dia

Mousse cremosa
de chá verde matcha (PL/PP)

5 min | 5 min | 2 h | 4

2g de ágar-ágar em pó
4 colheres (café) de chá verde Matcha ou chá verde comum
4 colheres (café) de adoçante a base de stévia em pó
1 colher (café) de aroma de baunilha
200g de tofu cremoso

1. Em uma panela, ferva 300ml de água e adicione o ágar-ágar. Deixe ferver durante 1 ou 2 minutos e tire do fogo. Adicione o chá verde em pó, o adoçante e o aroma de baunilha. Deixe esfriar.

2. Enquanto espera esfriar, bata o tofu cremoso com uma batedeira elétrica e adicione o preparo lentamente ao chá verde. Bata novamente, até que a mistura fique com aspecto de mousse. Experimente para verificar se está suficientemente adoçado ao seu gosto e corrija, se necessário.

3. Despeje o preparo em quatro copinhos separados e leve à geladeira durante pelo menos 2 horas.

Minha lista de compras

- Pimentões vermelhos
- Frango
- Vagens francesas
- Iogurte sem açúcar 0% de gordura
- Biscoitos Dukan sabor coco
- Atum em lata sem óleo
- Carne moída magra
- Tomates
- Ágar-ágar
- Chá verde matcha
- Tofu cremoso

Meu diário pessoal

Hoje eu o deixo totalmente livre para escrever O QUE TIVER VONTADE, sem guiá-lo, para não influenciá-lo. Fale de si mesmo e de suas qualidades: as que o servem atualmente para seguir a dieta, por exemplo, ou as qualidades das quais tem mais orgulho.

Tofu

Fase de cruzeiro • PP • Dia 6

Dia 6
da minha dieta Dukan

| meu peso inicial: | meu peso atual: | total de kg perdidos: | meu peso ideal: |

Panorama do seu sexto dia

Sem surpresas: hoje é dia de proteínas puras e apenas elas, você deve ter se habituado à alternância.

Estou pensando em um conselho extremamente útil. Se um dia — eu disse bem, "um dia" — você não puder recusar um convite ou uma obrigação profissional, permito que troque um dia PP por um dia PL.

Exercício do dia

- **Jovem e ativo:** Hoje passaremos a 34 abdominais, mas continuamos nos 14 agachamentos.
- **Mais de 50 anos e sedentário:** Vamos fazer 15 abdominais, mas tentaremos oito agachamentos.

Sua motivação

Para a maioria das pessoas que estão de dieta, sabe o que melhor alimenta sua motivação? Simplesmente o fato de se pesar e de ver no ponteiro da balança, em letras luminosas, um peso inferior ao peso mais baixo que já tiveram. "Quando vejo a perda de peso aparecendo, mesmo pequena, tenho vontade de fazer ainda mais para voar até a minha vitória", me disse uma de minhas pacientes. Então, não deixe de se pesar... e use esse impulso de entusiasmo que nasce desses picos de sucesso.

"Escapadas" da dieta

Já lhe falei sobre os alimentos **"tolerados"**: prometi que falaria ainda mais. Há muito tempo, quando estava construindo meu método, lancei minha dieta colocando à disposição 100 alimentos (dos quais 66 são proteínas e 34 legumes). **Nessa época, eu era intransigente e recusava tudo que não fazia parte da minha lista.**

Hoje, a idade e a experiência me tornaram mais sábio. E, além disso, muitos novos produtos chegaram ao mercado: são vendidos em formato light, o que os torna "um pouco menos perigosos" para a dieta. E, assim, vou lhe contar como aumentei minha lista de 100 alimentos, adicionando alguns alimentos "tolerados"...

Muitas vezes, me aconteceu de um paciente merecedor, que tinha emagrecido bem, me pedir para autorizar **uma pequena tolerância de um alimento x ou y, pouco gorduroso ou doce.** Em geral, eu deixava. Assim, a pessoa divulgava a permissão na internet, o que a inscrevia definitivamente no *corpus* do meu método.

Com o tempo, pelo fato de circular na internet, um certo número de tolerâncias acabou entrando em voga... e **se tornaram alimentos "tolerados", uma lista que acabei oficializando.**

Cuidado: é preciso saber que "tolerado" é um alimento que pode ser consumido sob a condição de respeitar sua dose diária máxima. Amanhã lhe darei a lista na sessão *"Escapadas" da dieta*.

Minha mensagem de apoio a você

"Por que peço a você que alterne dias de proteínas puras e dias de proteínas e legumes? Boa pergunta! E eis a resposta: seu corpo está vivo, e busca se adaptar à dieta e à perda de peso que você está lhe impondo. O hábito e o tempo vão fazer com que ele encontre o dispositivo de seu emagrecimento.

No dia das proteínas, seu corpo, surpreso, não tem tempo para se adaptar e não reage realmente ao desvio de suas reservas. Mas, se os dias de proteínas se prolongarem, seu corpo vai começar a se adaptar e você vai emagrecer cada vez menos. **O fato de alternar e introduzir os legumes dia sim, dia não, o desconcerta, e isso faz com que a dieta conserve toda a sua eficácia.**"

Pierre Dukan

Fase de cruzeiro • PP • Dia 6

Minha lista de compras

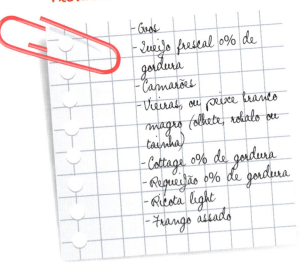

- Ovos
- Queijo fresçal 0% de gordura
- Camarões
- Vieiras, ou peixe branco magro (olhete, robalo ou tainha)
- Cottage 0% de gordura
- Requeijão 0% de gordura
- Ricota light
- Frango assado

Sua receita de hoje

Panna Cotta

  6

200ml de leite desnatado
1 fava de baunilha ou 1 colher (chá) de essência de baunilha
4 colheres (sopa) de adoçante em pó
2 iogurtes desnatados sem soro
3 colheres (sopa) de requeijão 0% de gordura
1 envelope de gelatina zero sem sabor
Calda de goji berry
4 colheres (sopa) de goji berry
450ml de água
3 a 4 colheres (sopa) de adoçante culinário
1 colher (chá) de gelatina zero em pó sabor morango ou framboesa
Gotas ou raspas de ¼ de um limão
Noz-moscada a gosto

1. Ferva o leite com as sementes da fava de baunilha, coloque o adoçante e espere esfriar.
2. Bata todos os ingredientes no liquidificador e leve à geladeira por 8 horas.
3. Lave as goji berries em água corrente. Coloque a água e as gojis em uma panela e deixe cozinhar em fogo baixo, com a tampa semiaberta, até reduzir um pouco a água e as gojis ficarem macias e quase desmanchando. Acrescente a gelatina, as gotas ou raspas de limão e a noz-moscada. Desligue o fogo e deixe a panela fechada até esfriar.
4. Leve à geladeira por oito horas.

Seu ambiente de saúde

Ontem falei sobre a pressão arterial. Eu lhe disse que o ganho de peso leva quase que sistematicamente a uma elevação de pressão arterial. Em contrapartida, a perda de peso faz com que a pressão arterial diminua.

Em algumas pessoas (com a pressão arterial naturalmente um pouco baixa), a dieta pode levar a uma diminuição suplementar da pressão... e gerar cansaço e tontura. Além disso, se lhe acontece de, às vezes, ver estrelas quando se levanta bruscamente, não beba mais de 1,5 litro de água por dia e, principalmente, não reduza o sal em sua alimentação.

Cesta de compras do dia

Ontem falei sobre os **adoçantes**. Sei que muitos seguidores do meu método desconfiam. Mas, na minha opinião, estão errados... ou melhor, foram enganados por aqueles que defendem o livre consumo de açúcar.

De fato, os adoçantes são usados há muito tempo por alguns milhares de humanos... sem que as agências de segurança tenham encontrado algo contra a ser dito. Ao mesmo tempo, o sobrepeso se tornou um dos primeiros *serial killers* da atualidade. Os adoçantes têm verdadeira utilidade, especialmente na fabricação de chicletes e refrigerantes sem açúcar.

Fique tranquilo: escolha um adoçante cujo gosto mais lhe agrade. O ideal é testar alguns outros de vez em quando.

Meu diário pessoal

Diga a si mesmo que **cada palavra escrita neste diário lhe dá uma chance a mais de emagrecer e, deste modo, controlar seu peso.** Entre a comida e a sua boca, existe sua razão, e esta pode ser fortificada pela escrita.

O que você escreve aqui faz com que crie um compromisso. Então, escreva para emagrecer melhor (e, além disso, você vai poder descobrir o amor pelas palavras, pelas frases e suas nuances...).

....
....
....
....
....
....
....
....
....
....
....
....
....
....
....
....
....
....
....

Fase de cruzeiro • PL • Dia 7

Dia 7
da minha dieta Dukan

meu peso inicial: ....

meu peso atual: ....

total de kg perdidos: ....

meu peso ideal: ....

Panorama do seu sétimo dia

Lembro a você que hoje é um dia PL (proteínas e legumes).

É a velocidade lenta do seu motor, que funciona em duas velocidades (as proteínas são a velocidade mais forte). Em sua dieta atual e, sobretudo, no futuro, os legumes não são apenas autorizados, mas essenciais, indispensáveis. Com as proteínas, eles cercam seu entorno.

Delicie-se!

Seu ambiente de saúde

Meu método é baseado em uma constatação racional e científica que atribui aos açúcares, lentos ou rápidos, e às gorduras a responsabilidade pelo sobrepeso. **Muito açúcar leva ao diabetes**, à síndrome metabólica e à patologia cardiovascular. **Muita gordura leva ao entupimento das artérias** (e, assim, aos acidentes cardíacos e cerebrais). **O excesso de proteínas não leva a qualquer doença, se tivermos um bom funcionamento renal.** Emagrecer reduzindo o que faz engordar e ameaça a saúde e a vida (gorduras e açúcares) faz todo sentido...

Exercício do dia

- **Jovem e ativo:** Hoje, passaremos a 35 abdominais e faremos 15 agachamentos.
- **Mais de 50 anos e sedentário:** Vamos passar a fazer 17 abdominais e tentaremos oito agachamentos.

"Escapadas" da dieta

Eis a lista de alimentos "tolerados" que anunciei ontem. Cada linha corresponde a uma unidade de tolerado. A dose máxima é de dois por dia na fase de cruzeiro e três na fase de consolidação. Os tolerados devem ser evitados nos períodos de estagnação:

- Goji berry (1 a 3 colheres de sopa, de acordo com a fase)
- Cacau sem açúcar (1 colher de café ou 7g)
- Requeijão com até 7% de gordura (40g)
- Creme de leite com 3 ou 4% de gordura (1 colher de sopa ou 30g)
- Creme de soja (2 colheres de sopa rasas)
- Farinha de soja (1 colher de sopa ou 20g)
- Amido de milho (1 colher de sopa ou 20g)
- Queijo light com 7% de gordura (30g)
- Gaspacho caseiro (bata tomates sem pele e sem sementes com um pouco de cebola e um dente de alho. Acrescente água e vinagre a gosto. Tempere com sal e pimenta. Sirva frio ou gelado.) (1 copo ou 150 ml)
- Óleo (3 gotas ou 3g)
- Leite de soja (1 copo ou 150ml)
- Café solúvel (1 colher de café ou 7g)
- Molho de soja (1 colher de café ou 5g)
- Salsichas de frango com no máximo 10% de gordura (100g)
- Tempeh (50g)
- Vinho para cozimento (3 colheres de sopa ou 30g)
- Iogurte 0% de gordura com pedaços de frutas (1)
- Iogurte de soja natural (1)

Minha mensagem de apoio a você

" *Eis que você chega ao fim da primeira semana da fase de cruzeiro. Você está na corrida. Espero que já tenha perdido peso suficiente para ter uma verdadeira e sólida vontade de continuar. Infelizmente, não tenho a possibilidade de ter seu retorno, o feedback que tenho todos os meses com meus pacientes (e todas as noites com meus seguidores na internet).*

No entanto, no momento em que escrevo esta mensagem, meses antes que você a leia, posso pressentir o que 95% dos meus leitores estão sentindo. *Quem quer que você seja, você é um ser humano... e um ser humano com sobrepeso que decidiu emagrecer comigo. É um perfil que conheço bem,* **um arquétipo com o qual lido há quarenta anos.** *Sei que, neste momento do seu percurso, você deve estar se sentindo bem. Então, nada de triunfalismo, nem excesso de autoconfiança. Não deixe de estar atento a si mesmo,* **você tem tudo nas mãos e utilizar bem.** "

Pierre Dukan

Sua motivação

Ainda precisarei de muitos dias para lhe explicar o que é a motivação. **É uma força, uma energia vinda das profundezas da vida biológica.** É um pouco como a força e a energia que ativam e fazem seu coração bater, algo que não pode ser explicado através de palavras, conceitos ou ideias. Mas existe uma maneira de domesticar essa força através da consciência... E é o que vou lhe explicar amanhã.

Sua atividade física

Quando você pisca um olho, esse minúsculo movimento das pálpebras faz com que você perca uma nanocaloria. Quando o faz com os dois olhos, são duas nanocalorias... Se você o fizer vinte vezes ao dia, acaba, cedo ou tarde, queimando uma caloria. Mas se você levanta um braço, os dois, uma perna, as duas pernas... bem, você entendeu aonde quero chegar.

A atividade faz parte do seu cotidiano. Viver sem se mexer é contrário à sua programação e faz com que você engorde.

Se você comprou este diário de bordo, é porque está com sobrepeso. Então, digo bem claramente: **você PRECISA aumentar sua atividade física, mesmo que seja um pouco mais.** Esta simples mudança pode bastar para que você inverta o funcionamento de seu metabolismo e passe do modo de armazenamento ao modo de escoamento.

Um estudo de grande amplitude mostrou que no Reino Unido, em uma geração, os ingleses consumiam oitocentas calorias a menos que seus pais, mas gastavam 850 calorias a menos. **Essas cinquenta calorias por dia representam, em vinte anos, uma enorme diferença (simplesmente 40kg!).** Pequenos riachos foram grandes rios, não é verdade?

Sua receita do dia

Palmito Pupunha assado

1 palmito pupunha inteiro com casca

1. Envolva o palmito pupunha em papel-alumínio e asse em forno a 180°C por uma hora, verifique o cozimento espetando com um palito em uma das extremidades. Deixe esfriar um pouco e corte o palmito no sentido do comprimento.

2. Retire a casca e reserve. Para decoração, corte fatias do palmito, formando uma meia-lua e disponha de modo que uma fatia intercale com a outra. Tempere com sal e pimenta a gosto. Salpique ervas aromáticas

Cesta de compras do dia

Hoje, tente comprar ovas de peixe. Peça ao seu peixeiro que lhe venda as **ovas de peixe frescas** que ele retira dos peixes dos quais vende os filés. Costuma ser o caso das ovas de robalo que, depois de cozidas na frigideira, mostram uma consistência maravilhosa.

As ovas de tainha também fazem parte das ovas de peixe mais procuradas (com elas, faz-se a butarga). Mas existem outras, ainda mais abundantes, como as do bacalhau fresco ou do arenque, que também são vendidas defumadas.

Minha lista de compras

- Pudim ou flan zero
- Ovos
- Queijo frescal 0% de gordura
- Cenoura, alho, cominho
- Carne assada
- Pequenos legumes, espinafre
- Bolo de chocolate Dukan
- Ovas de peixe defumadas
- Cottage 0% de gordura
- Robalo
- Estragão fresco ou congelado
- Iogurtes 0% de gordura

Meu diário pessoal

O que você vai escrever hoje em seu diário? Seu sentimento do dia, aquilo a que conseguiu resistir, o que o alegrou, uma perda de peso insuficiente ou surpreendente.

Tente ser espontâneo e escreva o que lhe vier à cabeça. Mas, principalmente, escreva o que, amanhã, quando reler seu diário, vai ajudá-lo a continuar e nunca mais voltar a engordar.

Fase de cruzeiro • Semana 3

Semana 3
da minha dieta Dukan

Cole sua foto aqui

Minha foto da semana

Minha "estratégia de felicidade"

A felicidade que vem do seu habitat

Precisamos de um lugar calmo e seguro, propício à privacidade. Precisamos de um lugar onde encontremos nossos seres amados, assim como objetos gratificantes e preciosos. Este lugar aconchegante e seguro, ao qual chamamos de lar, pode ser decorado e arrumado harmoniosamente. Esta harmonia doméstica é capaz de nos satisfazer e acalmar.

Hoje, o habitat é frequentemente calculado em função dos metros quadrados disponíveis! Mas um lar é, antes de mais nada, um lugar de equilíbrio: um espaço em que o indivíduo retoma as energias e respira novamente, isolando-se do nivelamento imposto pela sociedade.

Seu habitat é o lugar no mundo onde você mais produz serotonina. Tenha prazer em proteger seu ambiente vital: decore-o, apazigue-o. Prazeres simples, mas densos e naturais, o aguardam.

Eu mesmo me avalio:

☐ Sinto-me bem em casa
☐ Entendi a mensagem
☐ Não é "minha praia"
☐ Vou tentar

O segredo da semana:

"Decidi ser feliz, porque é bom para a saúde."

Voltaire

Minhas medidas esta semana

- Circunferência peitoral: ....
- Circunferência da cintura: ....
- Circunferência dos quadris: ....
- Circunferência das duas coxas: ....

Sugestões de cardápios para a semana

		Meu café da manhã	Meu almoço	Meu lanche	Meu jantar
SEGUNDA-FEIRA	PP	Bebida quente Uma panqueca de farelo de aveia Requeijão 0% de gordura	Uma fatia de presunto de peito de frango Shirataki Iogurte 0% de gordura e sem açúcar com essência de morango	Cottage 0% de gordura sabor baunilha	**Rollmops caseiros** Sardinhas grelhadas Manjar branco caseiro
TERÇA-FEIRA	PL	Bebida quente Um iogurte 0% de gordura	Salada de legumes (pimentão, cebola e tomate) Abobrinha refogada com cebola e carne moída Queijo frescal 0% de gordura	Requeijão 0% de gordura	Salada de rúcula com tomate e manjericão Vieiras ou peixe branco magro Funchos no vapor **Pudim de leite**
QUARTA-FEIRA	PP	Bebida quente Uma omelete de claras com ervas finas Queijo frescal 0% de gordura	Costela de vitela frita no caldo Shirataki com duas colheres de sopa de molho caseiro de tomate Requeijão 0% de gordura	Cottage 0% de gordura	Mexilhões à marinière Frango à moda americana **Mousse de manga**
QUINTA-FEIRA	PL	Bebida quente Uma panqueca de farelo de aveia com cacau sem açúcar Um iogurte 0% de gordura com essência de coco Um iogurte 0% de gordura	Salada de cogumelos Paris Galeto assado Purê de aipo Requeijão 0% de gordura	Queijo frescal 0% de gordura	Rabanete com sal **Fajitas Dukan** Sorvete sabor iogurte de baunilha Dukan
SEXTA-FEIRA	PP	Bebida quente Queijo frescal 0% de gordura Duas fatias de peito de peru	**Grissinis crocantes** Atum em lata sem óleo e limão com vinagre Dois ovos cozidos Queijo frescal 0% de gordura e sem açúcar	Um iogurte 0% de gordura Dois biscoitos de farelo de aveia sabor coco	Patê caseiro de cavala ou sardinha Filé de peixe branco à moda indiana com shiratakis Flan caseiro
SÁBADO	PL	Bebida quente Requeijão 0% de gordura Um muffin de farelo de aveia Presunto magro ou carne de vitela ou peru	Salada de couve com gergelim Escalope de frango com legumes no vapor	Ricota light Dois biscoitos sabor avelã	Salada de nabo cru com limão e harissa ou pimenta caiena em pó **Shiratakis com carne moída, tomates-cereja e aspargos** Iogurte 0% de gordura sem açúcar com essência de limão
DOMINGO	PP	Bebida quente Pudim ou flan zero Um ovo cozido Pedaços de peito de peru	Prato de frutos do mar sortidos Queijo frescal 0% Bolo de chocolate Dukan	Mingau com leite desnatado e duas colheres de sopa de farelo de aveia	Caldo de galinha à moda tailandesa **Pão de três carnes** Geleia de chá de frutas

Fase de cruzeiro • PP • Dia 8

Dia 8
da minha dieta Dukan

| meu peso inicial: | meu peso atual: | total de kg perdidos: | meu peso ideal: |

Panorama do seu oitavo dia

Hoje vamos esquecer os legumes e vamos comer apenas proteínas puras. Aperte o cinto, vamos começar a ganhar velocidade.

Quando você consome apenas proteínas durante um dia, seu corpo fica em festa. Seu fígado repousa, pois não precisa eliminar gorduras, e seu pâncreas tira férias, pois não precisa mais fabricar doses massivas de insulina, necessárias para lutar contra os açucares e os glicídios. E seus rins, se você beber bastante água, ficam felizes em fazer seu trabalho.

Exercício do dia

- **Jovem e ativo:** Hoje passaremos a 32 abdominais e faremos 14 agachamentos.
- **Mais de 50 anos e sedentário:** Vamos passar a fazer 13 abdominais e sete agachamentos.

Sua motivação

Para se motivar, pense e repense no que foi determinante para você decidir emagrecer. Se você comprou essa luta, mesmo que comer lhe seja uma gratificação, é porque deve ter boas razões para isso.

Imaginemos que, para você, seja a aparência, a beleza, o poder de sedução, o cansaço das roupas muito apertadas que lhe deram vontade de emagrecer... Se for o seu caso, saiba que está no caminho certo, na estrada certa e, no final, você vai conseguir o que tanto sonha. Honestamente, sei bem que emagrecer não é fácil.

Mas quando a motivação é forte, tudo cede com facilidade, diante do poder desse fogo.

Sua atividade física

Um ser humano é corpo e mente. Separar os dois é correr o risco de desequilibrar o conjunto. Sei que, ao nosso redor, tudo é feito para erradicar o esforço individual para além do razoável... até a escova de dentes elétrica, por exemplo! Isso nos custa muito em termos de bem-estar e boa forma.

Acredite em mim: mexa-se, mexa-se muito e, um dia, uma coisa incrível, porém obrigatória, se torna um prazer.

Seu ambiente de saúde

A saúde é o silêncio dos órgãos, nada que faça mal ou que canse. Mas essa me parece uma definição muito simples! Para estar com boa saúde é preciso se sentir bem, e eu diria ainda mais: sentir-se satisfeito, e mesmo feliz.

Fala-se muito em felicidade nos livros e nas revistas... Mas ninguém a vê e ninguém sabe como "fabricá-la". Cada um tem sua receita, um pouco como, antigamente, se buscava a melhor composição do leite, até que se descobriu que é o leite materno, o leite que somos programados para beber mamando no seio de nossa mãe, o que tem a melhor composição.

O mesmo acontece com a felicidade: para obtê-la deve-se simplesmente viver a vida para a qual o ser humano foi feito e, por essa mesma razão, escapar do sobrepeso. Amanhã falarei mais sobre esse assunto fundamental.

Minha mensagem de apoio a você

" Disponho, nesta sessão, de algumas linhas para lhe dar um suporte. Será que você precisa destas linhas hoje? Eu espero que não. Imaginemos, todavia, que esse seja o caso e que você esteja passando por dificuldades. Por experiência própria, o que pode estar em jogo é a desaceleração da perda de peso.

Duas semanas se passaram. Se você está entre aqueles que emagreceram muito rapidamente na fase de ataque e no começo da fase de cruzeiro, é possível, e mesmo normal, que a perda de peso tenha desacelerado. Seu corpo, que perdeu peso no começo da dieta, reagiu ao seu modo, reduzindo seus gastos e aproveitando o máximo dos alimentos. Quando seu corpo queima menos calorias e não perde uma migalha do que você come, faz sentido que fique mais difícil emagrecer.

Mas essa resistência é um esforço que não pode durar muito tempo. Entre você e seu corpo há uma queda de braço. A grande diferença entre vocês é que seu corpo é apenas um servomecanismo (automatismo) que não tem qualquer consciência do que faz... enquanto que você o observa, plenamente lúcido!

Sendo assim, **basta esperar 'um pouco mais de tempo que ele', seu corpo, vai ceder, antes de você.** Mas se você ceder antes, então, a queda de braço vai durar mais ainda. A propósito, a cada saída da dieta, é seu corpo quem ganha e o domina! "

Pierre Dukan

Fase de cruzeiro • PP • Dia 8

Cesta de compras do dia

Sempre encontramos novos alimentos que podemos adicionar à nossa cesta, o que melhora o cotidiano de quem está fazendo uma dieta. **Hoje eu gostaria de falar sobre o arenque.** Existem tantos modos de preparo que esquecemos o mais óbvio: o arenque fresco. Não se esqueça, também, do arenque báltico, se você gostar de um sabor avinagrado.

Você também pode consumir o arenque defumado ou marinar você mesmo em vinho branco, vinagre, sálvia, cebola, alho, salsa, tomilho e louro. Além disso, é um peixe em conta e muito rico em ômega 3 de alta proteção!

Minha lista de compras

- Farelo de aveia e farelo de trigo
- Presunto de frango
- Shirataki
- Iogurtes 0% de gordura sem açúcar
- Queijo frescal 0% de gordura
- Aroma de baunilha
- Rollmops
- Sardinha
- Gelatina ou ágar-ágar

Sua receita de hoje
Rollmops caseiros

15 min — 20 min — 2

10 grãos de pimenta-do-reino
2 folhas de louro
250g de vinagre de cidra
100ml de água
2 picles
1 cebola
6 arenques em salmoura
2 colheres (café) de mostarda Dijon
1 colher (café) de alcaparras
1 colher (café) de endro picado
Palitinhos

1. Leve a água à ebulição, juntamente com a pimenta-do-reino e as folhas de louro.
2. Deixe esfriar e, em seguida, adicione o vinagre.
3. Corte os picles no sentido do comprimento em seis fatias.
4. Descasque a cebola e corte em rodelas finas.
5. Pincele os arenques com a mostarda e, em seguida, adicione um pouco de picles, rodelas de cebola, endro e alcaparras.
6. Enrole delicadamente, de baixo para cima, e fixe tudo com um palitinho, para obter os rollmops.
7. Em seguida, disponha os rolos em um pote e molhe-os com o tempero de vinagre.
8. Cubra e feche o pote, deixando marinar por dois dias na geladeira.
9. Ao final, retire a água da marinada e o excesso de umidade com um papel-toalha. Sirva.

Dica: Os rollmops podem ser servidos com pequenos crepes de farelo de aveia (receita de base da panqueca de farelo de aveia) e um molho à base de cottage 0% de gordura temperado com duas gotas de suco de limão.

"Escapadas" da dieta

A regra de uma dieta correta é **"não saia da dieta"**. Em casa, digamos que seja possível. Mas, fora de casa, há a vida e suas tentações, o estresse, as dificuldades, as misérias e os sofrimentos. Com frequência, as tentações vêm umas seguidas das outras, e aos poucos arrancam a couraça daquele que está de dieta.

Até o momento em que, em uma pequena fenda, se insinua uma tentação mais forte que as outras... e a escapada acontece. Bem, qualquer que seja essa escapada, você acaba de sucumbir.

Então, nada de pânico. Retome o caminho sem resistir, calmamente. A pior resposta depois de uma escapada seria sentir-se culpado, pois isso produz uma emoção negativa, que neutraliza o prazer trazido pela comida... Logo, esqueça a escapada e volte a seguir em frente, com firmeza. Mas não saia da dieta novamente tão cedo!

Meu diário pessoal

Você conhece a história do Pequeno Polegar, que deixava pedrinhas ao longo do caminho para não se perder? E a do fio de Ariadne, que Teseu usa para não se perder no labirinto do Minotauro?

Faça o mesmo deste diário. Escreva aqui tudo que, ao ser relido um dia, lhe permita reencontrar as referências para não abandonar o caminho certo e evitar as armadilhas em que você caiu no passado.

Assim como eu, você já deve ter se encontrado em uma noite qualquer, tarde, sem nada para comer senão besteiras ou coisas pouco saudáveis. Pois bem... se isso acontecer a você novamente, escreva aqui! Crie o hábito de sempre ter no congelador um prato pronto, para que não fique sem defesa frente aos alimentos indesejados.

Fase de cruzeiro • PL • Dia 9

Dia 9
da minha dieta Dukan

| meu peso inicial: | meu peso atual: | total de kg perdidos: | meu peso ideal: |

Panorama do seu nono dia

E eis que voltam os legumes! Espero que você goste de legumes tanto quanto eu. Infelizmente, existe o hábito de apresentar minha dieta como uma dieta hiperproteica. Isto é limitar sua definição, pois ela também é "hiperleguminada". É essa combinação que constitui sua força e sua verdade.

Sua atividade física

Para quem deseja emagrecer, uma descoberta pode mudar tudo: a do **"prazer ao se movimentar"**. O mundo que nos rodeia tenta, de todas as formas, nos imobilizar com a desculpa de nos dar conforto. Esse conforto se paga! Às vezes, trabalhamos uma vida inteira para poder pagar o luxo de não nos mexer! Ora, a imobilidade é um dos nossos piores inimigos. Guarde isso bem na memória!

Exercício do dia

- **Jovem e ativo:** Hoje ficamos em 35 abdominais e faremos 15 agachamentos.
- **Mais de 50 anos e sedentário:** Vamos tentar fazer 17 abdominais, mas continuamos com nove agachamentos.

"Escapadas" da dieta

Hoje você vai voltar a comer tomate, pepino, rabanete, vagem, alfaces (de variados tipos), endívia, todas as couves, brócolis, cogumelo, aipo, cenoura, beterraba (se não for diabético), abobrinha, abóbora e também palmito.

Tudo, menos os feculentos. **Por que, com uma variedade tão grande de alimentos e sem limitação de quantidades, você precisaria sair da dieta?**

Sua motivação

Ontem falamos que, talvez, sua vontade de reforçar seu poder de sedução e melhorar sua aparência o tenham levado a querer emagrecer. Mas talvez o motivo seja outro...

Talvez, a busca pelo bem-estar seja sua principal motivação. Sim, a gente acaba se cansando de ficar ofegante ao subir escadas, de transpirar muito ao mínimo esforço (ou, pior ainda, sem esforço algum).

É verdade, o hábito facilita a aceitação da sobrecarga ponderal... mas não nos impede de roncar e ter crises de apneia durante o sono. Estar com sobrepeso é cansativo e torna as coisas bem mais difíceis. Felizmente, tudo pode mudar bastante rápido.

Você sabia que basta perder cerca de 5kg para melhorar a vida de uma pessoa com sobrepeso? A propósito, talvez você já os tenha perdido, esses tais quilinhos a mais. Continue!

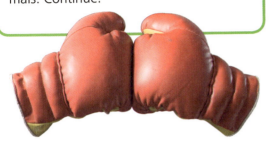

Minha mensagem de apoio a você

" Você sabia que me dirijo a você todos os dias há mais de duas semanas sem realmente conhecê-lo? Sobre você sei apenas uma coisa: que deseja emagrecer. Como conheço bem o meu método e como as pessoas se utilizam dele, acho que você tem grandes chances de ainda estar aqui, comigo, nesta página do diário de bordo.

Esta obra é bem diferente de um livro tradicional: ela foi feita para ser um diálogo entre o leitor e um guia experiente. No momento em que escrevo este parágrafo eu me coloco no lugar da pessoa que vai me ler. Assim, vêm à minha cabeça todos aqueles que acompanhei face a face ao longo da minha vida de médico, ou seja, um pouco mais de 40 mil pessoas que guiei, enquadrei e, para grande parte delas, levei à vitória.

Por essência, todos os pacientes são diferentes uns dos outros. Mas, independente do sexo, da idade, da nacionalidade ou número de quilos a perder, há, atrás de cada caso (inclusive o seu), um ser humano que precisa seguir o caminho contrário daquele que o levou a engordar. Saiba que entrei em sua vida para ajudá-lo, porque você precisa dessa ajuda. Confie em mim! **Siga bem minhas instruções e prometo a você que vai chegar ao seu Peso Ideal.** Até amanhã. "

Pierre Dukan

81

Seu ambiente de saúde

Ontem prometi lhe falar mais a respeito da felicidade. Pensei muito, pois sempre conheci muitas pessoas que pediam à comida para ajudá-las a compensar seu mal-estar e frustração. Aqui, estamos no coração do problema. Não falarei da felicidade nem como um moralista, nem como sociólogo, mas como médico. Estou convencido que o que vou lhe ensinar o ajudará a emagrecer e, melhor ainda, a viver melhor.

Ao chegar ao mundo o homem é dotado de um certo número de instintos que o levam a se comportar de maneira a ter as melhores chances de sobreviver. **Satisfazer essas necessidades faz com que ele recolha boa dose de prazer natural profundo, que libera no cérebro a secreção de dois mediadores químicos essenciais: a serotonina e a dopamina** (que distribuem, respectivamente, o prazer de viver e a necessidade de viver). Agora, como isso funciona no cotidiano?

Não tenho espaço para ir até o fim na descrição nesta coluna e também não vou concluir dessa forma um assunto tão cheio de promessas. Então, continuarei amanhã... Mas prometa-me esperar até amanhã para ler.

Sua receita de hoje

2 ovos inteiros na temperatura ambiente
6 colheres (sopa) de leite em pó desnatado
4 colheres (sopa) de adoçante culinário
300ml de leite desnatado
1 colher (chá) de essência de baunilha

1. Coloque todos os ingredientes no liquidificador e bata até obter um espuma abundante.
2. Espere a espuma baixar e transfira para refratários individuais. Leve ao forno em banho-maria por 40 a 50 minutos, aproximadamente.

Dica: Se quiser fazer numa forma de pudim de alumínio, dobre a receita acima e faça uma calda na própria forma com:

3 colheres de sopa de adoçante culinário
1 colher de chá de essência de baunilha
1 colher de chá de água.

Leve ao fogo e espere mudar de cor, observando que o adoçante não fica da cor de caramelo. Acrescente água e misture bem. Coloque o pudim e leve ao forno em banho-maria por aproximadamente 1 hora e 10 minutos ou mais, dependendo do forno.

Cesta de compras do dia

No início da dieta não temos experiência e seguimos fielmente os conselhos de compras da cesta. Mas, com o tempo e a experiência, tenho certeza de que você já adquiriu um certo hábito.

Hoje, vamos falar dos laticínios, iogurtes 0% de gordura, naturais com pedaços de frutas (que entram na categoria dos alimentos "tolerados"). Os queijos brancos são diferentes dos iogurtes, pois são menos ricos em água, logo, têm mais proteínas concentradas e acalmam ainda mais o apetite. Se você gosta de um certo azedume, vai adorar os queijos frescos. E, também, não se esqueça do cottage 0% de gordura e dos demais queijos frescos.

Minha lista de compras

- Biscoitos de farelo de aveia Dr. Dukan caramelo
- Leite desnatado
- Pimentões, tomates, cebolas, abobrinhas
- Rúcula, funcho
- Vieiras
- Carne moída magra
- Queijo frescal e cottage 0% de gordura
- Ricota light
- Adoçante
- Ovos

Meu diário pessoal

Quando um avião cai, procuramos encontrar sua caixa-preta para entender por que e como ocorreu o acidente. **Seu diário é o lugar de compreensão de suas dificuldades e também de seus sucessos.** Seu papel é ajudá-lo a prevenir as dificuldades e facilitar os sucessos. Viu só? Também existe uma "caixa-branca" em seu avião.

Fase de cruzeiro • PP • Dia 10

Dia 10
da minha dieta Dukan

| meu peso inicial: | meu peso atual: | total de kg perdidos: | meu peso ideal: |

Panorama do seu décimo dia

Hoje voltamos às proteínas puras. Sempre me perguntam por que, em minha dieta, o fato de adicionar alimentos tão saudáveis e pouco calóricos quanto os legumes tem tendência a reduzir sua eficácia. Simplesmente porque, **nos legumes, existem os glicídios, carboidratos... ou seja, os "açúcares".**

Certamente, não muito, pois esses açúcares estão diluídos em muita água e muitas fibras. Mas, mesmo com essa quantidade, podem atenuar a eficácia das proteínas e reduzir o ritmo da perda de peso. Há sessenta anos vivemos condicionados a uma **dupla crença perniciosa** de que **"todas as calorias são iguais" e que "precisamos de 55% de glicídios em nossa alimentação".** Entre 1965 e 1970 os Estados Unidos e os lobistas americanos decidiram dividir o tesouro mundial do consumo alimentar e da indústria farmacêutica.

Para se repartir nesse mercado colossal entraram num acordo de que os lipídios eram o inimigo nutricional a ser combatido; a gordura e o colesterol, indiretamente, reabilitaram o açúcar e os carboidratos. Quarenta anos depois, percebemos que o risco cardiovascular não mudou fundamentalmente, mas a epidemia do sobrepeso, da obesidade e do diabetes explodiu.

Hoje, apesar da resistência dos lobistas, um consenso começa a emergir para apontar a responsabilidade dos açúcares. Não existem mais dúvidas: engordamos por causa dos açúcares. Para emagrecer, é preciso reduzir seu consumo. Na fase em que você se encontra, mesmo em forma de legumes, é preferível consumi-los apenas dia sim, dia não. Prioridade absoluta para a eficácia!

Minha mensagem de apoio a você

"Hoje vou fingir que você ainda precisa de mim e da minha presença ao seu lado. Existem fortes chances de que não seja verdade e que você se vire muito bem sozinho. Mas não lhe fará mal saber que venho aqui para ajudá-lo.

Antes devo dizer-lhe que emagrecer não é fácil. Às vezes, talvez você ouça vendedores de sonhos dizendo que basta comprar um creme, contar melhor suas calorias ou ouvir sua fome e sua saciedade para perder os quilos a mais.

Mas você sabe muito bem que não é assim que as coisas são! Além disso, existe uma grande probabilidade de que você já tenha tentado, em vão, uma infinidade de dietas.

Emagrecer é um dos comportamentos mais antinaturais que existem. **Fomos programados para comer a cada vez que nos é possível fazê-lo. Os tempos mudaram... mas não para nós.** Nosso corpo, nosso cérebro e nossos comportamentos naturais continuam vendo, em toda reserva acumulada, um elemento favorável à sobrevivência. **Emagrecer é fazer o contrário do que estamos programados para fazer**, e isso em um ambiente de enorme oferta.

Então, se você está emagrecendo (e está feliz em constatar isso), tenha confiança, mas não fique eufórico... Ou seja, continue vigilante. Você pode ganhar um grande número de batalhas, mas perder a guerra. Ou, pior ain- da, não manter a paz tão arduamente conquistada. A melhor maneira de ter todas as chances de conseguir é **emagrecer aprendendo a emagrecer, a única maneira que pode garantir seu futuro.**

Por hoje, o conselho é variar o consumo de proteínas: tente não entrar na repetição que gera cansaço. VARIE e cozinhe um pouco para manter sua motivação.

Pierre Dukan"

Sua motivação

Ontem, depois de ter evocado a motivação ligada à estética e, depois, ao bem-estar, **vou supor que, hoje, é a saúde que o motiva.** Sei que essa divisão é um pouco artificial: em graus diversos, todas essas motivações nos dizem respeito, em diversos níveis. Sei que a saúde interessa menos aos jovens, que pensam ser invencíveis. Em minhas conferências em colégios e liceus, pude, no entanto, notar que a saúde importa até mesmo aos adolescentes. Basta que um resfriado forte colonize nossos brônquios para entendermos que nossa vida é um equilíbrio perpétuo: um pequeno detalhe separa o ser humano em boa saúde de uma pessoa doente. De fato, o sobrepeso é o primeiro fator de risco no mundo. Para tomarmos um exemplo vivo, um obeso vive nove anos a menos que um ser de constituição normal! Amanhã irei ainda mais longe nos detalhes dos riscos ligados ao sobrepeso.

Fase de cruzeiro • PP • Dia 10

Minha lista de compras

- Ovos
- Queijo frescal e requeijão 0% de gordura
- Costela de vitela
- Shirataki
- Molho caseiro de tomate
- Aroma de banana
- Cottage 0% de gordura
- Mexilhões
- Frango
- Gelatina

Sua receita de hoje

Mousse de manga

 15 min 3 h 6

2 gelatinas zero sabor manga
800ml de água quente
1 iogurte desnatado
3 claras
2 colheres de sopa de goji berry (opcional)

1. Dissolva as gelatinas somente com água quente (400ml por envelope).
2. Coloque as goji berries no fundo da forma com uma parte da gelatina morna e leve à geladeira. Transfira o restante da gelatina para outro recipiente e espere endurecer.
3. Depois de firme, bata a gelatina com o iogurte até obter um creme homogêneo. Bata as claras em ponto de neve firme e acrescente delicadamente ao creme.
4. Adicione a mistura na gelatina já endurecida às gojis. Para desenformar com facilidade coloque a forma da gelatina em uma assadeira com água quente. Dessa forma ela soltará da forma com facilidade.

Cesta de compras do dia

Expliquei a você o conceito de alimentos "tolerados", falando sobre como os adotei sob a pressão comovente de pacientes merecedores (para recompensar seus bons resultados).

Lembro a você que os "tolerados" só têm sentido se a perda de peso for satisfatória e constante. Um pouco de cacau sem açúcar, um pouco de amido de milho para cozinhar, iogurtes 0% de gordura com pedaços de frutas etc.

Tudo isto pode ajudá-lo... mas fique de olho no ponteiro da balança! **Assim que o ritmo de emagrecimento diminuir, feche a despensa dos "tolerados".** Os menus que proponho a você contêm alguns deles. Tire-os em caso de estagnação.

"Escapadas" da dieta

Quando começamos, dei a você um título de capitão. Você é o comandante de bordo do seu navio. Sua missão é chegar ao porto correto: conseguir chegar ao seu Peso Ideal.

Para isso, você deve conservar o rumo que fixo e detalho para você todos os dias. Entregar-se às escapadas da dieta faz com que você corra o risco de mudar esse rumo. Se isso lhe acontecer, de nada adianta ficar se culpando... mas é importante fazer de tudo para voltar ao caminho certo.

Não sei o que você fez ontem, mas, hoje, é um dia PP: a oportunidade esperada para retomar ou perseverar na boa direção.

Fase de cruzeiro • PP • Dia 10

Seu ambiente de saúde

Ontem apresentei a você o mecanismo original da felicidade, ligado à sobrevivência, às necessidades profundas e à secreção de dopamina e serotonina (hormônios da vontade de viver e do prazer). Tudo isso foi perturbado pela sociedade de consumo e pela ideologia do crescimento.

No início, nos anos 1950 e 1960, tudo corria bem: os consumidores descobriam a abundância e seus benefícios. Mas, aos poucos, como ocorre com tudo, acabaram enjoando. Para manter o apetite, o marketing e a publicidade vieram para condicionar o reflexo de compra, chamado de compulsão. Sob o pretexto de garantir um crescimento eterno, um vasto dispositivo para transformar os homens em consumidores tornou-se disponível.

Amanhã continuarei a falar sobre como chegamos a esse estado de vulnerabilidade, intolerância aos estresses e de escapismo... principalmente no setor alimentar. Até amanhã.

Exercício do dia

- **Jovem e ativo:** Hoje ficamos em 35 abdominais e faremos 15 agachamentos.
- **Mais de 50 anos e sedentário:** Vamos tentar fazer 17 abdominais, mas continuamos com nove agachamentos.

Sua atividade física

Às vezes, fico surpreso ao perceber que escrevo obras nas quais explico como um ser humano deve comer e se movimentar para emagrecer. Estes são, no entanto, comportamentos instintivos, entre os mais naturais que existem! **Não aprendemos a respirar** (mesmo que exista toda uma medicina do Extremo Oriente baseada na respiração).

Uma atividade tão fundamental quanto se mexer não deveria ser ensinada e, no entanto...

A evolução nos criou com mais de 640 músculos, 206 ossos e articulações. Onde quer que trabalhe, a natureza funciona com o mesmo sistema de recompensa e punição. Em todos os lugares, ela se serve de tal sistema para nos incitar a usar o corpo. Conhecemos bem esse sistema.

É a produção da serotonina e da dopamina que nos fornecem, respectivamente, o prazer e a vontade de viver. Então, mexa-se não apenas para emagrecer, mas também para sentir prazer e encontrar a motivação.

Meu diário pessoal

Não se esqueça, todos os dias, de vir se reportar em seu diário. Escrevendo, você vai dar realidade a sensações confusas e efêmeras. Se criar o hábito de falar sobre suas impressões aqui, vai ter uma visão mais geral de seu projeto. E vai aderir melhor a ele. Escrevendo sobre si mesmo, você vai sentir mais profundidade e terá um olhar mais lúcido a respeito de si mesmo.

Fase de cruzeiro • PL • Dia 11

Dia 11
da minha dieta Dukan

| meu peso inicial: | meu peso atual: | total de kg perdidos: | meu peso ideal: |

Panorama do seu décimo primeiro dia

Retorno às Proteínas + Legumes.

Minha fase de cruzeiro tem o princípio baseado na alternância de um dia PP e um dia PL. Na verdade, isso tem um objetivo triplo.

Faz com que, antes de mais nada, você adicione, dia sim, dia não, as **fibras vegetais** à sua alimentação de dieta. Faz com que, em seguida, você faça o seu estoque de **vitaminas** vindas dos legumes, como a vitamina C, o caroteno e os sais minerais. Enfim, tem uma influência psicológica e comportamental: **ao alternar, você acaba com a monotonia**; cada dia é diferente do outro.

Um último ponto (que já foi mencionado): as proteínas puras têm sua **eficácia metabólica reforçada** quando seguem o dia que inclui legumes.

Sua motivação

Ontem comecei a lhe falar sobre a importância da necessidade de proteger sua saúde para reforçar sua motivação para emagrecer. Não sei qual é a sua idade. Mas, qualquer que seja a idade, a saúde é o primeiro de todos os bens: é a vida em seu estado puro, pois a morte é, às vezes, menos assustadora que a doença. Repito a você que **o sobrepeso é o primeiro fator de risco que se pode evitar.**

Estar em sobrepeso faz com que você corra o risco de se tornar obeso, ser vítima de um infarto ou de um acidente vascular cerebral, de desenvolver hipertensão arterial, de roncar e apresentar apneia durante o sono, de sofrer de artrose nos quadris, nos joelhos e na coluna. Você sabia que, em geral, o câncer, e mais particularmente os cânceres de mama e do cólon, estão diretamente ligados ao sobrepeso?

Todos esses fatores de risco são responsáveis pela surpreendente estatística que, não me canso de lembrar a você, faz com que um obeso viva nove anos menos que os outros. **Ora, basta voltar a ter um peso equilibrado para que esses riscos desapareçam.** Você conhece desafio mais estimulante?

Sua atividade física

Hoje não vou explicar por que é interessante e proveitoso exercitar-se: **vou, simplesmente, pedir que você o faça.** Você está na fase de cruzeiro e tem que caminhar 30 minutos por dia. Mas, desta vez, vou pedir que você faça um pouco mais: hoje, alongamos o passo e passamos a 45 minutos! 15 minutos a mais não vão mudar tudo nem fazer com que você emagreça mais de uma só tacada. É, antes de mais nada, **uma oportunidade de mostrar-me que estamos trabalhando bem juntos** e que você reage ao que lhe digo. Se você fizer o que estou pedindo, vai ganhar bem mais que esses 15 minutos a mais de caminhada. Você vai reforçar sua participação e sua motivação. Faça isso!

"Escapadas" da dieta

Gostaria de chamar sua atenção para um fato ao qual dou muita importância. Você sabia que o que você pensa ser o mundo real é nada mais, na verdade, aquilo que o seu cérebro quer lhe mostrar dele? Sim, todos os cérebros foram supostamente feitos para funcionar da mesma maneira e perceber a mesma realidade. Mas, assim como os rostos diferem uns dos outros, sua percepção do mundo também depende do filtro do seu cérebro.

Assim, chego ao essencial: você tem a possibilidade de trabalhar esse filtro e, logo, de mudar sua percepção do mundo. No domínio que lhe diz respeito, é possível mudar sua visão sobre a dieta: **você pode conseguir não mais considerá-la como uma punição, mas como uma libertação (ou uma recompensa).** A partir disso, você vai conseguir construir uma muralha que vai protegê-lo da tentação de sair da dieta. Falaremos novamente sobre isso, pois é um assunto de extrema importância.

Minha mensagem de apoio a você

"*Você sabia que, ao escrever este diário de bordo, tive imenso prazer? Antes, porque adoro a inovação: gostei muito desta nova ideia de '**livro dirigido ao cotidiano**'. Escrevi este livro sem um plano específico. A cada dia, eu pensava no humano virtual a quem ia me endereçar.*

Para cada sessão, buscava e encontrava o que era importante dizer. A coluna de apoio me esperava todas as manhãs, a cada dia, como um desafio. Como dar suporte a uma pessoa desconhecida... mas ao lado de quem prometi estar todos os dias? Este era o meu desafio.

Hoje, vou dizer a mim mesmo que você não precisa de mim: é você quem vai me dar apoio. Então, pense muito em mim e tente imaginar o que me motiva quando me consagro à luta contra o sobrepeso no mundo. O dinheiro? A notoriedade? Não exatamente. Certamente, é agradável ser conhecido e ganhar dinheiro... mas, com toda sinceridade, esta não é minha principal motivação.

Aquilo que amo é o que me aconteceu há pouco tempo no metrô. Eu estava sentado em um assento ao lado de uma jovem. De repente, vejo que ela tira de sua bolsa o meu livro Eu não consigo emagrecer. *Foi emocionante. Inclino-me, então, em direção ao livro, para saber em que parte a leitora tinha chegado. E eis que ela, gentil, mas firmemente, traz o livro para mais perto de si, dizendo: "Não é para o senhor!" Ela certamente pensou que, tendo em vista o volume de meu corpo, eu não precisava ler o livro. Esse momento me divertiu. São pequenos momentos como esse que me fazem feliz. Até amanhã.*"

Pierre Dukan

Fase de cruzeiro • PL • Dia 11

Seu ambiente de saúde

Como prometido, chega o fim do meu discurso sobre a felicidade. Lembro a você que se trata da mais essencial das necessidades humanas.

Sob a pressão do modelo econômico ambiente, o consumidor se apressa em comprar bens de consumo, objetos de conforto ou engenhocas dos quais tira uma satisfação efêmera. E, no entanto, paga por eles com o fruto de um trabalho que nem sempre o satisfaz. Vê-se bem que **na troca "objeto de consumo pouco útil contra um trabalho pouco gratificante", o consumidor tem muito mais a perder do que a ganhar.**

Ainda mais grave: essa incitação onipresente ao consumo é acompanhada de uma incitação a negligenciar-se as necessidades e satisfações naturais, as únicas capazes de trazer uma gratificação profunda e durável.

Resultado: uma insatisfação latente, uma falha na satisfação pessoal e no prazer se instalam... e acaba encontrando o remédio na mais simples, concreta e imediata das satisfações: a comida. E agora, o que você me diz? Já que é assim, o que fazer? Tentarei responder amanhã.

Exercício do dia

- **Jovem e ativo:** Hoje ficamos em 35 abdominais e faremos 15 agachamentos.
- **Mais de 50 anos e sedentário:** Vamos tentar fazer 17 abdominais, mas continuamos com nove agachamentos.

Sua receita de hoje
Fajitas Dukan

 20 min 5 min 4

500g de carne ou peito de frango
Suco de 1 limão
3 gotas de azeite
1 colher (chá) de orégano
2 dentes de alho esmagados
2 colheres (chá) de cominhos moídos
1 colher (chá) de pimenta preta
2 cebolas médias cortadas em fatias
2 pimentões vermelhos ou amarelos médios cortados em fatias
8 a 10 tortilhas preparadas com as panquecas de farelo de aveia Dr. Dukan

1. Em uma tigela pequena, misture o suco de limão, as gotas de azeite, o orégano, o cominho e a pimenta.
2. Adicione a carne cortada em tiras finas e coloque em um saco plástico, tipo Ziploc. Retire todo o ar do saco plástico, feche-o e leve à geladeira por aproximadamente 4 a 6 horas para marinar.
3. Prepare as tortilhas com a mistura para panqueca Dr. Dukan, embrulhe em um papel alumínio e leve ao forno a 120°C por aproximadamente 5 minutos.
4. Aqueça uma frigideira grande em fogo alto, adicione 3 gotas de azeite e retire o excesso com papel-toalha. Junte a cebola em fatias e o pimentão. Refogue, mexendo sempre até que os legumes amoleçam e comece a dourar. Reserve.
5. Cozinhe a carne já marinada na frigideira ainda em fogo alto, mexendo constantemente. Acrescente as cebolas e os pimentões refogados e misture bem.
6. Recheie suas fajitas com a carne e sirva com os molhos de sua preferência.

Cesta de compras do dia

Se for fazer compras hoje, compre kani. Sim, é um preparo industrial, e você sabe que não tenho muita paixão por isso. Mas tive a sorte de visitar barcos-usina e vi como preparavam os kanis, o que me tranquilizou.

Diz-se, frequentemente, que o kani é feito com dejetos de peixe. **É mentira:** trata-se de diversos peixes cuja cabeça é retirada e em seguida são lavados. Fácil de transportar, sem cheiro, podendo ser consumido em uma refeição ou para beliscar, barato, o kani é, em minha dieta, um alimento de socorro e facilitação. Sim, ele contém um pouco de fécula, mas é tão magro e prático que tudo compensa.

Meu diário pessoal

Muitos são os que me perguntam como um diário pode ajudá-los a emagrecer. Noto que é sempre antes de começarem a escrever que me fazem essa pergunta. **Aqueles que testaram, sabem bem.** Alguns descobriram que realmente sabiam escrever e que utilizar esse dom era um prazer. Principalmente, e é o essencial, escrever dá realidade à sua luta contra o sobrepeso.

Existe um mundo entre aquilo que sentimos, aquilo que dizemos... e aquilo que escrevemos. **Escrever é uma maneira de falar com seu cérebro e seu corpo de uma maneira mais forte e mais segura.** Então, confie em mim, escreva: você vai entender para que serve.

Minha lista de compras

- Iogurtes 0% de gordura sem açúcar
- Cogumelos
- Galinha-d'angola ou galeto
- Purê de aipo-rábano
- Requeijão 0% de gordura
- Cottage 0% de gordura
- Rabanetes
- Kani
- Ricota light
- Palmito
- Sorvete de iogurte Dukan ou sorvete de iogurt light

Fase de cruzeiro • PP • Dia 12

Dia 12
da minha dieta Dukan

meu peso inicial: ....

meu peso atual: ....

total de kg perdidos: ....

meu peso ideal: ....

Panorama do seu 12º dia

Hoje voltamos a um dia PP, a maior velocidade desse motor em dois tempos que você vem seguindo há 12 dias. Além do jejum, não conheço nenhuma dieta mais eficaz que a das proteínas puras.

Quando você consome cem calorias provenientes dos glicídios (açúcares) ou dos lipídios (gorduras), seu corpo consome somente quatro calorias para assimilá-las. Quando se trata de cem calorias de proteínas, seu corpo deve gastar 32 calorias para digeri-las e assimilá-las. É apenas uma parte das vantagens.

Seu ambiente de saúde

A grande maioria das pessoas engorda porque come além de suas reais necessidades nutricionais ou biológicas. Por quê? Porque suas satisfações naturais e profundas são insuficientes. Elas são compensadas pela comida. É mais fácil.

Ora, essa compensação alimentar fácil, simples e eficaz engorda. E engordar faz sofrer! Então? Pois bem, **a resposta é simples: é preciso encontrar uma outra maneira de se gratificar...**

Isto é algo que já sugeri falando dos dez caminhos para a satisfação. O ser humano tem por missão manter-se vivo. Ele age em função daquilo que lhe dá prazer, secretando a serotonina, que o equilibra, acalma e torna feliz, assim como a dopamina, que mantém acesa a vontade de viver.

Você pode ver que funcionamos como abelhas, que vão de flor em flor encontrando o prazer... e, ao mesmo tempo, fabricando mel e cera, que fazem a sobrevivência de toda a colmeia! Mas nós, seres humanos, colhemos o pólen de nosso prazer e recolhemos nossas satisfações em um certo número de flores... pelas quais não temos todos o mesmo apetite! **Aparentemente, você está colhendo o pólen da flor "da boca", mas existem outras flores que não engordam.** Vamos falar delas amanhã.

Minha mensagem de apoio a você

"*Hoje eu gostaria de me apresentar...* ou melhor, de me abrir um pouco mais para você. Afinal, são quase três semanas que, dia após dia, avançamos juntos em um projeto comum, que eu e você consideramos fazer sentido. Sou médico e exerço a nutrição há muito tempo.

Ao longo de minha vida profissional atendi e cuidei de um grande número de pessoas que sofriam com o sobrepeso e que tinham perdido as esperanças de conseguir emagrecer. Algumas dessas pessoas já tinham feito várias dietas sucessivas (a cada vez que o sofrimento de emagrecer ultrapassava a necessidade de comer para se acalmar). Mas a maioria delas começou essas dietas para curar uma ferida, sem ter certeza de que conseguiriam (os mais lúcidos com dificuldades em imaginar que poderiam estabilizar o peso obtido a longo prazo).

Foi nesse contexto que comecei a construir meu método. Eu era jovem, então... tudo isso me deixou encantado: buscar uma solução para um problema que, espantosamente, deixava toda a comunidade científica distante do êxito. **Precisei de 30 anos** para construir meu método e me sentir suficientemente seguro de sua eficácia para tentar, através de um livro, dar-lhe uma audiência maior.

Com todos os seus desenvolvimentos, meu livro se tornou o livro médico mais lido no mundo.

Ver tanta gente se lançando na minha dieta e adotando meu método me trouxe uma alegria imensa e deu à minha vida um sentido a mais.

Por reconhecimento e profunda empatia a todos que, todos os dias, depositaram em mim suas esperanças, sinto-me engajado em uma missão: a de, sem cessar, melhorar cada vez mais o meu método.

Essa onda de entusiasmo, infelizmente, foi criticada por pessoas que tentaram intervir, tentando, a todo custo, reduzir minha audiência. **Isso me incomodou muito, mas o que importa é você:** você, que começou a seguir meu método para encontrar auxílio e resultados. Queria dizer a você que, mesmo sem ter o prazer de conhecê-lo, sinto uma espécie de amizade com a qual você pode contar. Amanhã, direi como podemos nos comunicar mais adiante nesta direção."

Pierre Dukan

Fase de cruzeiro • PP • Dia 12

Minha lista de compras

- Peito de peru
- Atum em lata sem óleo
- Limão
- Ovos
- Cottage e iogurte 0% de gordura
- Biscoitos de farelo de aveia Dukan
- Cavala ou peixe branco magro
- Shirataki
- Leite desnatado

Sua receita de hoje
Grissinis crocantes

 10 min   25 min   1

2 colheres (sopa) de farelo de aveia
1 colher (sopa) de farelo de trigo
4 colheres (sopa) de leite desnatado em pó
5 colheres (sopa) de proteína pura em pó
2 colheres (café) de queijo branco 0% de gordura
1 colher (café) de alecrim
1 pitada de sal e de pimenta-do-reino
Sal grosso a gosto

1. Preaqueça o forno a 180°C.
2. Cubra a placa do forno com papel vegetal
3. Misture o farelo de aveia, o farelo de trigo, o leite desnatado em pó, o sal, a pimenta-do-reino, as ervas de Provence e o queijo branco.
4. Adicione a proteína em pó aos poucos e misture com as duas mãos.
5. Forme bolinhas e enrole em forma de grissinis finos e pequenos.
6. Disponha no papel vegetal e salpique com sal grosso. Asse por cerca de 25 minutos. Deixe esfriar e saboreie.

Sua motivação

Ao longo desses três últimos dias revisamos as três grandes fontes de motivação nas quais você pode se apoiar para emagrecer. Depois da beleza, do bem-estar e da saúde, existe uma última fonte de motivação da qual não se fala frequentemente, mas que está sempre presente: é a **necessidade de estar na norma, de voltar a ser "normal", como os outros, e não mais ser marginalizado por conta do peso.** Essa força é uma pulsão que tem sua origem na necessidade de pertencer a um grupo. Apoie-se nela, pois o combate para emagrecer é profundamente antinatural. Precisar restringir a alimentação é contrário à vida. Apenas a imersão em uma sociedade de consumo tão violenta quanto a nossa pode nos obrigar a recorrer a tais procedimentos...

Cesta de compras de hoje

Você provavelmente não vai às compras todos os dias. Por isso deve ficar surpreso com o ritmo cotidiano desta sessão. Eu a mantenho para que todas essas compras permaneçam em sua mente... e para, todos os dias, chamar sua atenção para um alimento ou um grupo de alimentos.

Quando fazemos uma dieta, é de extrema importância nos organizar e antecipar as compras, para não sermos deixados sem alternativas diante de uma despensa ou uma geladeira cheia de comidas tentadoras. Você também não deve fazer suas compras a qualquer momento do dia. Você vai fazer compras melhores pela manhã, com o estômago cheio e saciado, do que com fome, na hora do almoço ou do jantar.

Hoje, não se esqueça de comprar farelo de aveia para fazer panquecas: você não apenas tem este direito, como isto o ajudará na dieta.

Fase de cruzeiro • PP • Dia 12

"Escapadas" da dieta

Sair da dieta é sair do caminho, navegar fora dos mares escolhidos. No seu caso, é comer um alimento ou um prato não autorizado. Construí minha dieta para que as coisas sejam claras e para que você não possa se enganar.

Você tem direito a 66 alimentos ricos em proteínas e 34 legumes, todos eles livremente, **sem se fazer perguntas sobre a natureza de um ou outro alimento, e podendo consumi-los à vontade, sem contagem de calorias.** Logo, se sair da dieta, isso acontecerá intencionalmente.

Então, por que você sairia da dieta? Porque você é um ser humano, e não um robô. Se sair da dieta, não se lamente. Na grande maioria dos casos, no dia seguinte, tudo volta ao normal. Mas ainda falaremos sobre isso...

Sua atividade física

A diferença entre uma planta e um animal é que a planta espera tudo de suas raízes e da clorofila de suas folhas para se alimentar e, portanto, para sobreviver. O animal deve buscar sua própria comida.

Você pertence ao reino animal e, por isso, a evolução lhe trouxe a mobilidade. Em nosso mundo, tudo, contrariamente à evolução, nos leva à imobilidade e ao sedentarismo: **uma armada de robôs se encarrega de se mexer por nós.**

Inúmeros são os que pensam que isso é um progresso! Ora, é justamente o contrário: manter-se ativo, fazer com que seus músculos e articulações funcionem, é um ato vital que o cérebro apreende e recompensa em retorno. Um esforço substancial libera a secreção de mediadores químicos cerebrais que nos equilibram e nos deixam mais realizados.

Outros comportamentos instintivos são capazes de fazer com que a recompensa desses mediadores químicos indispensáveis ao bem-estar circulem em nossos circuitos... mas caminhar 20 minutos TODOS OS DIAS é o mais simples.

Mais uma vez, se quiser lutar contra a desumanização tão presente em nossa sociedade, vá caminhar!

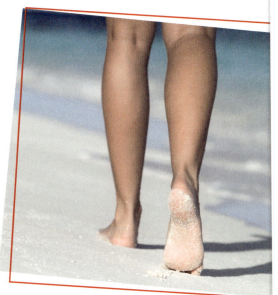

Meu diário pessoal

O que você tem a me dizer hoje? Ou melhor: o que você tem a dizer A SI MESMO hoje? O que, no seu projeto de emagrecimento é suficientemente notável para ser conservado na memória? Uma tentação que, infelizmente, rompeu a muralha de defesa? Uma receita que lhe deu prazer (ao cozinhar e ao comer)? Uma sensação corporal percebida? Um momento de resistência à tentação que o deixou orgulhoso?

....
....
....
....
....
....
....
....
....
....
....
....
....
....
....
....
....
....
....
....
....
....
....
....

Exercício do dia

- **Jovem e ativo:** Hoje ficamos em 35 abdominais e faremos 15 agachamentos.
- **Mais de 50 anos e sedentário:** Vamos tentar fazer 17 abdominais, mas continuamos com nove agachamentos.

Fase de cruzeiro – PL – Dia 13

Dia 13
da minha dieta Dukan

meu peso inicial: ....

meu peso atual: ....

total de kg perdidos: ....

meu peso ideal: ....

Panorama do seu décimo terceiro dia

Hoje adicionaremos os legumes. Frequentemente se diz que minha dieta é uma dieta de proteínas. Isso é parcialmente verdadeiro. Sim, as proteínas têm importante papel a desempenhar na eficácia metabólica do meu método, mas os legumes são tão importantes quanto: um não existe sem o outro. Pense nisso. Se você for daqueles que não gostam de legumes, tente se domesticar lentamente. Sou repetitivo para ser didático, entendido e assimilado.

Sem os legumes, você vai ter dificuldade em atingir seus objetivos, e, mais ainda, em conservá-los.

Sua motivação

Ontem eu disse a você que, para se motivar, você deve se apoiar na necessidade de pertencer a um grupo. Agora, gostaria de ir mais longe... Em cada ser humano existem três estágios de gestão da vida.

O primeiro estágio é o instinto puro, escondido nas camadas mais primitivas do nosso cérebro. Este primeiro nível decide, sem lhe consultar, o que é importante para o domínio da sobrevivência: a fome e a atração sexual são as necessidades mais conhecidas, mas existem outras e, entre elas, a necessidade de pertencer a um grupo.

O segundo estágio (ou segundo nível do cérebro) gerencia o apetite pelo prazer (e a repulsa ao desprazer): a recompensa e a punição, com efeito, condicionam grande parte de nossos comportamentos.

Enfim, o terceiro e último estágio, o da razão, que nos faz pensar "friamente" nas consequências de nossos atos. Quanto mais nos elevamos da profundeza do cérebro animal em direção à razão, mais nossas decisões são conscientes... mesmo que, na prática, elas nem sempre sejam seguidas! Frequentemente, a razão tem de lutar com as pulsões mais profundas que vem dos "dois primeiros cérebros".

Se você decidiu lutar contra o sobrepeso, será preciso ser astucioso com seus instintos: você terá de se apoiar em sua pulsão sexual (necessidade de melhorar sua aparência, seu poder de sedução...) ou sua pulsão de sobrevivência (necessidade de tomar conta da sua saúde, necessidade de pertencer a um grupo para sobreviver etc.).

É nessas bases que você vai conseguir ganhar seu combate contra o sobrepeso... Falaremos novamente sobre isso em breve.

Minha mensagem de apoio a você

"Hoje minha mensagem de apoio vai lhe trazer um aliado de peso. Há vinte dias navegamos juntos, tendo em mãos este diário de bordo. Construí esse instrumento para me aproximar de você. Ainda que eu não o conheça individualmente, quero que você saiba que busco, por esse meio, fazer com que você sinta que estou ao seu lado.

Imagino que agora você comece a saber navegar nesse mar de tentações, em meio a recifes que estão em todas as mesas, nas vitrines, em seções de supermercado, no restaurante, na casa dos amigos e até na sua casa quando você abre as portas da despensa ou da geladeira.

É verdade que emagrecer demanda permanente vigilância durante as primeiras semanas. Ao fim, esse trabalho acaba entrando em seus hábitos: é o hábito, esse aliado anunciado, que torna as coisas bem mais fáceis. **Então, não dilapide o capital do hábito, mas faça dele uma segunda natureza.**"

Pierre Dukan

Fase de cruzeiro – PL – Dia 13

Sua receita de hoje

Shiratakis com carne moída,
tomates-cereja e aspargos

Minha lista de compras

- Vitela ou peito de peru
- Requeijão e ricota light 0% de gordura
- Repolho, nabos, limões
- Tomates-cereja, aspargos
- Gergelim
- Escalope de frango
- Legumes picados
- Biscoitos de farelo de aveia Dukan sabor avelã
- Shirataki
- Carne moída magra
- Iogurtes 0% de gordura e sem açúcar

 10 min   20 min   4

2 pacotes de shiratakis
500g de carne moída
1 cebola picada
250g de tomates-cereja cortados ao meio
12 aspargos verdes
Sal e pimenta-do-reino a gosto

1. Ferva a água em uma panela. Escorra e lave os shiratakis com bastante água fria.

2. Despeje os shiratakis na água fervente e deixe cozinhar por 2 minutos.
Escorra os shiratakis e passe novamente na água fria para lavar. Reserve.

3. Em uma frigideira antiaderente, adicione três gotas de óleo e enxugue com um papel-toalha. Adicione a cebola picada e doure durante 5 a 6 minutos. Em seguida, adicione a carne moída. Tempere com sal e pimenta-do-reino. Cozinhe, mexendo sempre. Em seguida, adicione os tomates-cereja cortados em 2, assim como os aspargos. Cozinhe até os legumes ficarem macios. Quando tudo estiver cozido, adicione os shiratakis e misture, deixando cozinhar por mais 3 minutos.

Cesta de compras de hoje

Hoje eu gostaria de insistir um pouco a respeito dos legumes. Dizem que minha dieta é baseada em muitas proteínas, o que não deixa de ser verdade. Dos três nutrientes universais (glicídios, lipídios e proteínas), apenas as proteínas podem ser consumidas livremente.

Os glicídios (açúcares) podem levar ao diabetes e os lipídios (gorduras) podem entupir as artérias. As proteínas, no entanto, não causam qualquer patologia limitadora.

Em meu método, a pessoa que faz a dieta pode consumir proteínas à vontade, MAS, com o passar do tempo, reduz progressivamente sua quantidade, pois as proteínas saciam muito bem.

Isso posto, os legumes também são autorizados sem limitações. Eles podem ser consumidos abundantemente.

Para resumir, **a associação de proteínas e legumes à vontade compõe o fundamento do patrimônio alimentar do homem,** o homem em sua origem, o agricultor/caçador que foi até à cultura do primeiro moinho de trigo e a criação do primeiro pequeno búfalo.

Exercício do dia

- **Jovem e ativo:** Hoje passaremos a quarenta abdominais e faremos 16 agachamentos.
- **Mais de 50 anos e sedentário:** Vamos tentar fazer vinte abdominais, mas continuamos com nove agachamentos.

Seu ambiente de saúde

Como a grande maioria das pessoas que engordou, você, provavelmente abusou dos alimentos... mais por prazer e vontade que por puro apetite. Por trás do prazer oferecido por um pedaço de chocolate ou de queijo, sem que você saiba, está a serotonina de que seu corpo precisava. Foi o que seu corpo buscou para manter seu desejo animal de viver.

Mas não é só a comida que tem a vocação para fazer rodar esse moinho da vida! Quando você tiver chegado ao seu Peso Ideal, vai entrar na fase 3 (de consolidação) e, depois, na fase 4 (de estabilização definitiva, aplicada ao restante de sua vida). Vai lhe acontecer, durante essa caminhada, de atravessar períodos felizes e favoráveis... mas você também pode encontrar obstáculos, dificuldades ou adversidades.

Você corre, então, o risco de compensar sua angústia com a comida. É verdade: **a comida é um excelente amortecedor de choques cotidianos**, mas — repito — existem outras maneiras de compensar essas insatisfações. A primeira delas é o que **chamo de galáxia sexual.** Falaremos sobre isso amanhã.

"Escapadas" da dieta

Ontem eu disse que pode lhe acontecer de sucumbir a uma tentação de sair da dieta. Com frequência, pensamos ser os donos do jogo. Na realidade, a todo momento, nossas decisões são submetidas a forças contraditórias que se enfrentam, como dentro de um parlamento de instintos, em que se vota levantando a mão!

O que realmente acontece quando você sai da dieta? Por um lado, a determinação de seguir a dieta a qual você aderiu está lá, firme e forte: você quer se sentir mais à vontade com seu próprio corpo, mais sedutor e em boa saúde, como todo mundo.

Mas, apesar disso, há a vida com seus acidentes de percurso, o estresse, as frustrações que trazem insatisfação, desprazer e angústia. Essa linha de frente de descontentamento está apenas buscando contentamento... a qualquer preço e imediatamente!

Dentro de você, esses dois grupos de pressão se enfrentam: um deles vai acabar vencendo!

Se a força estiver do lado da motivação, é você quem vai ganhar. Se for o outro lado — aquele que tem necessidade de satisfação imediata para aliviar um sofrimento — o mais forte, as "escapadas" da dieta vão acontecer!

Amanhã lhe direi como fazer para resistir.

Sua atividade física

Hoje eu gostaria de lhe dizer algo fundamental: se você quer emagrecer, não vai consegui-lo sem ter não apenas entendido, mas verdadeiramente aceitado, profundamente, que terá que se mexer mais do que se mexia até agora.

Fique atento: isto não é uma opção, nem um simples conselho ou opinião, é uma constatação de uma obrigação. Enquanto ser humano do século XXI, você perdeu a vontade e a necessidade de movimentar seu corpo. Consigo entender, já que tudo é feito para que você evite o mínimo esforço e para que se habitue a achar que esse mesmo esforço é desagradável.

Assim sendo, você precisa acordar com urgência, pois esse abandono do corpo mata alguma coisa em você. Para isso você precisa entender tudo que fazer seu corpo funcionar significa. Até amanhã.

Meu diário pessoal

Escreva aqui os pequenos eventos que marcaram seu dia e que podem ter um papel no futuro de seu peso. Nunca diga a si mesmo que este diário não tem importância. Notar um fato ou uma emoção, positivo ou negativo, é algo muito importante. Tentar ir fundo para entender o que isso quer dizer é melhor ainda. Escrever é ancorar em si mesmo suas reflexões e se dar a oportunidade de voltar a elas para explorá-las.

Dia 14
da minha dieta Dukan

meu peso inicial: ....
meu peso atual: ....
total de kg perdidos: ....
meu peso ideal: ....

Panorama do seu 14º dia

Aqui estamos novamente, em mais um dia de proteínas puras. Aproveite as carnes magras do boi. Atenção: nada de porco ou cordeiro. Para a carne de boi, nada de costela ou entrecosto, pois são as duas partes mais gordurosas que existem para grelhar. Na verdade, essas partes são salpicadas, ou seja, recobertas de filamentos gordurosos. Se quiser, pode usar a carne moída (mesmo crua, para o steak tartar). Tente comprar carne moída com 5% de gordura quando puder.

Seu ambiente de saúde

Ontem eu lhe disse que cada um de nós tem diversas formas de sentir prazer. **O prazer é uma sensação positiva, que nos faz neutralizar as sensações negativas. Desse modo funcionam todos os sistemas nervosos do mundo.**

Se você engordou, é porque provavelmente abusou do prazer alimentar para neutralizar ou aliviar os estresses ou as dificuldades do cotidiano.

Ontem eu lhe disse a você que existem outras maneiras de fabricar o prazer. **Evoquei o prazer oriundo da galáxia sexual.** Empreguei a palavra "galáxia" pois não limito a sexualidade a um mero prazer físico.

Trata-se, na verdade, de tudo que nasce da existência e do encontro dos dois sexos: o casal e o estado amoroso que o sela, o amor passado às crianças e aos pais... Nessa rede familiar está o fundamento do ser humano e uma das mais densas fontes de felicidade.

Inúmeras são as pessoas que, por imprudência, impaciência ou falta de lucidez, negligenciam esse fundamento em benefício de outras atividades e comportamentos mais superficiais.

Repense sua relação afetiva, familiar, amorosa, não deixe que nada a destrua; cultive seu par e a relação com seus filhos, com toda sua família.

Se quiser controlar seu peso, apoie-se no amor.

Sua atividade física

Você sabia que se subir e descer quatro degraus de uma escada vai queimar UMA caloria? Imagine o número de calorias que poderia queimar se esquecesse que os elevadores existem! Sua vida é parasitada por todos os robôs que fazem com que você economize seus esforços. Certamente, o conforto é o progresso.

Em seu carro você tem direção hidráulica, vidros elétricos, para-brisas. Toda nossa existência é facilitada pelo progresso... Mas seria isso um verdadeiro progresso? Sim, quando estamos cansados, com pressa, sem forma, sem dinamismo e pesados. Mas quando somos ativos, tônicos, espertos e sem pressa, é um retrocesso: é a entrada em um círculo vicioso em que você toma gosto pela falta de ação, pelo sedentarismo, pela preguiça e pelo ganho de peso.

Quando o mal está feito, as articulações se enferrujam, os músculos se atrofiam e a gordura se instala. É preciso repensar o sistema e passar à fase de reconquista. Até amanhã...

Minha mensagem de apoio a você

"Hoje, para lhe dar meu apoio em seu projeto de emagrecimento, **vou, simplesmente, me colocar em SEU lugar e falar por você:** 'Acordei sem pensar que estava de dieta, me levantei e me dirigi à cozinha. No caminho, tudo me veio à cabeça. Meu café da manhã é meu cantinho tranquilo, em que fico calmo: aproveito para preparar uma panqueca de farelo de aveia e, se ainda estiver com fome, tenho meu iogurte sabor coco. Em uma vasilha, pego minhas duas fatias de presunto magro ou presunto de peru e, talvez, minha carne de Grisons.

Ou, então, tenho também uma coxa de galinha que sobrou de ontem à noite: são tantas as opções... Mas acho que vou ficar com um pacote de kani.

Ah, já ia me esquecendo: meu salmão defumado! Chego a ficar perdido. Vou deixar tudo aqui e almoçar na cantina, serão dois belos bifes com ovos por cima e dois ou três iogurtes. Para hoje à noite verei o que fazer quando voltar para casa. Nos dias de proteínas puras, a fome muda de campo.'

Estes seriam meus pensamentos, se eu fosse você..."

Pierre Dukan

Fase de cruzeiro • PP • Dia 14

Sua receita de hoje

Pão de três carnes (PP)

 15 min   1h 30   4

500g de carne moída magra, de preferência
500g de presunto magro
250g de peito de frango
2 ovos inteiros + 4 gemas
½ molho de salsinha
3 dentes de alho
1 cebola grande
4 colheres (sopa) de queijo branco 0% de gordura
4 colheres (sopa) de farelo de aveia
4 colheres (sopa) de farelo de trigo
2 cubos de caldo de carne sem gordura
Sal, pimenta-do-reino a gosto

1. Em um liquidificador, moa as três carnes e adicione os ovos e as gemas. Tempere com sal e pimenta-do-reino. Lave a salsinha e adicione ao preparo. Descasque o alho e a cebola e adicione à mistura, assim como o queijo branco e os farelos de aveia e de trigo. Esmague dois cubos de caldo de carne e os adicione também. Misture tudo novamente no liquidificador.

2. Passe um pouco de óleo em uma forma para pão (longa) e retire o excesso com papel-toalha.

3. Adicione o preparo, ajustando na forma o pão de carne.

4. Leve ao forno aquecido a 150°C durante 1h30, verificando o cozimento.

5. Retire do forno e sirva quente.

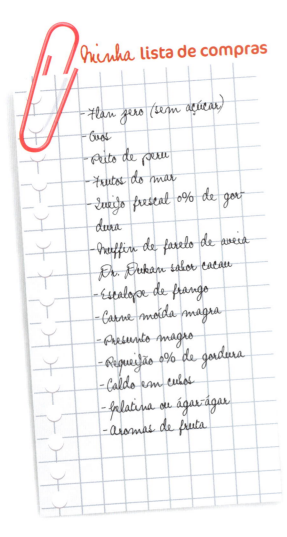

Minha lista de compras

- Flan zero (sem açúcar)
- Ovos
- Peito de peru
- Frutos do mar
- Queijo frescal 0% de gordura
- Muffin de farelo de aveia Dr. Dukan sabor cacau
- Escalope de frango
- Carne moída magra
- Presunto magro
- Requeijão 0% de gordura
- Caldo em cubos
- Gelatina ou ágar-ágar
- Aromas de fruta

Cesta de compras de hoje

Você gosta de peixe? Digamos que sim. Branco ou de águas frias, magro ou gorduroso? Vou escolher para você: você gosta de salmão. Você sabia que, na minha dieta, pode comer salmão defumado? Estatisticamente, as chances de você gostar são muitas. Que maravilha, a carne meio rosada, meio alaranjada e essa consistência que derrete na boca!

Quando eu era criança, o salmão era um alimento festivo, reservado aos grandes momentos e às festas de fim de ano. Hoje, o aumento da produção de salmão fez dele um produto corrente. Aproveite. Você frequentemente vai ouvir falar sobre a grande quantidade de metais pesados que o salmão pode conter... Isto é verdade para os velhos salmões selvagens, grandes viajantes que se aproveitam de plânctons poluídos pelos dejetos do mar.

Mas, hoje, a grande maioria dos salmões é de criação e não existem metais pesados nas águas dos fiordes noruegueses. Então, delicie-se e emagreça comendo com prazer.

Nessa bela carne reluzente há ácidos graxos ômega 3, que têm ação de proteção no seu coração e no seu sistema nervoso. Coma salmão e consuma magnésio (tofu ou soja), você ficará mais calmo e dormirá melhor.

E, dormindo melhor, ficará menos sensível à vontade de beliscar. Até amanhã!

Sua motivação

A motivação é uma palavra ambígua. Para os neurocientistas que desvendam os funcionamentos do cérebro, a motivação é responsável pelo desejo e fornece a energia da passagem ao ato. **Nosso cérebro, agora você sabe, secreta mediadores químicos indispensáveis (serotonina e dopamina).** Sem eles, não há energia vital, logo, não há motivação!

Uma pessoa cujo cérebro não secreta mais serotonina ou dopamina suficiente acaba enfraquecendo: esfria e, depois, entra em depressão. O desejo de viver, que é estimulado pela serotonina, sucumbiu à vontade de não viver mais...

Todos os seres vivos superiores são grandes buscadores de serotonina. Você engordou porque tinha dificuldade em encontrá-la facilmente em sua vida e acabou compensando com a comida.

Vou lhe ensinar como buscar a serotonina em outras coisas, ou não conseguirá estabilizar seu peso. Continue me acompanhando.

"Escapadas" da dieta

Fique tranquilo: apenas os robôs não cometem erros. E, às vezes, até eles falham! Para os robôs, um erro é um "bug"... Hoje vou lhe contar um segredo. Se você quiser emagrecer de maneira inteligente, considere o regime como um esporte de combate, no qual você tem prazer em ganhar.

Saiba que dentro de você há dois "eus": um bom e um ruim. Você vai se aliar ao eu bom para lutar contra o eu ruim. O papel do eu ruim é tentá-lo, seduzi-lo para levá-lo a sair da dieta.

Você deve permanecer vigilante para reconhecer a camuflagem e as astúcias desse inimigo. Divirta-se ao reconhecê-lo e, depois, contorná-lo.

Eis um exemplo: entro na sala de jantar, minha filha sai. Ela deixou um pacote de biscoitos de chocolate totalmente aberto. É uma armadilha! Em vez de tentar resistir "à moda antiga" (ou seja, frouxamente), vou até o pacote para fechá-lo e colocá-lo no armário, no fundo, de forma que não fique visível (para puni-lo por ter tentado me fazer cair em tentação)! Reajo como um lutador de boxe que vê chegar um golpe e o evita... ou como um jogador de tênis, que vê a bola chegar em um canto da quadra e antecipa seu movimento, deslocando-se até ela.

Antecipação e reação instantânea são essenciais para ganhar a partida. Tente, você vai ficar surpreso com a eficácia dessa técnica "esportiva".

Exercício do dia

- **Jovem e ativo:** Hoje ficaremos em quarenta abdominais e faremos 16 agachamentos.
- **Mais de 50 anos e sedentário:** Continuaremos firmes nos vinte abdominais e, principalmente, nos nove agachamentos.

Meu diário pessoal

Você sabia que escrever em um diário ao longo de um período de emagrecimento aumenta em 20% os resultados da dieta? Isto é o que dois estudos recentes puderam comprovar.

Para agir não basta apenas ter boas razões: é preciso energia (ou a tomada de uma decisão). Marcar uma consulta com um nutricionista, comprar um livro com um método de emagrecimento, um suplemento alimentar... tudo isso cria as condições adequadas para o lançamento do foguete.

Escrever em um diário, se pesar, fazer compras específicas, caminhar: todas essas ações são pequenos motores ligados ao seu projeto.

Então, mantenha seu diário! Você vai ficar surpreso com suas vantagens e importância.

Fase de cruzeiro • Semana 4

Semana 4
da minha dieta Dukan

Minha "estratégia de felicidade"

Da necessidade de viver em seu próprio corpo e com ele

Seu corpo é metade de você... ou, talvez, até um pouco mais (pois, no fim das contas, o cérebro, sede da alma, também é o corpo!). Negligenciar nosso corpo é um dos maiores males que podemos nos fazer. Agora já se sabe que utilizar o corpo de maneira regular é uma das melhores maneiras de "produzir sob medida" a famosa serotonina, mediador químico do prazer de viver, da alegria e da felicidade.

Caminhar de vinte a trinta minutos por dia é tão útil quanto antidepressivos no tratamento da depressão profunda!

Cole sua foto aqui

Minha foto da semana

E, a cereja do bolo, a caminhada também é responsável pela "neurogênese" (nascimento de novos neurônios em seu cérebro). Ao caminhar (e ao praticar uma atividade física), você vai se sentir mais feliz, mais eficiente e mais propenso a querer emagrecer.

Eu mesmo me avalio:

☐ Amo meu corpo e cuido dele

☐ Vou tentar

☐ Não é "meu lance"

O segredo da semana: você conhece a zumba?

Eu ficaria surpreso se você não conhecesse essa dança. A zumba é uma sábia mistura de música, movimento, expressão do corpo, atividade física intensa, ritmo e beleza em seu conjunto.

Procure na internet uma música desse gênero e deixe que o ritmo chegue aos seus ouvidos, depois ao seu cérebro e, em seguida, que se estenda ao resto de seu corpo. Três minutos intensos não são o suficiente para cansá-lo ou fazê-lo transpirar, mas podem lhe fazer muito bem. E, se você gostar, recomece quantas vezes quiser. Quando tiver enjoado da música, procure outra.

Um segredo no segredo: uma atividade regular e cotidiana obriga seu cérebro a secretar serotonina, cujo papel é lhe dar o sabor vívido do prazer e da realização. Você sabe no que a serotonina se transforma em seu cérebro? Ela volta ao córtex, encarregada da secreção da dopamina. Guarde este nome: é o do mediador químico que dá a motivação e a vontade de viver!

Minhas medidas esta semana

- Circunferência peitoral: ....
- Circunferência da cintura: ....
- Circunferência dos quadris: ....
- Circunferência das duas coxas: ....

Sugestões de cardápios para a semana

		Café da manhã	Almoço	Lanche	Jantar
SEGUNDA-FEIRA	PL	Bebida quente / 30g de pepitas de farelo de aveia sabor frutas vermelhas / Leite desnatado / Um iogurte 0% de gordura	**Salada de endívias com nozes e queijo à moda Dukan** / Pizza napolitana Dukan / Queijo branco 0% de gordura sabor baunilha	Ricota light	Copinhos de beterraba com requeijão 0% de gordura e manjericão / Torta de tofu com espinafre / Iogurte 0% de gordura sem açúcar com essência de limão
TERÇA-FEIRA	PP	Bebida quente / Uma panqueca de farelo de aveia / Requeijão 0% de gordura	Terrina caseira de fígado de galinha / Espetinhos de carnes grelhadas mistas / Iogurte 0% de gordura	Cottage 0% de gordura / 2 biscoitos de farelo de aveia Dukan sabor coco	Quiche sem massa / **Salmão Gravlax à moda escandinava** / Flan zero
QUARTA-FEIRA	PL	Bebida quente / Muffin de farelo de aveia / Uma omelete de claras com ervas finas / Ricota light	Cenoura ralada com limão / Frango assado / Tomates provençais / Iogurte 0% de gordura e sem açúcar com essência de baunilha	Queijo frescal 0% de gordura	Bastões de pepino com limão / **Tempeh marinado com brócolis no vapor e cenoura ralada** / Iogurte 0% de gordura
QUINTA-FEIRA	PP	Bebida quente / Uma panqueca de farelo de aveia com cacau / Um iogurte 0% de gordura com essência de coco	Requeijão 0% de gordura com páprica à moda húngara / **Quiche sem massa** / Cottage 0% de gordura	Cottage 0% de gordura	Uma fatia de presunto magro / Papelotes de frango com mostarda e queijo fresco / Bavaroise de queijo branco com baunilha
SEXTA-FEIRA	PL	Bebida quente / Uma panqueca de farelo de aveia / Requeijão 0% de gordura	Salada de repolho roxo / Salmão grelhado / Vagens francesas / Um iogurte 0% de gordura, sem açúcar com essência de morango	Cottage 0% de gordura e canela / Um biscoito de farelo de aveia sabor coco	Salada de tomate e pimentão vermelho / Mussaca Dukan / **Manjar branco com geleia de goji berry**
SÁBADO	PP	Bebida quente / Uma panqueca de farelo de aveia / Cottage 0% de gordura	*Cannelés* com queijo fresco / Shiratakis à carbonara / Cottage 0% de gordura / Merengues moca	Uma barra de farelo de aveia Dukan / Um iogurte 0% de gordura sem açúcar com essência de limão	Chips de bresaola / Frango com gengibre / Fatias de rosbife / Sorvete de iogurte Dukan sabor baunilha
DOMINGO	PL	Bebida quente / Uma panqueca de farelo de aveia / Um ovo quente / Um iogurte 0% de gordura	Copinhos de camarão com aneto / **Mil-folhas de berinjela** / Cheesecake Dukan	Um iogurte 0% de gordura e pedaços de frutas sem açúcar	Salada de tomate e atum (em lata e sem óleo) / Papelotes de bacalhau fresco com endívias / Sorvete caseiro de limão

113

Fase de cruzeiro • PL • Dia 15

Dia 15
da minha dieta Dukan

| meu peso inicial: | meu peso atual: | total de kg perdidos: | meu peso ideal: |

Panorama do seu 15º dia

Mais uma vez, hoje, os legumes estão de volta. Você deve estar feliz com esse dia de maior frescor e variedade. Aproveite. Tente sentir tudo que existe de essencial nos legumes. Pense neles como um buquê de flores e **tente criar uma ligação afetiva com cada um:** alface, berinjela grelhada, tomate-cereja pego às escondidas ou espinafres com creme de leite de baixa caloria, cada legume pode ser uma delícia.

Descobri há pouco tempo os brócolis, que eu não gostava quando servidos cozidos na água. Minha filha preparou brócolis para mim, refogados em uma wok ou em uma frigideira, com fatias de gengibre e um pouco de molho shoyu, bem pouco cozidos, para preservar sua consistência crocante: é uma maravilha pura, você precisa experimentar! Eu poderia lhe falar sobre os legumes durante muitas e muitas páginas... mas vou fazê-lo na sessão da culinária e da cesta de compras da semana.

Sua motivação

Ontem eu falei sobre o funcionamento do cérebro e das raízes da motivação. Acredito que não exista nada mais interessante do que o cérebro humano! Entender melhor esse continente misterioso que todos carregamos no topo de nosso corpo poderá nos ajudar muito a viver melhor no futuro.

Tudo acontece e é decidido nas partes profundas, arcaicas, animais e inconscientes de nosso cérebro: humor, qualidade de vida, autoimagem, autoestima etc. Tudo isso é controlado pelo cérebro. É, portanto, crucial saber mais sobre o funcionamento mágico dessa ferramenta.

Desde que a psicologia científica existe, um capítulo foi reservado à "vontade" (como se esta fosse uma ferramenta que você possui e que dependesse, simplesmente, do seu livre desejo de usá-la).

Com frequência acusam aqueles que não conseguem emagrecer de não terem força de vontade (ou, pior ainda, de não quererem ter força de vontade). Isso é ridículo! Tenho muitas coisas a revelar a você sobre esse "conceito fantasma" (o da vontade) que foi indevidamente confundido com o conceito de motivação.

Até amanhã, quando desenvolverei mais o assunto... Você vai ficar surpreso.

Sua atividade física

Ontem eu lhe disse que se você estivesse instalado no sedentarismo, no cansaço e na preguiça, seria preciso partir para uma reconquista de seu corpo.

Esse corpo, com esses braços, essas pernas, essas panturrilhas e esse abdome é seu. É seu habitat mais íntimo e sua caixa de ferramentas para existir. Você, certamente, o ama, mesmo que afirme que ele não está de acordo com seu gosto. E, mesmo que você faça parte do grupo de pessoas — mais frequentemente as mulheres — que não gosta do próprio corpo, precisa sentir sua tonicidade e sua firmeza.

Então, deixe-o viver, dê-lhe a oportunidade de se exercitar, de se expressar, de caminhar, correr, dançar: **seu corpo vai encontrar maneiras de recompensá-lo, não apenas queimando calorias e diminuindo o peso da dieta, mas, mais ainda, facilitando aquela famosa secreção de serotonina**, da qual não me canso de lhe falar e cuja função importantíssima de bem-estar você já conhece.

Minha mensagem de apoio a você

" Minha missão nesta sessão é dar-lhe apoio no esforço que você faz para conseguir perder peso. Por que você precisa de apoio? Ao longo das últimas décadas as escolas de nutrição clássicas, as que impunham **uma dieta hipocalórica** (e que continuam a insistir nisso!), afirmavam que, para emagrecer, era preciso reduzir as quantidades (em função de seu valor calórico). Isso levava à pior das frustrações: a de saber que a quantidade não saciaria a fome. Imagine a tortura sofrida por aqueles autorizados a comer apenas um único quadradinho de chocolate ou menos de 75g de massa!

Essa concepção terminou por se infiltrar no inconsciente coletivo: é a ideia da restrição quantitativa. Desse modo, o emagrecimento foi associado ao sofrimento. Por trás desse raciocínio existe a ideia de que emagrecer é algo que deve ser vivido como uma punição. Minha filosofia é diametralmente oposta a essa, por razões óbvias de biologia e fisiologia.

O fundamento de toda vida humana (ou animal) é fazer tudo para encontrar a recompensa e o prazer, para evitar a punição e o sofrimento. Pessoalmente, não é meu conceito: é assim que funciona nosso cérebro. Possuímos um detector de prazer e de desprazer, que é nosso melhor guia. Para ajudá-lo, tenho que fazer com que você entenda que, para ter êxito, minha dieta deve ser sentida não como uma punição, mas como uma recompensa. Percebo que, mais uma vez, não tenho espaço suficiente para desenvolver meu raciocínio... Então, até amanhã. "

Pierre Dukan

Fase de cruzeiro • PL • Dia 15

"Escapadas" da dieta

Hoje você pode comer legumes. Em teoria, tendo mais alimentos para consumir, você deveria ter menos motivos para sair da dieta. Surpreendentemente, não é o que acontece! **Minhas estatísticas indicam que as escapadas da dieta são mais frequentes nos dias PL do que nos dias PP.** No início, fiquei tão surpreso quanto você pode estar agora, lendo o que escrevo... mas entendi o porquê questionando meus pacientes.

Na verdade, em uma dieta prescrita, **quanto mais a palavra de ordem é simples e clara, mais é percebida como diretiva e, logo, melhor é seguida.** Quanto menos alimentos são permitidos e quanto mais esses alimentos são identificados sem risco de erro, melhor a dieta é seguida. Ora, a introdução dos legumes, por mais estruturada e precisa que seja, traz novos elementos de risco e de transgressão.

Quando terminar a segunda fase, esta que você está seguindo agora, você vai chegar ao seu Peso Ideal e vai entrar, assim, na fase de consolidação. Nela, você vai continuar consumindo legumes e proteínas à vontade, mas, a esses alimentos, vai adicionar mais alguns elementos: uma e, depois, duas frutas, duas fatias de pão integral, uma porção de 40g de queijo, tudo isso uma vez por dia; duas porções de alimentos feculentos e duas refeições de gala por semana. Em seguida, vai passar à fase de estabilização, em que poderá se alimentar normalmente, sob a proteção de três medidas das quais falarei mais adiante...

Quanto mais avançarmos juntos neste diário de bordo, mais você vai ganhar liberdade e autonomia... menos terá de ficar enquadrado, menos terá de ser dirigido, e correrá um risco maior de perder o controle. Não se preocupe, disso eu já sei, e já **preparei** o que vem depois.

Sua receita de hoje

Salada de endívias com nozes e

queijo à moda Dukan

⏱ 10 min   👤 2

200g de requeijão 0% de gordura
½ colher (sopa) de mostarda
2 colheres (sopa) de vinagre balsâmico
½ colher (café) de aroma de nozes
10 gotas de aroma de queijo
Algumas folhas de salsa
4 endívias
Sal e pimenta-do-reino a gosto

1. Prepare o molho de queijo despejando o requeijão e a mostarda em um recipiente e adicionando, em seguida, uma pitada de sal, de pimenta-do-reino, o vinagre balsâmico e os aromas. Misture bem.
2. Corte a salsa e adicione à mistura.
3. Lave as quatro endívias.
4. Retire as folhas que encobrem as endívias. Divida cada uma em duas. Guarde a parte do alto inteira e pique a parte de baixo em pedaços bem pequenos.
5. Disponha as endívias picadas no meio do prato com as folhas ao redor e faça um buquê no centro.
6. Cubra com o molho de queijo.

Cesta de compras do dia

Hoje proponho a você que compre endívias. Talvez você faça parte do grupo daqueles que não gostam desse legume. É uma pena... é a salada mais fácil de transportar e de se consumir.

Pessoalmente, gosto de pegar uma bela endívia, que corto como se serram as árvores, fatia por fatia, desfolhando cada pedaço. Quando se chega à parte do meio da endívia, há aqueles tronquinhos crocantes, que corto em dois ou em quatro.

Em seguida, rego as endívias com um **vinagrete balsâmico que eu mesmo preparo:** uma colher (sopa) de mostarda de Meaux, cinco colheres (sopa) de vinagre balsâmico, uma colher (sopa) de água e uma colher (café) de azeite.

Se você gosta de condimentos, adicione um dente de alho e sete ou oito folhas de manjericão. Sei que já lhe falei sobre isso, mas relembrar é sempre útil.

Amanhã falarei sobre outras maneiras de preparar endívias. Se você ainda não gosta delas, tenho certeza de que vai ter vontade de experimentar!

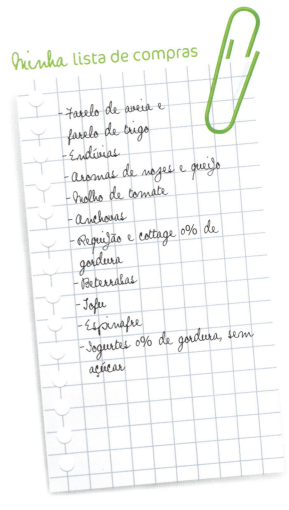

Minha lista de compras
- Farelo de aveia e farelo de trigo
- Endívias
- Aromas de nozes e queijo
- Molho de tomate
- Anchovas
- Requeijão e cottage 0% de gordura
- Beterrabas
- Tofu
- Espinafre
- Iogurtes 0% de gordura, sem açúcar

Fase de cruzeiro • PL • Dia 15

Exercício do dia

- **Jovem e ativo:** Hoje ficaremos em quarenta abdominais e faremos 16 agachamentos.
- **Mais de 50 anos e sedentário:** Continuaremos firmes nos vinte abdominais e, principalmente, nos nove agachamentos.

Seu ambiente de saúde

Apoiar-se no amor para emagrecer? Isso pode parecer estranho... o amor e a comida parecem pertencer a dois mundos diferentes. Pois não é verdade! Ambos vêm de uma mesma seiva, que faz parte de raízes comuns.

Comer e amar são dois "colhedores de recompensa de vida". O primeiro é vital para o indivíduo, pois faz com que este sobreviva ao fornecer energia e combustível para suas milhares de células (não podemos viver por muito tempo sem comer!). **O outro é vital para a espécie:** ele laça dois indivíduos em um feixe de atrações magnéticas, que os leva a uma história sublime em direção à reprodução. Comer e amar são coisas tão importantes para a sobrevivência... que o prazer que os recompensa é de extrema densidade!

Neste momento, a grande maioria dos que engordaram comendo para compensar uma insatisfação deve voltar-se para outro provedor de prazer. O do amor, do sexo, da família e da ligação familiar me parece ser o ideal, pois é também o mais fundamental.

Costuma-se dizer que uma mulher apaixonada pode viver de amor e água fresca. Isso quer dizer que ela é tão alimentada de amor que a comida perde seu poder atrativo! Se você tiver a sorte de amar o homem, ou a mulher, de sua vida, vá fundo nessa relação e dedique mais tempo a ela.

A ternura e a sexualidade não são incompatíveis. E, caso você tenha filhos, alimente-os disso, "morda-os" (no sentido figurado, é claro), isso vai tornar sua dieta mais fácil e mais eficaz.

Meu diário pessoal

Espero que você venha aqui todos os dias escrever alguma coisa em seu diário: uma lembrança, uma observação, uma satisfação, uma descoberta em seu modo de funcionamento... **Quando você escreve aqui, está protegido:** assim, fica mais envolvido, inserido, ativo, você está pronto e mais preparado para tomar o recuo com relação à comida e à tentação que ela representa.

Não se esqueça de que cada decisão é tomada de acordo com os **dois pratos de uma balança: um que diz sim e o outro que diz não.** Coloque uma barra de chocolate aberta sobre a mesa... e ouça o barulho que a máquina faz, tentando controlar a tentação, afrontando-a face a face.

Dê-se, então, a formidável sensação de dizer NÃO e de ver o prato pender para o seu lado, do seu lado, do lado do controle. É maravilhoso, não é mesmo?

Fase de cruzeiro • PP • Dia 16

Dia 16
da minha dieta Dukan

| meu peso inicial: | meu peso atual: | total de kg perdidos: | meu peso ideal: |

Panorama do seu 16º dia

Hoje, novamente, voltamos às proteínas, aos 66 alimentos que compõem o dia PP: você tem opções, muitas opções. Caso você seja daqueles que não gostam de mudar e têm apego aos hábitos, faça excursões, varie! Dos peixes às carnes, passando pelas aves, laticínios, presuntos, frutos do mar, proteínas vegetais... você tem de tudo para fazer refeições deliciosas!

Sua atividade física

Desde que estou ao seu lado neste diário de bordo, nesta sessão diária destinada à atividade física, digo a mim mesmo que, se você engordou, é porque deve ter vivido momentos de estresse e desprazer. Talvez você também tenha uma hipersensibilidade que o torna mais vulnerável às dificuldades, estresses e contrariedades. Posso lhe assegurar: raros são os que se mantêm sem pecados e alegres ao longo de toda sua existência. Desse modo, para cada indivíduo existe um limite de vulnerabilidade diferente; talvez o seu seja muito baixo... E, assim, a comida costuma vir para aliviar essa insatisfação.

Ora, mexer-se e caminhar regularmente, mesmo que sejam 20 minutos por dia, é excelente maneira de combater as baixas de motivação. **Você deve tentar reforçar sua base de resistência vital.** Hoje, caminhe, corra, nade ou ande de bicicleta, ou, ainda... faça qualquer outra atividade física!

Exercício do dia

- **Jovem e ativo:** Hoje ficaremos em quarenta abdominais e faremos 16 agachamentos.
- **Mais de 50 anos e sedentário:** Continuaremos firmes nos vinte abdominais e, principalmente, nos nove agachamentos.

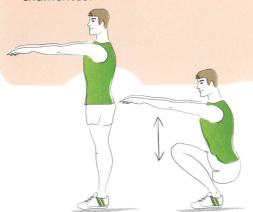

"Escapadas" da dieta

Ontem eu o ajudei a reforçar sua motivação para emagrecer. Meu parágrafo chegava ao fim... imaginando que você não teria conseguido manter essa resistência necessária diante de uma comida que engorda (ou seja, que saiu da dieta). E agora? **Alguém morreu? De forma alguma. No máximo, algum tempo foi perdido, nada além disso.** Sentir-se culpado não leva a nada, uma vez que a escapada da dieta aconteceu. Melhor é seguir em frente... e tentar corrigir o erro! Por exemplo: beba mais líquidos, dobre ou triplique sua dose de caminhada e apoie-se na escapada para reforçar seu esforço, em vez de se enfraquecer. Lembre-se bem disto: tanto para emagrecer quanto para engordar, "tudo acontece dentro e através da cabeça".

Saiba, também, que as pessoas costumam engordar para evitar **SENTIR DOR**. Em contrapartida, não se pode emagrecer bem e de maneira durável quando não nos **FAZEMOS BEM**. Fuja de todos os métodos que propõem uma punição para emagrecer, pois tal método será difícil de ser seguido e vai produzir resultados instáveis.

Minha mensagem de apoio a você

" Ontem eu lhe expliquei que, se você tiver a intenção de emagrecer definitivamente, só vai consegui-lo se o fizer encontrando prazer. **Se você tiver muito peso a perder, sua dieta deve ser concebida como um projeto de vida.** A dieta não pode ser vivida como um período de sacrifício, um momento ruim pelo qual se deve passar por uma boa causa, em que se diz que, uma vez que a missão for cumprida, tudo vai entrar novamente na ordem.

De fato, sim, é possível emagrecer na penalidade e no sofrimento... mas é como caminhar na ponta dos pés: mais cedo ou mais tarde o calcanhar vai ter de voltar a encostar no chão!

Proponho que você emagreça CONSEGUINDO emagrecer. Todo o meu método é baseado nessa proposta de êxito. Você tem um objetivo nobre: voltar a sentir a normalidade corpórea, que foi modificada quando você engordou. Não se trata de um capricho ou de um modismo, mas de um simples retorno a si mesmo.

Emagrecer não é apenas reencontrar sua autoimagem, sua beleza, seu poder de sedução... Se fosse apenas isso, já seria o suficiente, mas é também sentir-se à vontade, voltar a ter bem-estar, saúde, normalidade! E isso não é pouco. Mas ainda existe algo melhor por vir... Até amanhã! "

Pierre Dukan

Fase de cruzeiro • PP • Dia 16

Sua receita de hoje

Salmão Gravlax
à moda escandinava

*Tempo de marinada

1 filé inteiro de salmão, com a pele
4 colheres (sopa) de sucralose
4 colheres (sopa) de sal marinho
1 molho de endro fresco
2 colheres (sopa) de pimenta-rosa
1 colher (café) de endro em grãos
½ colher (sopa) de grãos de erva-doce
½ colher (café) de cominho em pó
1 colher (café) de aroma de conhaque

1. Lave e enxugue o filé de salmão. Tire todas as espinhas transversais, arrancando-as com uma pequena pinça.
2. Misture o sal, a sucralose, a pimenta-rosa e a baga, os grãos de erva-doce e o cominho.
3. Lave e pique o endro fresco.
4. Em um prato grande, despeje a metade da mistura e do endro fresco, colocando-a no centro, onde será posto o filé de salmão. Coloque o salmão com a parte da pele para baixo.
5. Em seguida, adicione o restante da mistura do lado da carne e espalhe bem com as mãos, esfregando-a sobre o peixe.
6. Com uma pequena colher, misture um pouco do aroma de conhaque com um pouco de água.
7. Borrife o peixe e recubra todo o preparo com filme plástico, embalando bem, com duas camadas.
8. Reserve o peixe na geladeira em um prato.
9. Após 8 a 12 horas, retire o excesso de água que o sal terá extraído do peixe e vire-o do outro lado. Embale o peixe novamente com filme plástico.
10. Reserve por no mínimo 48 horas, virando o peixe de lado a cada 12 horas. De vez em quando, retire o excesso de água. Ao fim de 48 horas, seu salmão terá se tornado um salmão Gravlax.
11. Retire o filme plástico, os ramos de endro e passe o salmão na água fria para retirar o sal. Você vai perceber que o salmão estará com uma cor mais escura e a carne estará mais firme. Corte-o em fatias finas, na diagonal, e conserve-o durante 1 ou 2 semanas no refrigerador, coberto com filme plástico.
12. É preferível que o salmão transformado em Gravlax seja congelado depois de preparado, para matar os eventuais parasitas do peixe cru. É também muito mais fácil cortá-lo em fatias bem finas quando foi congelado e se encontra quase em ponto de descongelamento.
13. Sirva com molho de mostarda e endro, que você poderá fazer como se prepara uma maionese, com 1 colher (sopa) de sucralose, 2 colheres (sopa) de mostarda de Dijon, um pouco de vinagre branco, duas colheres (sopa) de requeijão 0% de gordura e um pouco de endro picado.

Cesta de compras do dia

Ontem, falei sobre como consumir **endívias**. Vale mencionar esse legume novamente, pois ajuda muito no seu emagrecimento. Imaginemos que você tenha o hábito de comer legumes com arroz ou massa. Você pode substituir esses glicídios de rápida absorção (e que, em geral, contêm óleo) por uma salada de endívias com meu molho balsâmico. Assim, você fará uma economia de pelo menos 150 calorias.

Apenas com esta simples modificação em sua dieta, em um ano, todos os dias, se você não compensar comendo outras coisas, vai ter consumido 365 x 150 calorias, ou seja: 55 mil calorias ou 6kg. Este cálculo é apenas teórico, é claro... **mas UM único quilo perdido graças às endívias já é muita coisa.**

Como eu disse, é possível consumir endívias de muitas maneiras diferentes. Adoro endívias com presunto e molho branco ao forno (volto a falar de mim, o que é normal, pois estou encarregado de assegurar sua perda de peso...). Você pode preparar suas endívias no vapor, depois enrolá-las em fatias de presunto magro, de peru ou frango. Entre a fatia e a endívia, coloque um pouco de molho branco Dukan, que você pode encontrar facilmente no livro *Receitas Dukan* ou para assinantes do meu site www.dietadukan.com.br. Prepare muitas... pois, uma vez cozidas, as endívias se conservam facilmente, de quatro a cinco dias.

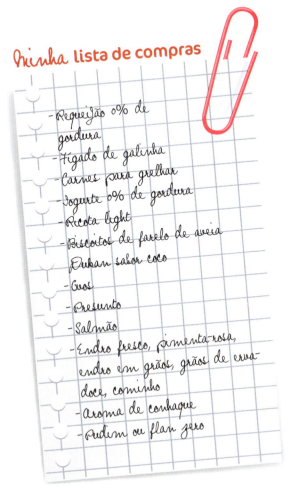

Minha lista de compras
- Requeijão 0% de gordura
- Fígado de galinha
- Carnes para grelhar
- Iogurte 0% de gordura
- Ricota light
- Biscoitos de farelo de aveia Dukan sabor coco
- Ovos
- Presunto
- Salmão
- Endro fresco, pimenta-rosa, endro em grãos, grãos de erva-doce, cominho
- Aroma de conhaque
- Pudim ou flan zero

Sua motivação

Ontem descrevi em detalhes a mecânica das forças internas que lutam para decidir por nós. Esse confronto ocorre quando a demanda de prazer se torna mais forte que o desejo de emagrecer. Você, provavelmente, sabe como é o momento em que, por uma razão que foge ao seu controle, sente que sua resistência está se tornando mais fraca diante da tentação...

É um momento incerto, em que muito pouco é o bastante para fazer o ponteiro da balança apontar para o lado mais pesado em termos de tentação, no abandono da força de vontade. Quando isso acontece, você sente a tentação trabalhando dentro de si e ouve o canto das sereias. É preciso que você saiba **como se desenvolve esse combate entre forças adversas.**

Fique atento, pois o que acontece é ao mesmo tempo útil e apaixonante. **No momento em que a barragem ameaça ceder, você deve intervir com consciência.** Nesse momento, é necessário rearmar o campo da resistência e fortificar a barragem. Como? Seja revendo em sua cabeça a lista de suas boas resoluções, motivações, tudo que fortifica sua vontade de vencer, ou enganando o inimigo e sucumbindo a um prazer que não engorda.

Você pode até mesmo sucumbir a um prazer alimentar... mas com um alimento autorizado, do qual goste muito, por exemplo, um salmão defumado, um iogurte de frutas, um flan, uma mousse de cacau sem açúcar, merengues caseiros, doces sem açúcar, chicletes sem açúcar, refrigerante light... a lista é longa!

Ou, então, **tente uma recompensa ou uma gratificação que sejam de outra natureza:** ficar junto de quem você ama, dar um abraço nos seus filhos, por exemplo. Ou, ainda, nadar na piscina ou ouvir uma música emocionante. Enfim, se você não conseguir compensar dessas maneiras e não conseguir resistir, apesar de tudo, existem ainda outras possibilidades! Falarei sobre elas amanhã.

Seu ambiente de saúde

Ontem eu lhe disse que, se você engordou, isso provavelmente aconteceu para acalmar um fundo de insatisfação, de estresse ou de sofrimento. Toda vida humana atravessa, inevitavelmente, algumas zonas de turbulência. **Ora, nosso cérebro quer evitar o sofrimento a qualquer preço.** Normalmente, o mais simples é "sair da zona de turbulência" (se seu chefe o assedia, por exemplo, você pode dar queixa). Mas quando nos encontramos presos em uma situação em que nos sentimos condenados a sucumbir, nosso funcionamento cerebral nos propõe uma solução elegante: **criar prazer para neutralizar o desprazer**. É como se colocássemos um curativo positivo em uma ferida negativa. Em geral, acabamos nos voltando para a comida.

A primeira infância é o momento da oralidade, em que todo prazer disponível está centrado na boca. Entre as pessoas com sobrepeso, inúmeros são os que **chuparam o dedo intensamente quando crianças e para os quais a comida se tornou o "remédio" preferido**, ou, em todo caso, o mais simples e mais fácil de satisfazer a qualquer hora e lugar.

Se esse for o seu caso, para emagrecer você vai precisar encontrar outra maneira de fabricar prazer, uma maneira que não o faça engordar. Eu lhe disse que o amor é uma dessas maneiras. Mas existem outras, como o status social, o trabalho, a posição na sociedade, o reconhecimento: tudo isso é forte... Falaremos sobre esse assunto amanhã.

Meu diário pessoal

Hoje vou usar apenas poucas linhas para lhe deixar o máximo de espaço possível em seu diário. Esta coluna é sua, mas, por favor, não deixe de escrever, é uma arma verdadeiramente poderosa.

Fase de cruzeiro · PL · Dia 17

Dia 17
da minha dieta Dukan

meu peso inicial:	meu peso atual:	total de kg perdidos:	meu peso ideal:
....	....	....	....

Panorama do seu 17° dia

Ontem, se você conseguiu jogar bem o jogo, passou um dia comendo **alimentos modernos do caçador**, ou seja, você consumiu a carne dos animais: da terra (vitela e boi), do mar (peixes e frutos do mar), do ar (aves de criação), assim como produtos derivados, como ovos e laticínios. Você também consumiu proteínas vegetais (tofu, seitan, tempeh...). Hoje pela manhã você vai poder acrescentar todos os **produtos de colheita**: todos os legumes. Então, aproveite ao máximo para recarregar sua reserva de vitaminas, fibras, sais minerais, água e de ingredientes frescos.

"Escapadas" da dieta

Uma corrente de pensamento de origem americana, propagada por psicanalistas, vê o problema do sobrepeso de uma maneira surpreendente! **De acordo com essa corrente de pensamento, a própria dieta (e o fato de querer emagrecer) criaria o sobrepeso!** A frustração que vem da restrição, na realidade, impediria as pessoas de emagrecer, com as inúmeras recaídas (dietas sem êxito) acabando por bloquear qualquer tentativa de emagrecimento.

Aos que querem emagrecer, esses pensadores propõem que comam apenas quando tiverem fome "de verdade"... e, principalmente, que saibams parar quando se sentem saciados. Por exemplo, a respeito do chocolate, poderiam comê-lo sem tabu, quando tivessem vontade... De acordo com os que defendem essa teoria, consumir um alimento sem sentir culpa não nos faria engordar, pelo contrário, é o fato de tentar resistir que criaria uma frustração, levando à bulimia ou ao sobrepeso.

Quanto a mim, situo-me no extremo oposto dessa teoria... Em primeiro lugar, porque sou um médico e um homem de campo. De fato, já conheci pacientes que poderiam ter sido seduzidos por essa teoria, mas que, no cotidiano e na prática, engordaram. Disseram a eles que o sobrepeso era necessário no início, mas que, assim que "o expurgo de toda frustração" acabasse, o ganho de peso se inverteria. No entanto, todos os pacientes que conheci e que seguiram esse método continuaram a engordar. Minha vida de médico foi construída com bases opostas a essa concepção.

Passei trinta anos de minha vida construindo um método que não fosse pensado como uma punição, mas como uma recompensa! **A nobreza de um homem se encontra muito mais na resistência e no autocontrole do que no abandono.** E é no orgulho, na confiança e na autoestima que se encontra a recompensa. Por essa razão minha ação provocou tanto entusiasmo e tantas pessoas aderiram a ela com satisfação e reconhecimento.

Se você tivesse que guardar uma única mensagem, seria a seguinte: **é lutando que você emagrece, e será experimentando o prazer de conseguir emagrecer que você não engordará mais.** Amanhã você não será mais gordo e terá merecido. Até amanhã.

Sua atividade física

Resistir, se motivar: eis as chaves do sucesso. Mas não se esqueça de que seu corpo é a sua metade. Peço que seja coerente: você está lutando para emagrecer, para ter novamente o corpo que é seu, e está certo em fazê-lo.

Mas esse corpo não é unicamente composto por gordura: ele também tem músculos, ossos, ligamentos e tendões. Esse arsenal de atividade é comandado pelos nervos, por neurônios que trilham um caminho até o cérebro. Você acha que isso tudo existe sem motivo? A natureza e a evolução não criam nada que não tenha uma razão para existir, e um conjunto assim só poderia ter um sentido profundo. Ei-lo: você não é uma planta com raízes e folhas que o alimentam. Você é um animal, que precisa se mexer para se alimentar e se reproduzir.

Quando você se movimenta, é recompensado pelos vetores habituais, a serotonina e a dopamina, que lhe proporcionam alegria e vontade de viver. Se, ao contrário disso, você não se mexer, vai ser punido: vai se sentir cansado, tenso, mais receptivo ao estresse e à depressão.

Então, por favor, vá caminhar. Nesta fase de cruzeiro, você deve caminhar 30 minutos por dia. Em caso de estagnação do peso, você deve passar a 60 minutos de caminhada por dia, para "quebrar" esse patamar de imobilidade.

Minha mensagem de apoio para você

" *Ontem eu lhe disse que, para se motivar a emagrecer, **esse projeto deve ser vivido como uma recompensa e não como uma punição.** Sim, o objetivo de se sentir mais bonito, a busca pelo bem-estar, a proteção da saúde e a integração à norma são excelentes fatores de motivação.*

Mas, uma vez que tais objetivos são atingidos, eles acabam perdendo seus atrativos e se banalizam. E o mesmo ocorre com o prazer de se perder peso diariamente,. Todavia, é certo que o exercício do autocontrole continua a ser prazeroso: o fato de perceber que nossa vida nos pertence é uma inesgotável fonte de alegria. Ter êxito, no que quer que seja, nos deixa eufóricos. Isso melhora o fundamento de nossa existência e, claro, de nossa autoestima. Conseguir emagrecer nos deixa orgulhosos de nós mesmos, mais autoconfiantes.

Além da utilidade de perder as dificuldades causadas pelo sobrepeso, estar feliz consigo mesmo é a recompensa suprema. Conheço navegadores que atravessaram o Atlântico remando, ou alpinistas que escalaram o Everest unicamente para chegar a esse tipo de recompensa. Perto disso, o que representa o esforço de recusar a si mesmo um salgadinho antes de chegar ao escritório? Não pode ser algo tão difícil diante de tantas façanhas cumpridas pelo homem desde sua origem. "

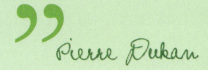

Pierre Dukan

Fase de cruzeiro • PL • Dia 17

3 fatias de tempeh

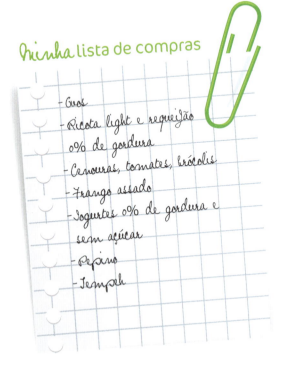

Minha lista de compras
- Ovos
- Ricota light e requeijão 0% de gordura
- Cenouras, tomates, brócolis
- Frango assado
- Iogurtes 0% de gordura e sem açúcar
- Pepino
- Tempeh

Cesta de compras do dia

Se você for francês, estatisticamente, tem poucas chances de ser vegetariano... e ainda menos de ser vegano. **O vegetariano** não come animais mortos, mas consome os produtos derivados de animais, como ovos e laticínios. **O vegano** recusa qualquer produto derivado de animais e consome apenas vegetais.

Mesmo sem ser vegetariano, você pode tirar proveito de alimentos ricos em proteínas vegetais, como o tofu, disponível nos supermercados, ou ainda o seitan e o tempeh (encontrados em lojas de produtos orgânicos ou dietéticos).

O tofu é um produto que vem da soja transformada em leite e, em seguida, coagulada em duas apresentações: o tofu firme, cuja consistência lembra a da muçarela, e o tofu cremoso, mais próximo a do requeijão.

O seitan é composto por proteínas do trigo. Hidratado e preparado, ele se apresenta como uma carne vegetal saborosa, com a qual você pode fazer estrogonofes, ensopados, cozidos ou mesmo espetinhos e fricassés.

Finalmente, o tempeh, que é fabricado a partir da fermentação de grãos de soja.

Por que não experimentar esses produtos hoje mesmo?

Sua receita de hoje

Tempeh marinado
com brócolis no vapor e cenoura ralada

45 min | 30 min | 4

*Tempos de marinada

200g de tempeh
1 copo de água
4 colheres (sopa) de molho shoyu
2 dentes de alho amassados
3 colheres (sopa) de vinho branco ou saquê mirim (saquê para cozimento)
1 colher (sopa) de gengibre fresco ralado
1 colher (sopa) de vinagre de maçã
1 colher (sopa) de amido de milho

Esta receita contém 1 1/2 tolerado por pessoa

1. Descongele o tempeh.
2. Corte-o em bastões de 5cm de comprimento e disponha em uma forma pouco profunda.
3. Em um recipiente, misture meio copo de água, o molho shoyu, o alho amassado, o vinho, o gengibre e o vinagre.
4. Regue os bastões com a marinada e deixe marinar por 30 minutos.
5. Retire o tempeh da marinada e disponha-o em uma folha de papel vegetal.
6. Reserve o restante da marinada para o molho. Doure o tempeh no forno a 180°C durante 30 minutos.
7. Depois de 15 minutos no forno, vire os bastões para que dourem igualmente dos dois lados.
8. Despeje o restante da água na marinada. Dissolva o amido de milho e passe para uma panela pequena.
9. Leve à ebulição, mexendo constantemente, até que engrosse. Adicione os bastões de tempeh ao molho fervente. Sirva com brócolis cozidos no vapor e com uma salada de cenoura ralada.

Seu ambiente de saúde

Se procurarmos as razões por que engordamos, **sempre encontramos uma falta, um vazio ou uma insatisfação,** dos quais raramente estamos conscientes. Percebemos que carregamos uma espécie de vulnerabilidade: somos facilmente tentados pela comida... e demoramos a nos saciar quando comemos.

Para emagrecer, estimo que você tenha de abandonar esse agente de alívio que vem da comida: certamente, comer faz bem, mas também engorda. Ontem, falei do prazer que vem do amor, dos filhos, dos pais, da pequena e da grande sexualidade. Mas, talvez, esse acesso à felicidade não lhe esteja acessível no momento...

Outra maneira de buscar satisfação pode vir da vida profissional. Sei que o setor do trabalho, infelizmente, não é mais o que nos satisfaz melhor... Até mesmo acredito, como já pude constatar diversas vezes, que dele surge boa parte de nossas insatisfações.

Muitos são os que engordam pois não conseguem se realizar em sua vida profissional. Entretanto, é preciso encontrar no trabalho elementos de autorrealização.

Caso tenha a obrigação de trabalhar, por que não buscar em sua profissão um ângulo que possa torná-lo mais interessante, atraente e aproveitável? Basta querer e buscar um pouco. **Em qualquer atividade, sempre encontramos alguma coisa que desperta nossa curiosidade, nossa necessidade de aprofundar, melhorar nossa existência e de se distinguir dos outros, trazendo nossa dose de criatividade.** Tente, você vai conseguir.

Fase de cruzeiro • PL • Dia 17

Sua motivação

Desde que comecei a trabalhar ao seu lado, procuro fazer com que você descubra um grande número de mecanismos produzidos em seu corpo, sem que você tenha necessariamente consciência disso.

O maior problema do homem atual é viver em um mundo que mudou radicalmente. A alimentação, antes rara e dificilmente acessível (durante a pré-história), é hoje onipresente e tentadora (em nossa moderna sociedade de consumo). Querer emagrecer representa um cenário inédito desde a aparição da vida na Terra. Existem animais que se suicidam, como as baleias que encalham na praia... mas não conhecemos animais que buscam, deliberadamente, perder suas reservas de gordura.

No estado selvagem, **a gordura de um animal é um capital que seu corpo tem a missão de proteger.** O homem não escapa a essa regra... E é por essa razão que emagrecer é tão problemático. Sendo assim, é preciso encontrar modos de conciliar o que somos (nossa natureza) com o mundo que criamos (nossa cultura).

Coloquemos a questão em seu lugar certo. Não engordamos apenas porque comemos demais: **comemos demais porque tentamos nos adaptar ao mundo que criamos.** Darei um exemplo: o açúcar não existia quando nossa espécie surgiu. Por isso, **nosso pâncreas** (que regula a recepção de açúcar) não tem como gerenciar um consumo tão grande de açúcar branco e farinha branca. Nosso cérebro reage à sua maneira, nos fazendo viver no **vício**. Em um nível econômico e social, a indústria do açúcar é cada vez mais efervescente: os produtos para beliscar representam um mercado extremamente poderoso.

Esses são alguns esclarecimentos que têm por objetivo permitir que você entenda melhor o contexto que o fez engordar.

Vou continuar ajudando você a ver as coisas de maneira mais clara.

Exercício do dia

- **Jovem e ativo:** Hoje ficaremos em quarenta abdominais e faremos 16 agachamentos.
- **Mais de 50 anos e sedentário:** Continuaremos firmes nos vinte abdominais e, principalmente, nos nove agachamentos.

Meu diário pessoal

Escreva o que faz a linha de força da sua vida: dessa forma, estruture o que o anima, deixando o supérfluo de lado. Isso só pode ter vantagens.

Escreva também o que o faz sonhar: certos sonhos e certos desejos são AUTORREALI-ZADORES. Se você pensar com afinco em seu sonho no momento de escrevê-lo, ele pode acabar se realizando.

Fase de cruzeiro • PP • Dia 18

Dia 18
da minha dieta Dukan

| meu peso inicial: | meu peso atual: | total de kg perdidos: | meu peso ideal: |

Panorama do seu 18º dia

Voltamos ao dia de combate! Novamente, você vai comer apenas proteínas: este é um dia de guerra, em que a palavra de ordem é não sentir fome. Já no café da manhã, ataque o dia com uma panqueca de farelo de aveia, ovos, iogurte, presunto, vitela ou peito de peru. Começando o dia assim, você não vai pensar em comer antes das 13h. Continue da mesma forma ao longo do dia, com salmão, fresco ou defumado, frango sem pele, carne etc.

Sua atividade física

Pouco tempo atrás, em um congresso sobre a obesidade, tive a oportunidade de dizer o seguinte aos médicos presentes: **"Quando um ser humano tem a opção entre comer e não comer, ele come. E quando existe a opção entre se mexer e não se mexer, ele não se mexe."** Devo dizer a você que fui confrontado com reações muito acaloradas por parte da minha plateia! No entanto, eu estava apenas enunciando uma evidência...

A necessidade de comer estritamente nutricional, ou seja, a que responde ao chamado de nossas células em falta de energia, é sentida apenas duas ou três vezes por dia. No mundo sedentário atual, essa necessidade também não é particularmente urgente. Na realidade, **a maior das solicitações alimentares do cotidiano não é nem um pouco ligada à fome, mas à tentação de se dar prazer**, criando-se um verdadeiro universo de prazer na boca (sabor, textura, doçura, acidez etc.).

Isso representa um luxo extraordinário que ninguém, ao longo de 200 mil anos de história da humanidade, poderia ter imaginado. O mesmo acontece com a atividade física: quem são as pessoas que se movimentam hoje em dia? Aqueles que têm vergonha de não se mexer e que sentem, intuitivamente, que alguma coisa falta ao seu bem-estar.

Neste momento eu gostaria que você pensasse nas necessidades do seu corpo, esse monumento de músculos, tendões, articulações, ligamentos, junto a uma armadura de ossos. Seu corpo é inervado por terminações sensitivas e motoras que lhe asseguram a fabulosa missão de se mexer para viver.

Já se provou, por uma infinidade de estudos, que fazer seu corpo funcionar é cerebralmente recompensado (secreção de serotonina, dopamina e endorfina). Para você, que está atualmente em uma luta contra o sobrepeso, essa recompensa seria bem-vinda, não é mesmo? E, ainda por cima, a atividade física queima calorias...

Caso se mexa hoje, tente sentir essa recompensa sensorial.

"Escapadas" da dieta

Um dia começa e uma pergunta talvez o importune: **"Será que vou conseguir passar o dia inteiro sem sair da dieta?"** Esta pergunta traz consigo toda a problemática do sobrepeso. Aparentemente, muitos são os que poderiam responder (e espero que você faça parte desses): **"Sim, doutor Dukan, posso afirmar que vou dormir hoje à noite sem ter saído da dieta."**

Outros, ao contrário, responderão: "Não posso lhe garantir nada, mas farei o meu melhor, mas só sendo louco para prever o futuro."

Entre essas duas respostas, todas as duas legítimas, existe aquela que chamo de **parte de autorrealização.** Quando você opta pela primeira resposta, tem infinitamente mais chances de evitar sair da dieta, pois, sem saber, engajou sua responsabilidade, sua coerência intelectual e moral de ser humano. Mas quando escolhe a segunda resposta, deixa aberta uma saída de emergência: você conhece a vida e sabe que a tentação está sempre presente.

Finalmente, existe uma terceira opção, na qual estamos totalmente abertos ao impulso do momento. Mas você entende bem que essa opção já não está mais, há muito tempo, na ordem do dia (desde que você começou a fazer esta dieta, na verdade). **Assim, restam-lhe apenas duas atitudes: o engajamento... ou o não engajamento.** Tente engajar-se todas as manhãs para não sair da dieta.

Minha mensagem de apoio para você

" *Cheguei, eis-me aqui: venho ao seu lado para este dia de proteínas puras... Um dia ao qual você já deve estar habituado, por tê-lo vivido diversas vezes. Mas, para divertir você hoje,* **proponho um exercício lúdico.**

Imagine, mesmo que você seja mulher, que é um dos 25 machos de uma tribo primitiva, composta por sete ou oito crianças e sete ou oito anciãos, que não vão sair para caçar hoje de manhã. Em breve você vai sair para uma caçada que, provavelmente, vai durar longas horas. Você vai caminhar muito, mas já está acostumado. Você vai perseguir animais, que tentarão escapar. Ao voltar de sua expedição, você vai sentir fome, e ficará feliz se tiver conseguido trazer o que vai compor o jantar coletivo: as proteínas animais que você vai ter de desmembrar, cortar e levar ao fogo.

Hoje, dia de proteínas, você tem muitas opções: carnes ou peixes, aves ou ovos, miúdos ou laticínios. E, caso queira mudar um pouco, por que não presunto, carne de Grisons ou bresaola? Ou mesmo tofu, seitan ou tempeh? Você tem tudo para seu sustento. Sim, mas em que quantidades? Digamos... a quantidade que lhe convier. Como você pode ver, **sua missão do dia não é tão difícil assim. Basta viver como nossos ancestrais e identificar-se com eles.** *Bom apetite! Amanhã você vai voltar a comer legumes.* "

Pierre Dukan

Fase de cruzeiro • PP • Dia 18

Sua motivação

Todas as manhãs, quando escrevo esta sessão consagrada à motivação, penso em você. **Evidentemente, não o conheço. Mas, de qualquer forma, acabo vendo você aparecer na minha frente. Não tente entender, é algo mágico.** Na verdade, não se trata tanto do caso de eu vê-lo quanto do de VOCÊ me ver. É o que chamamos de "**familiaridade induzida",** que, intuitivamente, liga duas pessoas que não se conhecem.

A motivação não se decreta. Não é o "manual de instruções" de uma dieta que lhe dá força, energia e poder para continuar nela. Para isso é necessário um ingrediente a mais, algo de muito misterioso, **que vem, ao mesmo tempo, da empatia, da autoridade e da benevolência.** Trata-se de um contágio emocional e afetivo. Passei minha vida transmitindo esse fluido, que é próprio ao ato médico como o concebo e como amo e melhor sei fazer. Então, siga-me, dia após dia: nós vamos conseguir, prometo a você que vamos conseguir.

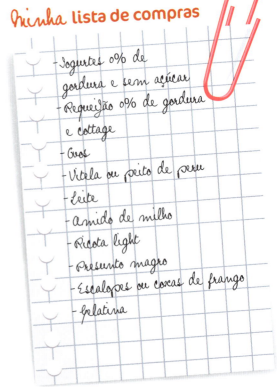

Minha lista de compras
- Iogurtes 0% de gordura e sem açúcar
- Requeijão 0% de gordura e cottage
- Ovos
- Vitela ou peito de peru
- Leite
- Amido de milho
- Ricota light
- Presunto magro
- Escalopes ou coxas de frango
- Gelatina

Sua receita de hoje

Quiche
sem massa

2 ovos
1 copo de leite desnatado
1 colher (sopa) de amido de milho
Noz-moscada
10 fatias de vitela ou peito de peru
Sal, pimenta-do-reino a gosto
(Esta receita contém ½ tolerado por pessoa)

1. Em um pequeno recipiente, bata os ovos com o leite. Adicione o amido de milho e o tempero: noz-moscada, um pouquinho de sal e pimenta-do-reino.
2. Corte a bresada em pequenos pedaços.
3. Despeje o preparo em duas formas de silicone individuais e espalhe a carne de Grisons.
4. Leve ao forno a 180°C e asse por 25 minutos.

Cesta de compras do dia

O que você vai colocar hoje em sua cesta? **Carne de Grisons.** A carne de Grisons é o melhor pedaço magro do boi: é um filé que os bem-organizados suíços prepararam para você, seguindo uma receita tradicional. Na dieta que lhe proponho, essa carne-seca pode ser consumida livremente. Sim, ela é gostosa, mas custa caro, e deve ser reservada para refeições de choque, quando sentir que a tentação está lhe rodeando. Prontinho, algumas fatias com um bom copo de água: prazer e saciedade vão ajudá-lo a atravessar o incidente que poderia fazê-lo sair da linha! Tente sempre ter algumas fatias à sua disposição. **E não se esqueça que a dieta que você está fazendo tem tempo determinado e que, em breve, vai terminar.** Então, mantenha-se firme. Em pensamento e em intenção, estou ao seu lado, eu lhe prometo.

Fase de cruzeiro • PP • Dia 18

Seu ambiente de saúde

Para viver é preciso ter vontade e necessidade. Para isso é preciso obter prazer. Até agora, se você engordou, é porque se especializou em uma fonte de prazer da qual abusou. Como você deseja emagrecer e começou efetivamente a fazer esta dieta, é preciso ir até o fim desse projeto. Para isso você deve aumentar sua busca de prazer em outras fontes.

Eu lhe propus **a família** ou **o trabalho**. Mas é possível que você não tenha como encontrar sua felicidade nesses dois âmbitos. Hoje em dia há muitos casamentos falidos, divórcios, casos de viuvez ou, pura e simplesmente, celibato. Quanto ao trabalho, você pode muito bem fazer parte daquela grande maioria de pessoas que trabalha unicamente para "sobreviver".

Então, imaginemos outra coisa... **E se falássemos, por exemplo, do lugar onde você mora?** Caso você seja mulher, talvez ame profundamente sua casa ou seu apartamento. Esse lugar no qual você pode receber as pessoas que gosta, que tem prazer em tornar caloroso e acolhedor. Você tem vontade de decorar e colorir essas dezenas de metros quadrados que são seus: você sente, instintivamente, que são o seu território vital.

Caso seja um homem, trata-se de sua toca, seu perímetro de segurança, que lhe cabe proteger. Existe algo de sagrado nesse território íntimo, e é possível que você se sinta apegado a ele. Então, se este for o caso, cave fundo nessa direção: você tem nas mãos as chaves de sua alegria e, neste momento, realmente precisa delas.

Exercício do dia

- **Jovem e ativo:** Hoje ficaremos em quarenta abdominais e faremos 16 agachamentos.
- **Mais de 50 anos e sedentário:** continuaremos firmes nos vinte abdominais e, principalmente, nos nove agachamentos.

Meu diário pessoal

O que aconteceu hoje, em mais um dia de dieta? Uma descoberta, um alimento, uma receita, um cozimento diferente, uma tentação à qual você bravamente resistiu ou à qual sucumbiu? Escreva. Essa peripécia ou essa experiência entrará para sempre em sua vida.

Fase de cruzeiro • PL • Dia 19

Dia 19
da minha dieta Dukan

| meu peso inicial: | meu peso atual: | total de kg perdidos: | meu peso ideal: |

Panorama do seu 19º dia

Dia de voltar a comer legumes, sempre tão bem-vindos depois de um dia de ausência. Conheci pessoas que não gostavam de legumes, mas acabaram se acostumando e terminaram por esperar impacientemente para comê-los nos dias PL. Este é, a propósito, um dos pontos fortes do meu plano, que induz, reforça e até mesmo recria o apego aos legumes. É um dos maiores trunfos para a vida nesta dieta, que continua depois da obtenção do peso ideal.

Sua atividade física

Hoje vamos nos mexer para melhorar os resultados na balança. Sim, ouça-me bem: cinco degraus de escada queimam UMA caloria. Um lance de escada queima quatro calorias. Dez lances, quarenta calorias (e dez lances, ao descer, mais dez calorias). São cinquenta calorias no total! Então, além de sua caminhada cotidiana, tente achar esses dez lances de escada para subir. É muito fácil. Basta decidir fazê-lo!

Ao subir escadas, em casa ou no trabalho, às vezes, chegamos rapidamente a dez andares... Se você mora ou trabalha no térreo, basta subir para ver seu vizinho do quinto andar duas vezes seguidas! O que tem de mais simples do que isso? Esta é a sua missão do dia, sua tarefa da vez.

Conto com você. Quer você o faça ou não, escreva em seu diário do dia. Este é um pequeno desafio que lanço. Se quiser fazer mais, também pode. Mas, por favor, caro leitor, nada de fazer um a menos...

Exercício do dia

- **Jovem e ativo:** Hoje ficaremos em quarenta abdominais e faremos 16 agachamentos.
- **Mais de 50 anos e sedentário:** Continuaremos firmes nos vinte abdominais e, principalmente, nos nove agachamentos.

Minha mensagem de apoio para você

" *Espero que, hoje, você venha ler o que lhe escrevo nesta coluna de apoio.* **Desta vez, não vou apenas lhe oferecer meu suporte, mas vou carregá-lo em minhas costas.**

Para isso, já no café da manhã, proponho minha panqueca de farelo de aveia: uma clara de ovo com uma colher e meia (sopa) de farelo, a mesma dose de requeijão 0% de gordura, uma pitadinha de fermento e um pouco de adoçante, se desejar. Coma com uma xícara de café ou chá, mais um ou dois iogurtes. E se ainda estiver com fome, uma fatia de peito de peru ou de presunto magro!

Às 13h, espalhe um pouco de cottage zero em uma panqueca de farelo de aveia e, depois, adicione duas fatias de salmão defumado, com um pouco de suco de limão. Corte um tomate grande, bem vermelho e macio, e tempere com molho Maya ou vinagre balsâmico. Termine com um, dois ou três iogurtes.

Quando chegar a noite, coma frango, uma bela coxa grelhada na chapa, na frigideira ou na grelha. Complemente com fatias de berinjela, abobrinha, cebola, pedaços de endívia ou rodelas de tomates. Termine sua refeição com um ou dois laticínios.

Você vai ver: o dia vai passar num piscar de olhos e você sequer vai ter tido a impressão de estar de dieta. Termino por aqui e vejo você amanhã. "

Pierre Dukan

Fase de cruzeiro • PL • Dia 19

Minha lista de compras

- Repolho roxo, vagens francesas
- Tomates, pimentões, berinjela
- Salmão
- Iogurtes 0% de gordura e sem açúcar
- Ricota light
- Biscoitos de farelo de aveia Dukan sabor coco
- Carne moída magra
- Ovos
- Ágar-ágar
- Amido de milho

Sua receita de hoje

Manjar branco com geleia
de goji berry

1l de leite desnatado
8 colheres (sopa) bem cheias de leite em pó
6 ou 7 colheres (sopa) de adoçante (dependendo do gosto pessoal)
4 colheres (sopa) de requeijão 0% de gordura
4 colheres (sopa) de amido de milho
1 colher (sobremesa) de essência de coco

1. Coloque todos os ingredientes (exceto o adoçante) no liquidificador e bata. Quando estiver bem homogêneo passe na peneira e transfira para a panela.
2. Leve ao fogo baixo, mexendo sempre. Quando começar a engrossar, ficando cremoso, desligue o fogo, acrescente o adoçante e bata com o mixer até fazer bastante espuma.
3. Deixe descansar um pouco e coloque na forma.
4. Leve à geladeira de um dia para o outro. Desenforme e decore com a calda de goji berry.

Cesta de compras do dia

Hoje, tente comprar chia. Esta semente, originária do México, é capaz de controlar a glicemia e baixar o colesterol, além de possuir alto teor de proteínas. Suas fibras têm a capacidade de absorver muita água, transformando-se em uma espécie de gel. A chia pode ser consumida com saladas ou misturada ao iogurte.

Sua motivação

Ontem lhe falei sobre a arte de canalizar e manter sua motivação. Disse que passei quarenta anos da minha vida acompanhando as pessoas mais diferentes possíveis. Foi por esse motivo que tive vontade de escrever este diário de bordo, que é, realmente, uma experiência nova.

O que pude aprender trabalhando nessa área é que a maioria das pessoas com sobrepeso toleram mal essa situação: no fundo, elas sabem que, um dia, vão fazer uma dieta... mas sentem que o momento não chegou. Às vezes, passam-se meses, até mesmo anos. **De repente, numa manhã, depois de um elemento que desperta a vontade (consciente ou não), a necessidade de se livrar de um peso indesejável se faz presente, decisiva.** O mais surpreendente é a sensação de força e potência que nos faz olhar do alto essa tarefa que, até ontem, parecia impossível de ser realizada. **Mas quem sente essa força sabe que ela é passageira.** Então, fica-se apressado para começar a fazer de tudo para emagrecer logo e não esperar nem mais um segundo! Com frequência, é aí que se encontra o erro: não se deve, de forma alguma, se precipitar e escolher uma dieta qualquer... A dieta das revistas, a dieta das amigas, a dieta do limão, a dieta da sopa de couve e tantas outras não darão resultados e consumirão toda essa energia de guerra.

Você também deve ter sentido **esse "clique" mágico que antecede uma dieta.** Você se engajou comigo nesse caminho: prometi acompanhá-lo até o fim. Então, siga-me, não desista, você não vai encontrar tão cedo uma conjunção de boas condições como esta.

Seu ambiente de saúde

Ontem eu lhe falei sobre o prazer e a satisfação que certas pessoas, principalmente as mulheres, podem encontrar graças ao lugar onde vivem, em sua casa ou apartamento. Mas talvez esse não seja seu caso... **Exploremos, então, outra necessidade fundamental do homem: o prazer de brincar e jogar.** Você gosta de brincar? O que é brincar? É ter prazer em uma atividade, sem a seriedade que acompanha um ato decisivo ou uma tarefa repetitiva da vida cotidiana. E para que exatamente pode servir a brincadeira para que ela tenha seu valor de recompensa? A brincadeira serve para que se aprenda sem se entediar. A criança brinca para andar, para falar, para ler. Brincar é dedicar-se a uma tarefa e a um desafio e, ao mesmo tempo, saber que você o está fazendo por puro prazer, sem a angústia do fracasso. Para que a brincadeira seja alegre e eficaz, você deve se entregar inteiramente a ela, estar completamente imerso nela. **O ideal é brincar com outra pessoa, se possível, alguém de quem você goste.** Assim, a brincadeira vai se parecer muito com aquela alegria que o animava quando você era criança... lembre-se das brincadeiras que eram como atos gratuitos que podemos interromper levantando o dedo. Também podemos brincar de outras formas: como nos jogos em que simulamos um combate, no qual afrontamos um parceiro e damos importância à vitória. Trata-se de um simulacro de combate, em que não existe perigo a ser temido, mas em que a competição provoca sensações fortes durante alguns instantes. Por exemplo, uma partida de tênis (face a face) ou uma partida de futebol (em equipe). **O essencial é praticar uma atividade com prazer.** Assim, o tempo passa sem monotonia. Hoje existem jogos solitários, jogos eletrônicos que substituíram os anteriores. São jogados com mais facilidade, mais estímulo e, principalmente, muita sofisticação... mas, comumente, falta o outro, o parceiro. Faltam a alegria e a atividade física.

Se você gosta de brincar e jogar, também pode emagrecer se movimentando... como você fazia antigamente no esconde-esconde e no pega-pega!

"Escapadas" da dieta

Hoje é seu 19º dia de fase de cruzeiro. Eis que você se encontra no coração da ação. Ao olhar no seu retrovisor você deve perceber o antigo peso que abandonou pelo caminho. Espero que tenha a intenção de perdê-lo e nunca mais vê-lo reaparecer.

Você tem que estar tomado por essa ideia, ao ponto deste capítulo de escapadas da dieta lhe parecer inútil. O que não me impede de vir aqui reforçá-la, pois é possível que a situação não seja tão favorável quanto eu imagino: **"Esse doutor Dukan é engraçado, com todo esse otimismo! Não basta querer para poder."** É por isso que venho até você e quero lembrar que, hoje, você pode comer legumes.

Ontem, se tivesse comido legumes, teria saído da dieta. Mas hoje eles são todos para você: endívias, cenoura ralada, abobrinha, berinjela, pimentão, alcachofra. Crus ou cozidos, em uma salada ou em purê. Você já experimentou abóbora, ou abóbora-menina, cozida no vapor, depois cortada em grandes pedaços e regada com um pouco de molho shoyu? E os brócolis, não cozidos, mas salteados na frigideira ou numa wok, temperados com gengibre em fatias finas e um pouco de molho de soja! Hum, que delícia!

Meu diário pessoal

Eu adoraria poder ler o que você vai escrever hoje em seu diário. Isso me ajudaria a saber muito mais sobre você... mas o exercício do diário de bordo tem seus limites. Então, faça de conta que tenho acesso ao seu diário e marque tudo que o interpelou hoje, o que você aprendeu que poderá lhe servir amanhã, quando estiver na fase de estabilização. Anote tudo que lhe vier à cabeça, você tem tudo a ganhar com isso, acredite em mim.

Fase de cruzeiro • PP • Dia 20

Dia 20
da minha dieta Dukan

| meu peso inicial: | meu peso atual: | total de kg perdidos: | meu peso ideal: |

Panorama do seu 20º dia

Mais um dia de proteínas puras, pé no acelerador! Você deve ter percebido que a fase de cruzeiro funciona como um motor de duas velocidades: uma rápida, de PP, e uma mais lenta, para dar ao corpo a oportunidade de digerir a perda de peso. Hoje, é a velocidade rápida. Vamos perder entre 100 e 200g por dia nessa velocidade.

Sua motivação

Hoje vou fazer como se você estivesse tão motivado pela realização desta dieta quanto eu mesmo estou em acompanhá-lo. **Então, vou deixar você sozinho... esperando que me faça uma surpresa.** Você está no vigésimo dia de cruzeiro, então, conhece perfeitamente nosso caderno de estrada.

Além disso, hoje, estamos em um dia simples: você só pode comer alimentos ricos em proteínas e pode comer o quanto desejar. Sim, claro, existem muitos outros alimentos... dos quais você provavelmente abusou, alimentos que invadem todas as vitrines, jornais e telas de nosso dia a dia. Uma razão a mais para, atualmente, considerá-los como agressores e evitá-los.

Você se lançou em um desafio que, juntos, decidimos levantar e ganhar. **Não se trata de algo sem importância, mas do seu bem-estar, de sua imagem, de seu corpo: trata-se de sua dignidade, sua autoestima, sua beleza e seu poder de sedução, de sua normalidade dentro de um grupo. Trata-se, ainda mais, de seu atual estado de saúde,** mas também do de amanhã.

Você já entendeu que não falo apenas de detalhes, mas, provavelmente, do que é mais importante em sua vida. Então, pense nisso, você tem o poder de fazer o que quiser: você é o chefe de bordo.

[Força]

Minha mensagem de apoio para você

"Hoje, vou falar dos 'Senhores açúcares'. Falo no plural pois quero evocar todos os glicídios, todos os carboidratos: **nós os classificamos com o termo que merecem, esses açúcares.** Se, hoje, você está com sobrepeso, é a eles que deve grande parte de suas reservas adiposas. É verdade, os açúcares não têm todos o mesmo poder de prejuízo para o corpo. Mas em um mundo de abundância e de consumo como o nosso, **trata-se de um grupo de alimentos que deve sempre despertar sua desconfiança.** Perderei meu tempo para fazer com que você conheça os açúcares, pois acredito que isso pode lhe trazer muitos benefícios.

Ao fim da Segunda Guerra Mundial não existia um real sobrepeso na população. É um fato pouco conhecido e ocultado, que aponta claramente a responsabilidade de nossa sociedade de consumo. Em outro tempo, é claro que existiam gordos e obesos, mas eram muito poucos e bem distribuídos entre a população: eram, essencialmente, os 'bon-vivants', que talvez não tivessem vontade de viver por muito tempo (e que talvez também ignorassem a verdadeira ligação entre a comida e a doença).

Em 1960 a França já contava com 500 mil pessoas com sobrepeso. Pouco a pouco, esse número foi aumentando, até que a progressão atingisse 25 milhões de pessoas com sobrepeso, das quais 6,5 milhões são obesas. **O que aconteceu, então, para que, pela primeira vez na história da humanidade (ou seja, em 200 mil anos), as pessoas começassem a engordar tanto?** Hoje não tenho espaço para desenvolver muito mais.

Posso apenas lembrá-lo que você faz parte desses 25 milhões de pessoas e que a história que desenvolverei da próxima vez vai lhe interessar muito."

Pierre Dukan

medidor de glicemia, tipo 1, tratamento, controle, obesidade, risco cardiovascular, diabetes, glicemia, tipo 2, doença, risco, açúcar, hiper, hipo, médico, síndrome metabólica, taxa de açúcares, sobrepeso, diagnóstico, glicose, regulação, perigo, insulina.

Fase de cruzeiro • PP • Dia 20

Seu ambiente de saúde

Já há alguns dias evoco nesta sessão algumas temáticas que podem lhe parecer um pouco distantes do assunto que nos ocupa. **Não se engane: o prazer, a alegria de viver e até mesmo a felicidade são essenciais à vida!** De fato, de que serviria ter um corpo extremamente saudável, sem colesterol, diabetes ou qualquer doença se levássemos uma vida triste e morna? A Organização Mundial da Saúde (OMS) define a saúde como um estado completo de bem-estar físico, mental e social. A saúde não é apenas a ausência de doença e enfermidade.

Ontem eu falei sobre brincar e jogar, depois de ter evocado o ambiente onde vivemos. Hoje gostaria de lhe falar sobre a **necessidade de pertencimento a um grupo**: é uma prioridade vital e permanente de todos os animais sociais. A necessidade de pertencimento rege a vida dos grandes macacos antropoides que são muito próximos de nós, os chimpanzés, que possuem 99,4% dos nossos genes. Com exceção do gibão monogâmico, todos os grandes macacos antropoides vivem em grupos de número relativamente fixo (variando de uma espécie para outra).

Os primeiros homens viviam em grupos de cinquenta pessoas, em média. Bem, estou vendo que vou ultrapassar o espaço que me foi dado novamente… Você vai ter que esperar até amanhã para saber um pouco mais sobre essa necessidade de pertencimento a um grupo… uma necessidade quase instintiva e de insuspeitável poder.

Sua receita de hoje

Chips de Bresaola
(parecido com bacon) (PP)

 10 min 4

20 fatias de bresaola

1. Esquente uma frigideira com revestimento antiaderente em fogo alto.
2. Espalhe as fatias de bresaola, de maneira que grelhem como o bacon, até ficarem crocantes.
3. Sirva imediatamente.

Cesta de compras do dia

Hoje vou lhe pedir que coloque **carne-seca em sua cesta de compras.** Existem inúmeros tipos disponíveis. Um deles é a carne de Grisons, originária do cantão suíço de mesmo nome. Essa carne é seca de maneira que perde a metade de sua massa e é de muito boa qualidade, saciando muito bem a fome. A bresaola vem da Itália. Tem um gosto um pouco diferente, pois é feita com a parte inferior da coxa do boi — e não do filé, com vinho tinto. Também existe uma carne-seca espanhola: a cecina, que é deliciosa. Também vinda da coxa do boi, é um pouco mais gordurosa, mas perfeitamente tolerável em minha dieta. Delicie-se!

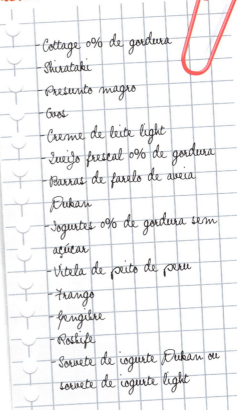

Minha lista de compras
- Cottage 0% de gordura
- Shirataki
- Presunto magro
- Ovos
- Creme de leite light
- Queijo frescal 0% de gordura
- Barras de farelo de aveia Dukan
- Iogurtes 0% de gordura sem açúcar
- Vitela de peito de peru
- Frango
- Gengibre
- Rosbife
- Sorvete de iogurte Dukan ou sorvete de iogurte light

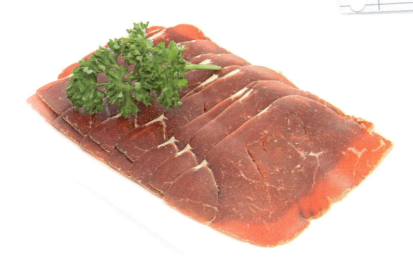

Fase de cruzeiro • PP • Dia 20

"Escapadas" da dieta

Todos os dias escrevo este pequeno parágrafo sempre me perguntando como fazer para que você evite a tentação de sair da dieta. **Meu principal aliado nesta missão é o HÁBITO.** Sim, a repetição cria conexões de neurônios no cérebro que favorecem o hábito. De fato, o hábito tem verdadeira utilidade para a sobrevivência da espécie: o que aconteceu diversas vezes sem incidentes passa a ser considerado como algo seguro.

O hábito é dotado de uma recompensa fabulosa pelas leis da evolução. Ele anestesia a frustração de uma tarefa não gratificante, através do que, na antropologia, chamamos de **"função de alívio do ritual"**. O ritual faz bem, nos deixa seguros e proporciona algum prazer. Você deve tirar o melhor partido dessa arma tão desconhecida e temida. Saiba, além disso, que sair da dieta quebra esse ritual. Seria uma pena estragar tudo apenas para colocar alguma bobagem na boca!

Sua atividade física

Hoje, faça uma experiência. Pense em suas condições habituais.

Em vez dos exercícios habituais, dobre a dose e beba 2,5l de água. Não saia da dieta e **relaxe colocando a ponta do indicador na parte mole da eminência hipotenar** (parte carnuda interior da mão, entre o dedo mínimo e o pulso). Aperte e solte cerca de vinte vezes. Recomece sempre que tiver algum tempo durante o dia (especialmente se, em estado de estresse, se sentir pronto a não resistir a uma guloseima). E, depois, vá ver o que a balança dirá no dia seguinte.

Exercício do dia

- **Jovem e ativo:** Hoje passaremos a 45 abdominais e faremos 17 agachamentos.
- **Mais de 50 anos e sedentário:** Hoje vamos tentar passar a vinte abdominais e dez agachamentos.

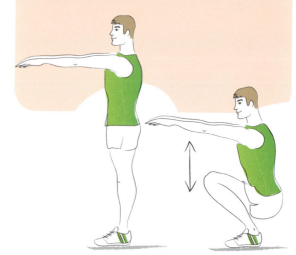

Meu diário pessoal

Para o seu 20º dia de cruzeiro gostaria que você escrevesse sobre o elemento que mais o marcou ao longo dessa dieta (pode ser uma lembrança, uma reflexão que tenha feito, uma frase que escrevi...). Pense e lance-se nessa ideia.

Se achar que alguma coisa pode interessar a outras pessoas em luta contra o sobrepeso, não se esqueça de me enviar!

Fase de cruzeiro • PL • Dia 21

Dia 21
da minha dieta Dukan

meu peso inicial: ....

meu peso atual: ....

total de kg perdidos: ....

meu peso ideal: ....

Panorama do seu 21º dia

Coloque os legumes em sua bolsa de compras. A boa-nova é que você vai trazer frescor, variedade, vitaminas, fibras e um pouco de glicídios extremamente lentos. A notícia não tão boa é que, justamente por causa dessa pequena inclusão de glicídios, a perda de peso vai diminuir um pouco. E eu disse bem, "um pouco", e é muito bom que seja assim... pois emagrecimento não deve ser praticado nem pensado como uma corrida.

Sua atividade física

Hoje, faça o que seu corpo lhe pede! Mas esteja atento e ouça-o bem. **O corpo não fala, mas emite mensagens que, tendo vivido tantos e tantos anos com ele, você deve conseguir "ouvir".** O que seu corpo está dizendo? Isso depende da sua idade. Se tiver menos de 40 anos, seu corpo pede, simplesmente, para funcionar, pois foi feito para isso, tem prazer nisso. Dê-lhe o que ele espera: quando você subir uma escada, concentre-se na sensação muscular de seus quadríceps (parte anterior das coxas). É uma sensação de poder e impulso de energia que se atenua a partir do segundo lance de escadas.

Mas cabe apenas a você cultivar essa sensação e aproveitar até o terceiro, depois o quarto, depois o quinto andar. Se você estiver entre 40 e 60 anos, tudo vai depender muito da vida que leva. Se você sempre foi sedentário, perdeu a sensação do prazer proporcionado por um músculo vigoroso, que afirma sua condição ao se contrair. Com o tempo, e se você não sofrer com dores de artrose, vai poder voltar a ter essas sensações.

Em seu caso, a caminhada é, de longe, a verdadeira solução. Caminhe em seu tempo livre e não tenha medo de passar do tempo. Caso tenha mais de 60 anos e tenha vivido uma vida de sedentarismo, você precisará de mais tempo para aproveitar plenamente os prazeres da caminhada. Mas se quiser emagrecer e, principalmente, proteger sua saúde e sua mobilidade, aconselho vivamente que adquira esse hábito (ainda mais porque, nessa idade, você pode dispor de um pouco mais de tempo). **Sendo assim, coloque este diário de bordo debaixo do braço e vá caminhar!**

Minha mensagem de apoio para você

" *Ontem eu lhe apresentei os 'Senhores açúcares', lembrando que a espécie humana não era, em sua origem, uma espécie 'gorda'... mas que estava se tornando. Um em dois adultos na França está com sobrepeso. Nos Estados Unidos, 72% da população têm sobrepeso e um terço é de obesos. Na verdade, como já lhe disse, tudo começou depois da Segunda Guerra Mundial. Em 1950, na França, não existia um grupo em sobrepeso na população. As pessoas com sobrepeso passaram a meio milhão em 1960 e, desde então, é uma explosão: hoje, na França, são 25 milhões.*

Tudo isso é conhecido e amplamente comentado. No entanto, ninguém dá uma explicação crível a esse fenômeno! *Como quero ajudá-lo, vou lhe oferecer* **minha explicação...** *que se construiu graças a quarenta anos de experiência de campo com pessoas em sobrepeso e obesas. Na verdade, vejo* **duas grandes causas para esse fenômeno global.**

A primeira *das causas não é nutricional, mas social e comportamental. Em 1944, as grandes potências que venceram a guerra se reuniram em Bretton Woods, nos Estados Unidos. Durante a conferência de mesmo nome, tais potências concluíram um acordo que abria os caminhos para uma nova era, a do crescimento indefinido. O objetivo da humanidade era, agora, produzir cada vez mais, a cada ano, para satisfazer esse desejo desenfreado de CRESCIMENTO. E conseguimos, sem problemas... exceto em raros momentos de crise, como o que atravessamos atualmente. Crescer quer dizer produzir... E produzir faz sentido apenas se existem consumidores para absorver tal produção.*

A partir dos anos 1950 ocorreu o desenvolvimento da máquina de lavar roupa, da máquina de lavar louça, do aspirador de pó, do elevador... Foi preciso conceber produtos úteis. Depois, para continuar a crescer, foram criados produtos cada vez menos úteis: foi o advento da engenhoca e do supérfluo (sustentado pela publicidade). A sociedade de consumo criou necessidades artificiais no homem, deu-lhe produtos sem os quais não pode mais se ver privado. **Há 15 anos, vivíamos sem telefone celular ou escova de dentes elétrica!** *Continuarei amanhã, pois já cheguei ao limite de linhas de hoje...* "

Pierre Dukan

Fase de cruzeiro • PL • Dia 21

Cesta de compras do dia

Hoje, como você tem direito a comer legumes, quero chamar sua atenção para um alimento surpreendente: **a berinjela.** A berinjela é fabulosa, pois, quando se gosta dela, se gosta dela realmente. Bem cozida, é o mais macio dos legumes, o que derrete mais deliciosamente na boca. No plano nutricional, é o legume que mais contém pectina, quase tanto quanto a maçã. Além do fato de a berinjela inchar no estômago e ter um papel muito importante na saciedade, ela também protege do colesterol. A berinjela pode ser consumida fria ou quente.

O grande chefe Alain Ducasse me deu, pessoalmente, sua receita, que é a mais excepcional e simples que existe. Você pode cortar uma bela berinjela com uma faca pontuda e afiada e introduzir um dente de alho em cada corte. Leve-a ao forno em temperatura alta e deixe-a até que fique vermelha nas partes inferior e superior. Corte-a em duas, como um abacate, e deguste com uma colher pequena. Mas existem tantas outras maneiras de preparar a berinjela... Falarei sobre isso mais adiante.

Sua receita de hoje
Mil-folhas de beringela (PL)

30 min — 1h — 4

4 berinjelas
4 tomates
400g de carne moída
2 cebolas grandes
2 dentes de alho
Coentro, louro, tomilho, sal e pimenta-do-reino a gosto
Parmesão ralado ou queijo ralado com 7% de gordura (opcional)

1. Lave e seque as berinjelas. Corte-as em fatias de cerca de 1cm de espessura, adicione sal e deixe sua água ser absorvida durante 15 minutos.
2. Descasque as cebolas e corte-as em fatias espessas.
3. Lave os tomates e corte-os em rodelas.
4. Em uma forma grande, disponha uma camada de fatias de berinjela em forma de mosaico.
5. Em seguida, disponha uma camada fina de carne moída com alho, coentro, louro, tomilho, sal e pimenta-do-reino.
6. Adicione uma camada de fatias espessas de cebola e recubra com outra camada de carne moída.
7. Em seguida, adicione uma camada espessa de tomates cortados em rodelas.
8. Salpique um pouco de queijo parmesão ralado ou queijo ralado com 7% de gordura.
9. Leve ao forno em temperatura média e deixe cozinhar por 1 hora.

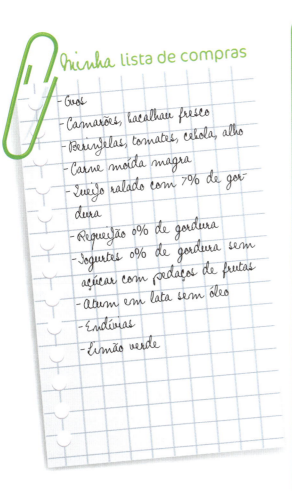

Minha lista de compras

- Ovos
- Camarões, bacalhau fresco
- Berinjelas, tomates, cebola, alho
- Carne moída magra
- Queijo ralado com 7% de gordura
- Requeijão 0% de gordura
- Iogurtes 0% de gordura sem açúcar com pedaços de frutas
- Atum em lata sem óleo
- Endívias
- Limão verde

Exercício do dia

- **Jovem e ativo:** Hoje vamos manter 45 abdominais e 17 agachamentos.
- **Mais de 50 anos e sedentário:** Hoje vamos manter vinte abdominais e dez agachamentos.

Seu ambiente de saúde

Hoje **eu gostaria de, enfim, concluir o dossiê sobre essa formidável necessidade de se pertencer a um grupo.** Voltemos à sua situação. Se você engordou, não escolheu engordar, nem verdadeiramente aceitou esse fato. Você não engordou por sentir fome: a fome é algo que se acalma rapidamente, e acalmá-la comendo não engorda. Você engordou porque procurou na comida sua parte sensorial, que usou para fabricar prazer (ou neutralizar o desprazer). E você abusou desse recurso, porque tinha muita necessidade dele!

Os alimentos mais gratificantes (doces, comidas gordurosas e muito salgadas...) também são os que mais fazem engordar. É por isso que insisto no fato de que existem outras fontes de prazer e satisfação não alimentares.

A necessidade de se pertencer a um grupo, por exemplo, é uma das mais fortes que existem, além de ser uma das mais agradáveis. É possível que você não tenha consciência disso, mas a solidão e a misantropia levam à desumanização, à depressão e à infelicidade.

Tente, então, de todas as maneiras possíveis, aproximar-se de seus amigos, de suas relações... ou mesmo de redes sociais ou fóruns na internet. Mas, mesmo assim, não se contente apenas com relações telefônicas ou por Skype.

É preciso ir até as pessoas e ter contato físico, sentir peles, alimentar-se da presença de seres humanos, dando a eles sua própria presença. E, além do mais... o que existe de melhor que uma refeição com os amigos ou o ser amado?

Sua motivação

Hoje vou evocar um cenário bastante frequente nas proximidades do 20º dia da dieta: a diminuição do ritmo da perda de peso. É o momento em que seu corpo, depois de ter respondido muito bem à dieta e emagrecido rapidamente, vê sua perda de peso estagnada e, às vezes, interrompida. **Esse momento, que é parte integrante de todas as dietas, se chama período de estagnação.** Você continua seguindo a dieta perfeitamente… e, no entanto, seu peso não diminui.

É importante que você saiba o porquê, pois a pior das soluções seria que você entendesse essa parada momentânea como algo definitivo. Não, trata-se apenas de um ponto de equilíbrio, ao longo do qual seu corpo utiliza os meios de que dispõe para se opor ao desvio de suas reservas. **Lembre-se de que seu corpo não foi programado para viver ao lado de um supermercado,** mas para viver em um contexto de escassez, em que ele devia brigar fisicamente para se alimentar. Quando um homem primitivo conseguia poupar um pouco de gordura, seu corpo tentava protegê-la para evitar o desperdício: era um verdadeiro reflexo de sobrevivência.

Como você possui exatamente o mesmo corpo que o do homem primitivo, à medida que suas reservas se esgotam, seu corpo reduz os gastos e aumenta o aproveitamento do que vem do alimento. A consequência pode ser vista na balança: seu peso se imobiliza. É possível que você já tenha enfrentado essa diminuição de ritmo. O que posso lhe dizer é que a obtenção dessa estagnação necessita de um esforço muito grande por parte do seu corpo. No final, ele não vai mais conseguir manter seu peso igual!

Em algumas horas, ou dias, a resistência vai ceder e você vai ver o seu peso voltar a descer… com a condição de que não caia na armadilha que seu corpo preparou. Se você baixou a guarda e acabou não resistindo, se deixando levar pela tentação de algum alimento de gratificação, isso quer dizer que você alimentou a estagnação e fez voltar a rodar a máquina de engordar.

O que você deve fazer é interpretar essa estagnação como um momento de susto do seu corpo, que usa seus últimos trunfos antes de continuar a queimar suas reservas por algo mais forte que ele. **Para você, é o momento de levar a dieta ainda mais a sério, movimentar-se ainda mais, comer coisas menos salgadas e dormir cedo para dormir mais e melhor.** Amanhã vou lhe dizer o que você deve fazer se esse período de estagnação normal chegar a persistir.

"Escapadas" da dieta

Hoje, por decreto real, nenhuma escapada será tolerada. Imagine um arauto na praça de uma aldeia chegando para ler uma mensagem de seu soberano. Imagino você rapidamente fechando sua janela e correndo em direção ao celeiro de pães para manifestar sua independência, preparando para si uma boa colação com pão branco de centeio e carne-seca, de que se gostava tanto nos tempos antigos. Mas, nesta sessão dedicada às escapadas da dieta, meu papel não é fazer o pai severo, e sim lhe propor algo ainda melhor que sair da dieta. **Vou lhe fazer propostas espetaculares e propor, pura e simplesmente, que você se delicie. Ao se levantar,** tente preparar uma panqueca de farelo de aveia com seu chá ou seu café habitual. Adicione um ou dois iogurtes, um ovo mexido com um pouco de presunto magro. Se você ainda realmente estiver com vontade de comer, por que não se deixar tentar por um pudim de baunilha? Quando amamos, não contamos.

Na hora do almoço, tudo é possível: você gostaria de começar por uma salada de endívias com aroma de queijo, misturada a um requeijão sem gordura, depois passar para uma posta de salmão e legumes grelhados na chapa, terminando com uma "ilha flutuante"?

Hoje à noite, por que não começar com brócolis salteados na *wok*, com um pouco de molho shoyu e fatias de gengibre ralado? Em seguida, você poderia passar para um prato pelo qual tenho afeição especial: o mil-folhas de berinjela recheado com carne moída magra. Você poderia terminar com um merengue caseiro, feito com adoçante, uma mousse de chocolate ou muffins com bagas de Goji. Eu chamo isto de SE DELICIAR, e você? Então, não espere mais e vá fundo

Meu diário pessoal

Três semanas de fase de cruzeiro acabam de se passar: são 21 dias que passamos juntos. Adoraria que você estivesse aqui, diante de mim, em carne e osso, para me dizer o que aprendeu nessa nossa viagem em comum. Como não é possível, escreva contando como foi a partir de hoje. Faça como se você escrevesse para mim. Repito: **caso você sinta que o que escreve pode se tornar uma ajuda para os outros, envie para mim.**

Fase de cruzeiro • Semana 5

Semana 5
da minha dieta Dukan

Cole sua foto aqui

Minha "estratégia de felicidade"

Da necessidade de estar próximo da natureza

Pertencemos à natureza e descendemos de inúmeras espécies animais, que nos precederam. Por esse motivo, temos necessidade de viver em relação com a natureza: precisamos sentir "fisicamente" as mensagens que ela nos transmite. Sem dúvida, **podemos viver sem ela, mas o preço disso seria uma felicidade diminuída.**

Caminhar na floresta, sentir a terra exalar seus perfumes matinais, ouvir o vento sobre o mar calmo ou agitado, ficar emocionado com o espetáculo dos animais, apegar-se a algum deles, maravilhar-se com uma concha ou uma borboleta... essas estão entre as muitas oportunidades de fazer bem a si mesmo.

É como um "alimento cósmico" que produz, também ele, sua dose de serotonina, capaz de libertá-lo do alimento de compensação. Se achar que estou exagerando, é porque você perdeu parte desse instinto fundamental: o da relação com a natureza. Ainda bem que, aqui, você tem um campo de expressão que só está pedindo para ser explorado!

Autoavaliação:

- ☐ Sou louco pela natureza
- ☐ Posso muito bem viver sem ela
- ☐ Não consigo chegar a ela
- ☐ Vou pensar mais sobre isso

Minha foto da semana

O segredo da semana: não tenha medo de levar sua própria comida

Você quer emagrecer?

Faça com que todos ao seu redor o saibam. Você vai se sentir obrigado a fazê-lo. Pense da seguinte forma: "Estou tomando conta do meu corpo, estou lhe dando uma utilidade novamente, uma razão para existir." Não se esqueça de que seu corpo é parte de você: aquela parte que vive, sente, sofre ou se alegra.

Sem seu corpo, não espere estar plenamente feliz, e, ainda menos, encontrar um peso de equilíbrio e estabilizá-lo. Então, não abdique de seu corpo e não o abandone aos robôs! Os robôs... na aparência, estão lá para facilitar sua vida. Na verdade, eles o tornam preguiçoso, dependente de engenhocas que nada lhe trazem, mas sem as quais acaba se tornando difícil viver. O mesmo acontece com o tempo, que você não consegue controlar e que comprime sua existência. É também o caso da televisão, que o faz ficar um pouco mais em seu sofá. Voltar à idade da pedra está fora de questão, mas ter consciência das armadilhas de insatisfação que o levam a comer mais é de extrema importância. Então, revolte-se um pouco e carregue alegremente sua própria comida!

Minhas medidas esta semana

Circunferência peitoral:	Circunferência da cintura:	Circunferência dos quadris:	Circunferência das duas coxas:
....	....	....	....

Sugestões de cardápios para a semana

		Meu café da manhã	Meu almoço	Meu lanche	Meu jantar
SEGUNDA-FEIRA	PP	Bebida quente 1 panqueca de farelo de aveia Requeijão 0% de gordura	Ovo cozido com maionese Dukan Salmão grelhado Iogurte 0% de gordura com essência de pêssego	Iogurte 0% de gordura e sem açúcar	Pequenos *cannelés* aperitivos com queijo fresco **Frango tandoori com shirataki** Tofu cremoso batido com menta e cacau sem açúcar
TERÇA-FEIRA	PL	Bebida quente Leite desnatado Iogurte 0% de gordura	Salada de beterraba e rúcula Bife grelhado Abobrinha cozida no vapor Ricota light	Iogurte 0% de gordura e sem açúcar com essência de limão	**Mix de folhas e torradas com cottage** Filé de robalo ao forno com picadinho de legumes Creme caseiro de ovos
QUARTA-FEIRA	PP	Bebida quente 1 panqueca de farelo de aveia com cacau sem açúcar 1 omelete de claras com ervas finas Queijo frescal 0% de gordura	Sopa marítima à moda tailandesa com camarões e shirataki Omelete de caranguejo Iogurte 0% de gordura e sem açúcar com essência de coco	Queijo frescal 0% de gordura 2 biscoitos de farelo de aveia sabor avelã	Mousse de vieiras ou peixe branco magro **Ceviche de dourada em copinhos** Mousse de limão caseira
QUINTA-FEIRA	PL	Bebida quente 1 panqueca de farelo de aveia Requeijão 0% de gordura Iogurte 0% de gordura	Salada de tomate Posta de atum grelhada Ratatouille Queijo frescal 0% de gordura	Barra de farelo de aveia sabor chocolate Dukan Iogurte 0% de gordura, sem açúcar, com essência de baunilha	**Mousse de aspargos com salmão em copinhos** Vieiras ou peixe branco magro ao forno com gergelim e gengibre Purê de aipo Creme de chocolate e laranja
SEXTA-FEIRA	PP	Bebida quente Leite desnatado e/ou ricota light 0% de gordura	Vitela ou peito de peru Omelete de queijo fresco 0% de gordura Cottage 0% de gordura Ricota light	Lassi de manga (aroma)	Fatias de peito de peru **Hambúrguer Dukan** Sorvete caseiro de limão
SÁBADO	PL	Bebida quente Rabanada (com base de pão de farelo de aveia) Requeijão 0% de gordura Iogurte 0% de gordura	Camarões cinza Filé de peixe defumado com molho de limão e creme de leite light Chucrute Cheesecake Dukan	2 biscoitos de farelo de aveia sabor avelã	Salada de algas japonesas sukiyaki **Lasanha de berinjela à bolonhesa** Granitado de chá de jasmim
DOMINGO	PP	Bebida quente **Mingau à moda indiana com cardamomo** Ricota light + aroma de baunilha	Salada de tomate e ricota light Shiratakis à carbonara Panna cotta com geleia de maracujá	Iogurte 0% de gordura, sem açúcar, com essência de coco	Caldo de frango à moda tailandesa Mexilhões gratinados com queijo fresco, salsa e alho Flan de caramelo Dr. Dukan

Fase de cruzeiro • PP • Dia 22

Dia 22
da minha dieta Dukan

meu peso inicial:

meu peso atual:

total de kg perdidos:

meu peso ideal:

Panorama do seu 22º dia

Apenas proteínas para o dia de hoje, pois é um dia de ataque. Não se esqueça de comer muito e variar, variar, variar... Você não deve enjoar desses dias de PP que, dia sim, dia não, dão mais um pontapé para que seu projeto continue a avançar... Assim como o meu.

"Escapadas" da dieta

E se eu lhe dissesse que, hoje, você **pode sair da dieta e comer o que quiser?** Gostaria de saber o que você pensaria disso. E, principalmente, gostaria de saber o que você faria, uma vez que tivesse a autorização. Tenho certeza de que isso o faria pensar e hesitar. Antes, para tranquilizá-lo, devo dizer que isso é pura ficção. Você confiou em mim ao comprar este livro e eu devo levá-lo ao porto certo. Mas pense um instante: se fosse possível, **qual alimento ou qual prato mais o tentaria? Imagine... e guarde-o para mais tarde**, talvez, para uma refeição de gala, no final desta dieta.

minha mensagem de apoio para você

> *Vou retomar o curso do meu assunto de ontem. Falávamos da epidemia planetária do sobrepeso. Esse assunto tem sentido nesta sessão 'de apoio': **entendendo essa crise alimentar, você também vai entender por que VOCÊ engordou.** Vejamos. Vivemos em uma sociedade de consumo em que adquirimos o necessário e o acessório. Ora, é difícil **convencer um consumidor "empanturrado" a continuar a consumir.** Para conseguir fazê-lo, o sistema criou, então, novas necessidades que não fazem parte de nossa programação humana. E isso não foi simples... mas foi feito de duas maneiras.*
>
> *__Antes de mais nada,__ os americanos criaram os instrumentos do condicionamento científico: o marketing, a publicidade, o patrocínio, o recurso aos líderes de opinião remunerados, aos conselheiros etc.*
>
> *__Em seguida, foi preciso sabotar algumas de nossas necessidades naturais,__ que existiam justamente para nos dar prazer em viver... e que são gratuitas! Em meio século, o que a modernidade nos trouxe? Fez crescer a solidão (mais divórcios, relações cortadas entre membros de uma família...). A modernidade criou tensões no trabalho (fragmentação, falta de responsabilidade, mecanização...). Para terminar, poderíamos dizer que o corpo levou um golpe e foi cortado de suas necessidades naturais. A natureza foi domesticada, o habitat passou a ser calculado por metro quadrado, a brincadeira e o lúdico, condenados às telas. Deus foi esquecido e o belo ficou restrito aos museus!*
>
> *Os eletrodomésticos, a televisão, os telefones fixos e, depois, os celulares, os computadores, os tablets, a internet... tudo isso triunfou. Certamente, é bastante empolgante, mas muito superficial: além disso, **pagamos por essas coisas com um trabalho não apenas cada vez menos gratificante, mas também cada vez menos fácil de se encontrar.** Neste novo mundo, que evolui numa velocidade impressionante, o indivíduo perde suas referências. Ele fica cada vez mais vulnerável e estressado. Abandona suas principais fontes naturais de alegria em benefício de uma satisfação superficial.*
>
> *Como sofre por isso, para neutralizar o sofrimento resta ao indivíduo um dos mais intensos prazeres humanos: **a comida de gratificação** (doce, gordurosa e salgada). **Eis a primeira razão da crise do sobrepeso.** A necessidade surreal de produzir e consumir mais a cada ano resulta em uma epidemia do sobrepeso. Isso é algo muito importante a ser compreendido: isso deve lhe dar vontade de reconquistar um certo número de prazeres saudáveis, todos tão prazerosos quanto a comida, mas menos destrutivos. Continuo amanhã...*

Pierre Dukan

Fase de cruzeiro • PP • Dia 22

Sua receita de hoje
Frango Tandoori
com shiratakis (PP)

Minha lista de compras

- Farelo de aveia e farelo de trigo
- Requeijão 0% de gordura
- Ovos
- Maionese Dukan
- Escalope de vitela
- Frango
- Iogurtes 0% de gordura e sem açúcar
- Queijo fresco 0% de gordura
- Temperos para tandoori
- Tofu
- Menta ou aroma de menta

10 min | 12 min | 1 noite* | 4

* Marinada

4 escalopes de frango
2 iogurtes desnatados 0% de gordura
2 colheres (sopa) de tempero tandoori*
2 pacotes de shiratakis
Sal e pimenta-do-reino a gosto

1. No dia anterior, despeje os iogurtes em um recipiente e misture com o tempero tandoori. Corte os escalopes de frango com tiras. Deixe o frango marinando durante algumas horas ou a noite toda na geladeira.

2. No dia seguinte, leve uma panela com água ao fogo, até ferver. Escorra e lave os shiratakis com bastante água fria.

3. Coloque os shiratakis na água fervente e deixe cozinhar por 2 minutos. Escorra e passe novamente na água fria, para limpar.

4. Tire as fatias de frango da marinada e leve a uma frigideira antiaderente. Adicione sal e pimenta-do-reino, se necessário. Reserve a marinada. Quando o frango estiver cozido, adicione o restante da marinada. Mexa bem para esquentar todo o preparo.

* O tempero tandoori é uma mistura de especiarias indianas. Em geral é feito com cravo, canela, cardamomo, noz-moscada, pimenta-do-reino e cúrcuma.

Cesta de compras do dia

Hoje voltamos às proteínas. Foquemos nossas compras em um alimento-chave do meu método: o frango. **Tudo no frango é autorizado** (menos a pele). Não é necessário se limitar ao peito do frango, a coxa é mais saborosa. Se você gosta da asa, tire a parte da qual não se pode descolar a pele. Para reduzir a taxa de gordura do frango, adicione suco de limão durante o cozimento.

Exercício do dia

- **Jovem e ativo:** Hoje passaremos a 45 abdominais e faremos 17 agachamentos.
- **Mais de 50 anos e sedentário:** Hoje vamos tentar passar a vinte abdominais e a dez agachamentos.

Sua atividade física

Não sei a que horas você vem me ler neste diário de bordo. Caso seja de manhã, tente programar o mais cedo possível o tempo que dedicará ao seu corpo. Desconfie do rolo compressor que é o dia que passa e, frequentemente, esmaga esta resolução. **20 minutos de caminhada por dia, isso é tão pouco... Com algumas escadas que você vai subir aqui e acolá, é tudo o que lhe peço. É o mínimo dos mínimos!** Fazendo menos do que isso, é difícil falar em atividade física.

Cuidado! Não estou insistindo nisso apenas com o objetivo de fazer com que você queime calorias. Tenho um grande apego a esses 20 minutos pois foi provado que o esforço é capaz de lhe trazer o alimento mais precioso do mundo: a vontade de viver, através da liberação da serotonina e da dopamina. Não estou pedindo que fique viciado em atividade física, como certos maratonistas que usam a corrida como uma droga. Mas quero que você saboreie o esforço a cada minuto, a cada degrau, e eu chegaria a dizer a cada passo. Um músculo entorpecido pelo sedentarismo sofre quando você o faz trabalhar.

No entanto, passado o momento de adaptação, **chega o tempo em que esse mesmo movimento se torna agradável.** Pessoalmente, corro todas as manhãs, durante 25 minutos, e sinto aquilo que chamo de **"efeito canguru"**. Ao colocar os pés no chão, tenho a impressão de saltar como um tensor elástico: a sensação é realmente deliciosa.

Tente correr ao fim de sua caminhada, mesmo que seja por 5 minutos. Se conseguir fazer esse esforço durante cinco ou seis dias seguidos, vai sentir esse efeito canguru. É muito bom!

Fase de cruzeiro • PP • Dia 22

Seu ambiente de saúde

Você conhece a minha análise das causas profundas do sobrepeso. Caso tenha engordado o suficiente para que isso o incomode, é porque não comia para se alimentar, **mas para fabricar prazer.** Essa estratégia certamente lhe foi eficaz no plano do humor (pois, sem um mínimo de prazer, a vida se descolore, o ardor de viver se esgota, o que pode levar a um estado depressivo). Mas, agindo desse jeito, você ganhou peso. **Se quiser perdê-lo, vai ter de se privar dessa bengala alimentar.** A curto prazo, é possível: você vai emagrecer, principalmente sendo guiado por um diário de bordo bem-delimitado e estruturado. Mas, quando tiver perdido esse excedente de bagagem, sua personalidade e seus antigos hábitos podem retomar seus direitos. No plano que lhe proponho, previ uma fase de consolidação em que, durante um período de dez dias por quilo perdido, farei com que você **"suba na escada nutricional"**, para reeducar seu esquema alimentar.

Essa escada tem sete degraus: o **primeiro** é o das proteínas; o **segundo** é o dos legumes, ambos à vontade para o resto da vida; o **terceiro** degrau é de duas frutas por dia; o **quarto** é o de duas fatias de pão integral; o **quinto** é de quarenta gramas de queijo por dia; o **sexto** degrau é de duas porções de feculentos por semana; e, enfim, o **sétimo** degrau é o de duas refeições de gala por semana. Assim, você vai entrar no que chamo de "para o resto da vida". Nessa fase, você vai poder voltar à espontaneidade alimentar, respeitando três regras absolutas e não negociáveis, que são a "quinta-feira proteica", os 20 minutos de caminhada acompanhados do abandono dos elevadores e escadas rolantes e as três colheres de farelo de aveia por dia (essas três regras devem ser conservadas para o resto da vida).

Tudo isso é importante e cria uma linha de defesa saudável e segura. MAS não é uma segurança definitiva e absoluta contra o sobrepeso. Se você seguir perfeitamente esse plano, terá grandes chances de estabilizar seu peso. **Em contrapartida, existe uma pessoa contra quem ninguém poderá protegê-lo: você mesmo. Não você "frio e calmo", mas você "em sofrimento", pouco à vontade, contrariado, estressado, em dificuldades e que procura voltar a esse velho reflexo que o acalma, mas que o faz engordar.**

Por isso, evoquei alguns modelos de compensação alternativos que as pessoas que não engordam utilizam para suportar os aspectos negativos da existência. Na mesma ordem de ideias, amanhã vou descrever o prazer e o contentamento profundo que vem de algo extremamente simples: o prazer que você tem ao usar seu corpo. Até amanhã.

Sua motivação

Ontem evoquei um cenário que talvez não lhe dissesse respeito (ou não ainda): o da estagnação. Quis falar sobre ele antes mesmo que lhe aconteça, para que você esteja alerta e não se preocupe com esse fenômeno normal em um percurso de emagrecimento. Quis, sobretudo, evitar que você caia na armadilha que seu corpo pode lhe preparar.

Entretanto, se essa estagnação insistir em durar mais de quatro ou cinco dias, talvez você tenha de se fazer algumas perguntas. Talvez esteja saindo da dieta sem saber? Nesse caso, é preciso revisar bem todos os alimentos que consome e se assegurar de que fazem parte dos 100 alimentos autorizados.

Ou, então, talvez você esteja comendo muito sal e, com isso, esteja retendo líquido. Caso você seja mulher, talvez simplesmente esteja prestes a ficar menstruada. A retenção de origem hormonal termina assim que a menstruação chega. Se esse não for o caso e se a estagnação persistir, é importante falar com o seu médico e fazer um pequeno teste de tireoide, bastante simples. Se essa glândula for preguiçosa, seu médico vai saber fazê-la funcionar novamente.

Meu diário pessoal

Não passe direto por esta sessão. Escreva aqui o que hoje, em sua dieta, mais o interessou, intrigou ou surpreendeu. No fundo, este diário não é obrigatoriamente destinado à sua dieta, mas a qualquer assunto que seja importante para você. Pessoalmente, ainda muito jovem adquiri o hábito de escrever em um diário, do qual, por nada neste mundo, poderia me privar. Escrever exige que façamos passar uma imagem ou uma ideia incerta em palavras. O papel branco acolhe tais palavras com uma exigência de clareza e inteligibilidade. É excelente exercício para saber se expressar e se fazer entender.

Fase de cruzeiro • PL • Dia 23

Dia 23
da minha dieta Dukan

Meu peso inicial:

Meu peso atual:

total de kg perdidos:

Meu peso ideal:

Panorama do seu 23º dia

Hoje é um dia de descanso: **voltamos aos legumes.** Você vai poder ter prazer seguindo a dieta: saladas, legumes em papelote, gratinados com molho branco Dukan, purês de aipo, brócolis, cenoura, abóbora...

"Escapadas" da dieta

Hoje vamos nos preparar para um dia sem sair da dieta.

Aproveite o fato de ter direito a todos os legumes para se empanturrar de frescor. **Para começar, faça seu molho vinagrete. Vou lhe dar a receita novamente:** uma boa colher de (sopa) de mostarda à moda antiga, com grãos (a marca Maille é a minha preferida, mas é apenas uma sugestão); adicione cinco colheres (sopa) de vinagre balsâmico, duas colheres (sopa) de água (ou mesmo três, se não conseguir suportar bem a acidez do vinagre) e uma colher (café) de azeite (ou de qualquer outro óleo, mas, atenção: eu disse "colher de café").

Para os legumes cozidos, seja criativo: pense em misturas de sabores surpreendentes, com temperos exóticos, especiarias inabituais (coentro, pimenta forte, citronela, cominho, alho, canela, cúrcuma).

Você também pode associar os legumes a um peixe (aipo picadinho com linguado, por exemplo). Hoje, na hora do almoço, tente preparar um flã de baunilha (de baunilha de verdade, em fava) ou uma ilha flutuante com creme inglês e canela. Hoje colocaremos o cabo no meridiano Zero Escapada, você vai conseguir. Dia após dia, você vai chegar ao peso desejado e eu, certamente, não vou deixá-lo de lado.

Minha mensagem de apoio para você

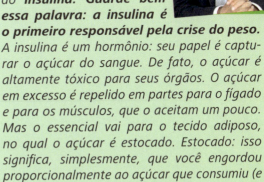

"Ontem evoquei a primeira razão da atual crise do sobrepeso: uma sociedade mercantil, na qual muitos seres humanos não podem mais viver a vida para a qual foram programados a princípio; seu corpo, sua mente e sua sensibilidade não encontram mais seu espaço.

A segunda causa do sobrepeso é de ordem puramente nutricional. Logo depois da guerra, a ciência oficial forjou um postulado errôneo: a equação calórica. De acordo com esse conceito, engordamos a cada vez que consumimos mais calorias do que gastamos. **Assim, bastaria reduzir a quantidade de calorias consumidas para emagrecer.** Se essa regra termodinâmica vale certamente para uma máquina, ela não se aplica de forma alguma a um ser vivo! O homem é cheio de emoções, de desejos, de necessidades: hoje, ele dispõe de um acesso ilimitado a um enorme número de tentações alimentares.

Além disso, segundo esse pensamento nutricional errôneo, **todas as calorias são iguais, qualquer que seja sua origem.** Isso seria verdadeiro se olhássemos as calorias isoladas, como energia disponível. Mas, a partir do instante em que entram na boca, as calorias são digeridas, assimiladas e utilizadas de maneiras diferentes. Por exemplo, cem calorias de açúcares ou gorduras demandam ao corpo quatro calorias para serem digeridas e assimiladas. Enquanto isso, as proteínas fazem com que o corpo "trabalhe" muito mais: cem calorias de proteínas mobilizam 32 calorias para a digestão (ou seja, oito vezes mais que os açúcares e as gorduras).

Falemos de maneira clara: o homem não foi programado para consumir açúcar. Durante a maior parte de sua história o homem viveu como caçador/coletor. Chegava a consumir, no máximo, 4kg de açúcar por ano (vindos de gramíneas ou de frutas selvagens). Enquanto isso, um americano consome, hoje, 85kg de açúcar por ano (sob forma extremamente refinada).

Assim que você consome açúcar, sua glicemia se eleva e seu corpo reage secretando **insulina. Guarde bem essa palavra: a insulina é o primeiro responsável pela crise do peso.** A insulina é um hormônio: seu papel é capturar o açúcar do sangue. De fato, o açúcar é altamente tóxico para seus órgãos. O açúcar em excesso é repelido em partes para o fígado e para os músculos, que o aceitam um pouco. Mas o essencial vai para o tecido adiposo, no qual o açúcar é estocado. Estocado: isso significa, simplesmente, que você engordou proporcionalmente ao açúcar que consumiu (e que foi transformado em gordura).

O corpo se acostuma ao consumo de açúcar. Privado de açúcar, seu corpo pede por ele. Seu corpo fica com fome e cansado: ele quer que você continue a alimentá-lo e não quer se mexer.

O que o faz engordar não são as proteínas, nem as gorduras mas, principalmente, os glicídios. Se você quiser emagrecer e não engordar novamente, deve aceitar esse fato. Você deve começar por eliminar esses açúcares contidos nas farinhas, cereais, bebidas doces, pão branco, feculentos (como a batata), arroz e frutas. Quando tiver emagrecido, vai ter de se acostumar a considerar esses alimentos como mercadorias comestíveis que engordam. E não vai poder abusar deles. **Foi nessas bases que construí o meu método.**"

Pierre Dukan

Fase de cruzeiro • PL • Dia 23

Cesta de compras do dia

Hoje, como você pode comer legumes, pense nas saladas, que podem ser consumidas bem frescas. TODAS as saladas verdes são bem-vindas. Elas trazem muitas vitaminas. A alface clássica, a crespa, a romana, para os que gostam de uma textura crocante, a endívia, a escarola, a rúcula (uma maravilha nutricional), brotos de espinafre... existem para todos os gostos!

Minha lista de compras

- Beterraba, rúcula, abobrinha, alface
- Bife
- Queijo fresco 0% de gordura
- Iogurtes 0% de gordura e sem açúcar
- Queijo frescal 0% de gordura
- Robalo
- Legumes picados sortidos
- Ovos
- Leite desnatado

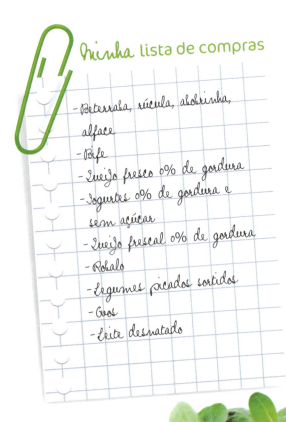

Sua receita de hoje
Mix de folhas
e torradas com cottage

 10 min   5 min   4

200 a 300g de quatro folhas misturadas (alface lisa, crespa, escarola, agrião...)
1 chalota
1 cebola
Algumas folhas de manjericão
Alguns caules de cebolinha
6 colheres (sopa) de molho para salada Dukan
½ colher (sopa) aroma de mel
Cottage 0% de gordura)
2 panquecas de farelo de aveia
Estragão (opcional)

1. Lave as folhas e disponha-as de maneira variada em quatro pratos.
2. Corte a chalota e a cebola.
3. Em um recipiente, despeje o molho para salada e adicione o aroma de mel, a chalota picada e a cebola cortada para preparar o molho vinagrete. Reserve.
4. Corte cada saint-pierrelin em quatro pedaços, assim como as panquecas de farelo de aveia. Disponha um quarto de saint-pierrelin sobre um quarto de panqueca. Derreta o queijo na grelha durante alguns minutos.
5. Disponha as torradas em quatro pratos, sobre a salada, e adicione o molho vinagrete. Salpique com cebolinha picada, manjericão e um pouco de estragão, se desejar.

Seu ambiente de saúde

Hoje eu confirmo o que lhe disse ontem: a comida não é o único meio para você se sintir melhor. Há outras maneiras de fabricar prazer para neutralizar ou diminuir o estresse e os sofrimentos do cotidiano. É verdade, você certamente constatou: **quando você está com fome e come, para de sofrer. Uma ferida pede um curativo. Um sofrimento se apaga na presença de algo prazeroso.** Se você engordou, é porque buscou um complemento de prazer para neutralizar uma dificuldade ou um mal-estar. Talvez, esse recurso tenha se instalado desde quando você era muito pequeno (costuma ser o caso das crianças que durante muito tempo chuparam o dedo, usando-o como um artifício afetivo, um substituto maternal). No entanto, você deve entender que o alimento não é o único provedor de prazer. **Alfred de Musset já disse: "Que me importa o frasco, desde que se consiga a embriaguez?" Então, para o futuro, proponho a você que... mude de frasco!**

Evoquei a sexualidade em seu sentido amplo (familiar, amoroso). Falei do posicionamento na sociedade, mencionei o trabalho, a brincadeira e o jogo, o lar, o pertencimento a um grupo. **Agora, vou falar do prazer de fazer seu corpo funcionar.** Talvez você esteja decepcionado com a simplicidade do que lhe proponho. Mesmo assim, pense um pouco. Você tem um corpo, que é sua morada: é a sua própria metade, na qual centenas de músculos, ossos, ligamentos, tendões e, principalmente, nervos sensíveis e motores têm uma função e uma razão de existir. Como podemos deixar esse conjunto prestigioso em repouso? Como podemos abandonar esse corpo tão extraordinário? Se não cuidarmos dele, em breve, sofreremos as consequências. **A evolução previu uma punição para o não uso desse instrumento vital. Em contrapartida, somos recompensados quando cuidamos bem do nosso corpo.**

Hoje, nós realmente não precisamos nos mexer: as máquinas substituíram todas as tarefas que consideramos como "ingratas". No entanto, você conhece os esportistas naturais: essas pessoas apaixonadas pelo uso de seu corpo, que têm prazer em se movimentar. Basta olhar o corpo de cada um deles para sentir, intuitivamente, que o amam e se utilizam dele como um instrumento para obter o bem-estar. Os que amam os esportes treinam seus corpos à maneira dos monitores de equitação, que sempre saem e montam seus cavalos, para os quais se movimentar é tão fundamental e prazeroso quanto a própria comida. E o tagarela que sou já ultrapassou sua cota e voltará amanhã para continuar a falar sobre o mesmo tema...

Fase de cruzeiro • PL • Dia 23

Força

Sua motivação

Alguma coisa me diz que, hoje, você precisa de mim: você está precisando de apoio e de motivação. Chegou ao fim do seu primeiro mês de dieta… e é possível que sua motivação esteja sufocada. É claro que existem muitas pessoas que avançam em sua dieta sem protestar. Às vezes, encontro-as na rua, elas me reconhecem e vêm me contar seu percurso. Sempre lhes pergunto: "Fale a verdade, em momento algum você se sentiu entediado ou achou que a dieta era muito monótona?" E, assim, ouço uma grande e sonora risada: "De forma alguma!" Bom, nem sempre é o caso, reconheço. **No entanto, a maioria das pessoas que utilizaram meu método fica surpresa por ser capaz de segui-lo depois de muitos e muitos anos de angústia e renúncia.** A sensação de controle, de vitória sobre si mesmo e de reencontrar a autoconfiança é excelente motor quando vemos que é tão simples e fácil de se ter. Hoje, então, venho até você com os braços carregados de conforto e simpatia. Sei que não engordou por acaso. Sei que o esforço que faz no sentido contrário o faz crescer. Como me sinto um pouco responsável por você, venho trazer um reforço. É claro que seria ainda melhor se você estivesse na minha frente. Mas vamos fazer como se você estivesse… Enfim, se, porventura, eu tiver me enganado e você não estiver precisando de um apoio moral, coloque seu marcador de páginas aqui e venha reler minha mensagem quando estiver precisando.

Exercício do dia

- **Jovem e ativo:** Hoje vamos manter 45 abdominais e 17 agachamentos.
- **Mais de 50 anos e sedentário:** Hoje vamos manter vinte abdominais e dez agachamentos.

Sua atividade física

Como já anunciei que hoje seria um dia de **Zero Escapada**, gostaria que fizéssemos uma "rodada completa", de modo que este também seja um dia "maxifísico". E se hoje você tentasse arrumar tempo para fazer uma caminhada de UMA HORA, além dos seus exercícios? Seria formidável!

Você se sente capaz de realizar esse desafio? Para lhe dar mais potência ainda para este dia, beba dois litros de água e consuma o mínimo possível de sal. Com isso, você tem a receita do sucesso. Pese-se amanhã, antes de tomar o café e depois de ter ido ao banheiro: você vai ver o que vai lhe acontecer!

Meu diário pessoal

Vou deixar um pouco mais de espaço que o normal para que você venha se confidenciar com seu diário. Durante o dia, busque o que vale a pena ser escrito. Se não tiver espaço o suficiente nesta coluna, compre um caderno, um belo caderno, o qual você vai guardar (é muito raro que alguém jogue um diário fora...).

Fase de cruzeiro • PP • Dia 24

Dia 24
da minha dieta Dukan

meu peso inicial: ....

meu peso atual: ....

total de kg perdidos ....

meu peso ideal: ....

Panorama do seu 24º dia

Vamos retomar a velocidade e a potência do dia PP. Os dias passam e, inevitavelmente, levam à vitória e ao peso desejado, então, não pense em nada além disso, e continue firme.

Olhe bem para a foto destes pedaços de salmão bem dourados na chapa. Eles são seus, assim como tantas outras coisas.

Sua motivação

Hoje, nada de pensar demais! Começamos este percurso cotidiano juntos, esse percurso em que você decidiu pegar o touro pelos chifres e afrontá-lo impiedosamente. VOCÊ SABE que tem razão, pois, de fato, uma dieta não é algo prazeroso... Mas o que ela pode lhe proporcionar é infinitamente mais importante que os eventuais desagrados que representa.

Eu já lhe disse que diversos pacientes afirmam para mim: **"Seguindo seu plano e emagrecendo tenho mais prazer em emagrecer que antes, comendo como eu comia."** Como não posso vê-lo sentado diante de mim, posso somente imaginar seu caso. Todavia, qualquer que seja sua idade e qualquer que seja seu sexo, sei, por experiência, como você reage quando sente que a balança lhe obedece. Sempre que conseguimos nos impor uma tarefa difícil e ter SUCESSO, nos sentimos fortes, senhores de nós mesmos e livres — trata-se de uma felicidade universal. Sucesso: há nesta palavra uma espécie de hino à alegria e ao contentamento.

Os paleontólogos insistiram muito no *Homo faber*, o homem que faz. Milhões de anos depois, "fazer" continua a ser nossa principal fonte de contentamento. Não sei se você é como eu... mas, quando consigo riscar em minha agenda todas as atividades que consegui realizar durante o dia, sinto-me muito bem. **Então, quando alguém consegue emagrecer, retomando as rédeas da própria vida, imagino que fique singularmente feliz.** Espero, do fundo do meu coração, que seja o seu caso. Siga em frente.

Minha mensagem de apoio para você

"

Ontem falei sobre os primeiríssimos responsáveis nutricionais pelo sobrepeso: os glicídios, ou carboidratos, reagrupados na nomenclatura geral de açúcares, no plural (o singular designa o açúcar branco de cozinha ou a sacarose). Sei muito bem que, ao longo desta dieta, você não pode consumir açúcares. **Mas sei também que, se você engordou, é porque comeu açúcares em abundância;** *sejam os glicídios açucarados como os dos artigos de confeitaria ou guloseimas, sejam os glicídios que não são doces, como... a lista é longa: massas, pão branco, arroz, batata (e tudo que é feito de farinha), biscoitos, pizza, cuscuz... Já falei sobre a responsabilidade desses alimentos na origem do sobrepeso. Continuarei a falar a respeito, pois não se trata de um detalhe, mas do coração do problema.*

Escute bem o que vou lhe dizer, pois é importante para o futuro do seu combate contra o sobrepeso: quando engordamos, isso sempre acontece porque consumimos glicídios em excesso. *Em contrapartida, quando queremos emagrecer, devemos sempre eliminar os glicídios (em um primeiro momento, depois, reduzi-los). Espero que, agora, as coisas entre nós estejam bem claras.*

Se insisto tanto nisso é porque a experiência me ensinou duas coisas. A primeira é que, se você seguir as fases de ataque e cruzeiro, vai chegar ao peso desejado. Mas é a partir desse ponto que se deve verdadeiramente tomar cuidado, pois, como você sabe, meu método tem duas fases essenciais...

Algumas pessoas podem pensar que são suficientemente fortes e prevenidas para não seguir nenhuma das duas últimas fases da minha dieta (consolidação e estabilização). Mais cedo ou mais tarde vão voltar a ganhar parte ou a totalidade do peso perdido.

Outros começam a terceira fase, de consolidação... mas não vão até o fim. Alguns, que chegam ao fim da terceira fase, estimam-se suficientemente autônomos para evitar passar à quarta fase, de estabilização, para o resto da vida (que tem apenas três medidas simples e pouco dolorosas). Eles vão ganhar "apenas parte" do peso perdido.

Enfim, existem aqueles que vão até o fim (30% das pessoas que começaram a seguir meu método, estatisticamente). Tais pessoas emagreceram e vão se estabilizar definitivamente.

Hoje estou aqui para lhe dar a CERTEZA de que, se seguir meu diário de bordo com precisão, vai se livrar do seu sobrepeso para o resto da vida. *Trinta por cento... ainda não é uma taxa de êxito perfeita, mas é muito melhor que a das dietas tradicionais (3% de resultados positivos em três anos). Além disso, como você sabe que seu sobrepeso é um fardo que o atrapalha em diversas esferas da vida, VOCÊ DEVE, definitivamente, pensar desde já o que vai fazer quando tiver chegado ao seu Peso Ideal. Eu o terei acompanhado até o fim da primeira parte da viagem (fases um e dois do meu método). Você me deve o comprometimento de terminar, comigo ou sem mim, a segunda parte da viagem.*

"

Pierre Dukan

Fase de cruzeiro • PP • Dia 24

Cesta de compras do dia

Sua receita de hoje

Ceviche de dourada em copinhos

Não se esqueça da dourada, que é um peixe de grandíssima qualidade, tanto no plano nutricional quanto no qualitativo. Peixe semigorduroso, a parte mais macia e gordurosa de sua carne se encontra no peito. Como também é essa parte que contém a maioria das espinhas, você pode tirar essa carne com um garfo, deixando as espinhas fixadas à espinha central.

Outra parte muito apreciada por aqueles que gostam de peixe fresco é a cabeça. Para comê-la de forma adequada, peça ao seu peixeiro que corte-a em duas partes, e grelhe-as em uma chapa ou em uma frigideira ligeiramente untada com azeite. As duas partes devem ficar bem cozidas por fora e macias por dentro.

O ideal para a dourada é a chapa. Se você não tem uma, faça o esforço de comprar: existem algumas a preços bastante razoáveis. Aproveite para grelhar algumas fatias de limão e de alho para adicionar ao prato.

10 min | 6h* | 4

* Marinada

4 colheres (café) de azeite
Suco de 2 limões
Raspas de ½ limão
30g de gengibre fresco
1 filé de dourada
Flor de sal a gosto
Pimenta-do-reino a gosto
½ cebola roxa cortada
Coentro picado a gosto

Esta receita contém a dose de azeite autorizada para um dia.

1. Prepare a marinada misturando o azeite, o suco de limão, as raspas de limão e o gengibre bem picado. Misture todos os ingredientes, tempere e verifique o equilíbrio do tempero para, em seguida, reservar na geladeira.

2. Descasque e pique as cebolas em fatias bem finas. Mergulhe-as durante 2 horas em um recipiente com água fria. Lave, desfolhe e corte o coentro.

3. Corte o filé de dourada em pedaços bem finos, com a ajuda de uma faca bem afiada, e disponha num prato. Despeje a marinada sobre o peixe. Cubra tudo com papel-filme e deixe marinando durante uma tarde inteira.

4. Na hora de servir, escorra as cebolas. Divida a cebola sobre o peixe, cubra com folhas de coentro e coloque tudo em copinhos. Deguste bem frio.

"Escapadas" da dieta

Quando falamos de escapadas da dieta, pensamos em um caminho bem-traçado, bem-seguido... e, bruscamente, em um desvio, uma saída da rota! **Sair da dieta é mudar de trajetória.** Quando se está no caminho do meu método, depois de se ter "decolado" ao seguir os poucos dias da fase de ataque, com seus resultados impressionantes e encorajadores, entra-se na fase de cruzeiro: é na qual você se encontra, com seus dias de proteínas puras (PP) e seus dias de proteínas e legumes (PL).

Você aceitou se lançar na dieta, então, por que sairia dela? Estou ouvindo seus pensamentos, que dizem: "Ele não conhece nada da mentalidade das pessoas com sobrepeso!" Ora, evidentemente que conheço! Minha pergunta é falsamente ingênua. Sei muito bem que, com a ajuda do tempo que passa, o canto das sereias se torna ainda mais alto e ressoa, justo e caloroso, em seus ouvidos. Então, ouça-me

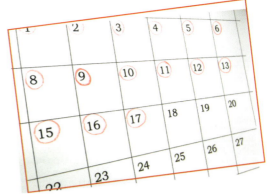

bem. Você está prestes a concluir o primeiro mês de dieta. **Se meus cálculos estiverem corretos, você provavelmente perdeu 4, 5 ou mesmo 6kg.** Se seu objetivo era perder 10kg, você já está no meio do caminho. E isso não é maravilhoso? Gosto de pensar que você vai concordar comigo. Então, segure firme! Cada dia que passa é um dia riscado no quadro de suas pequenas misérias: os bons momentos estão por vir!

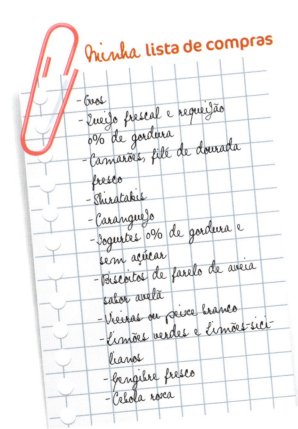

Exercício do dia

- **Jovem e ativo:** Hoje faremos 45 abdominais e 17 agachamentos.
- **Mais de 50 anos e sedentário:** Hoje vamos continuar com vinte abdominais e dez agachamentos.

Fase de cruzeiro • PP • Dia 24

Seu ambiente de saúde

Ontem eu não consegui terminar minha apresentação sobre **a necessidade fundamental de fazer com que seu corpo viva e se movimente.** Fazer com que seu corpo funcione, esse corpo no qual você vive, pode lhe trazer grande estímulo para viver! Ao mesmo tempo, abandonar seu corpo pode levar ao cansaço, ao pessimismo e à intolerância ao estresse.

Você quer uma prova do que estou falando? Estudos muito sérios e frequentemente confirmados provaram que a atividade física regular (digamos, apenas 25 minutos, cinco vezes por semana) libera uma ótima quantidade de serotonina e dopamina, dois mediadores químicos entre os mais extraordinários do mundo. A serotonina gera alegria e prazer de viver, enquanto a dopamina sustenta a vontade de estar vivo (o exato oposto da depressão, em suma).

Você, que está tentando emagrecer e que não pode mais se apoiar na bengala alimentar, MEXA-SE, e faça-o regularmente, posso garantir que você vai se sentir mais vigoroso, mais em forma. **Se prestar bastante atenção ao que seu corpo e sua mente dizem, vai se sentir melhor, mais realizado e feliz.** Basta caminhar entre 20 e 30 minutos por dia.

Sua atividade física

Vamos lá: hoje, vamos NOS MEXER! Você vai se preparar psicologicamente para realizar seus 30 minutos de caminhada. Hoje, faça um pequeno esforço a mais: tente caminhar um pouco mais rápido que o normal (eu disse "um pouco mais rápido"). Aumente a velocidade pelo menos **até sentir seu coração bater.** Se quiser que seu esforço o ajude a emagrecer (queimando um pouco de sua gordura), mas que também o faça secretar **estas duas fadas que são a serotonina e a dopamina**, é indispensável que sinta seu coração bater mais rápido. A serotonina e a dopamina vão fazê-lo amar a vida: elas melhoram seu trabalho cardíaco, protegem seu coração, sua pressão arterial e sua circulação cerebral.

Quando seu coração bate mais rápido, irriga melhor seu corpo e seus órgãos, tornando-os adaptáveis a um eventual acidente de percurso. Muitas pessoas têm um coração que se parece com esses belos carros esporte dirigidos pelos avós mais ricos, que nunca passam de 80km/h; esses carros estão bridados... e não suportam o esforço quando o neto pega o volante e tenta acelerar na estrada. É exatamente o que acontece com uma bomba cardíaca humana.

Então, siga esta palavra de ordem: **hoje, vamos acelerar o passo até sentirmos nosso coração bater!**

serotonina e dopamina

Meu diário pessoal

Não deve existir um dia sequer em que você não tenha nada de particular para expressar, não é possível! Não deixe suas ideias, observações ou sensações que devem ser registradas se dissiparem no fundo das gavetas do seu cérebro.

Fase de cruzeiro • PL • Dia 25

Dia 25
da minha dieta Dukan

meu peso inicial:

meu peso atual:

total de kg perdidos:

meu peso ideal:

Panorama do seu 25º dia

Eis que os legumes voltam a estar à sua disposição. Não sei se você tem a sorte de gostar deles. Todavia, sei que o hábito é uma segunda natureza. Pascal dizia: "Coloque-se de joelhos, reze, depois implore: em breve, começará a acreditar." O mesmo acontece com muitas coisas, e particularmente com os hábitos alimentares. Lembre-se que, em toda a minha vida profissional, **nunca encontrei um único obeso que me afirmasse adorar legumes.** Então, hoje, aproveite-os: eles são todos seus.

Sua motivação

Todos os dias eu me encontro diante de um papel em branco com este título estranho: "Motivação." E todos os dias pergunto a mim mesmo como vou motivar meu leitor sem saber quem ele, ou ela, é e, principalmente, quanto peso ele, ou ela, perdeu. **Minha experiência me diz que, tendo chegado ao 25º dia de cruzeiro, você deve ter perdido 4kg** (um pouco mais se tinha muito peso a perder — como, por exemplo, 5 ou 6kg se tinha um excesso de peso de 20kg — ou 3-4kg, se tinha apenas 8 a 10kg a perder).

Em contrapartida, penso que se você não perdeu peso é porque não teve o impulso ou o entusiasmo necessários a esse tipo de desafio. Nesse caso, em que ponto estamos? De duas, uma: ou de tempos em tempos você se esquece de retomar o fio abandonado, ou, pura e simplesmente, deixou o combate para mais tarde, quando voltar a se sentir motivado. O que me consola é pensar que, certamente, você já não está mais me lendo... mas está conservando este diário de bordo para mais tarde.

Como sou do tipo otimista, prefiro pensar que você perdeu 4kg e que seu moral está aí, firme e forte. Nesse caso sua motivação, essa energia que vem das profundezas de sua vitalidade animal, está bem presente. Então, fico muito feliz e lhe peço que continue. O fim se aproxima, dia após dia, quilo após quilo perdido.

Minha mensagem de apoio para você

"**Ainda não terminei de falar sobre os açúcares, pois esse assunto está longe de ser algo sem importância.** Os açúcares são o ponto incandescente do seu problema... e também sua solução. No plano nutricional, essa família de alimentos a que chamamos de glicídios é a ÚNICA responsável pelo sobrepeso.

Nos anos 1950 o sobrepeso ainda não tinha chegado ao ponto que chegou atualmente. As pessoas com sobrepeso eram entre 1 e 2 milhões, ou seja, de 12 a 15 vezes menos que hoje. Foi mais ou menos nessa época que, nos Estados Unidos, por motivos econômicos óbvios, inocentou-se o açúcar e, ao mesmo tempo, colocou-se a culpa nas gorduras e no colesterol, que foram classificados como os únicos responsáveis pela enorme frequência de infartos naquele país.

Desse modo, **a indústria agroalimentar** obteve o direito de produzir em excesso todos os açúcares e guloseimas possíveis... com as consequências que imaginamos para o sobrepeso e o diabetes. Também com seus interesses, **a indústria farmacêutica** se ocupava das pessoas que, tendo abusado desses alimentos, foram afetadas por doenças crônicas que necessitavam de tratamentos caros e prolongados. **Desde então, essa "partilha do espólio" criada nos Estados Unidos se propagou pelo mundo inteiro.** E, veiculada pela potência colossal dos lobbies internacionais do açúcar, da farinha, do milho e dos medicamentos, continua a agir atualmente.

Ninguém tem poder suficiente para se opor a esses titãs econômicos, nem mesmo os políticos, e ainda menos as associações ou a vigilância sanitária. Atualmente, ainda se insiste em fixar como norma **uma taxa de 55% a 60% de glicídios** na alimentação cotidiana! Essa taxa, **decretada em 1950, sequer leva em conta a generalização do sedentarismo ao longo dos últimos sessenta anos.** Na verdade, continuamos a colocar gasolina na reserva de um carro que não anda mais e ficamos surpresos ao vê-la transbordar. Continuaremos a falar dos 'açúcares' (glicídios ou carboidratos) amanhã, nesta mesma coluna."

Pierre Dukan

Fase de cruzeiro • PL • Dia 25

Sua receita de hoje

Mousse de aspargos com salmão
em copinhos

15 min — 2h — 4

Cesta de compras do dia

Hoje, como é um dia de legumes, **pense nos aspargos.** Eis um legume extremamente pobre em calorias. Ele pode ser comprado fresco ou em conserva. Não sei se esse legume faz parte dos que você gosta. No entanto, ele é verdadeiramente delicioso. Em conserva, depois de terem passado um mês amolecendo no pote, aspargos grandes, ou mesmo bem grandes, derretem na boca. Com um pouco de vinagrete de vinagre balsâmico, fica perfeito. Experimente, tenho certeza de que você vai gostar. O único problema é o preço... mas vale a pena comê-lo de vez em quando.

2 fatias de salmão defumado
2 quadradinhos de queijo fresco com alho e ervas finas
1 lata pequena de aspargos verdes
Clara de 1 ovo
8 colheres (sopa) de requeijão 0% de gordura
Suco de 2 limões
1 colher (sopa) de cebolinha picada + 4 caules
4 colheres (sopa) de ovas de salmão (ou de truta ou caviar)
Dill ou endro, sal, pimenta-do-reino a gosto

1. Corte o salmão em pequenos pedaços. Regue-os com o suco de 1 limão e salpique com o dill. Cubra com filme plástico e reserve na geladeira.

2. Cozinhe os aspargos por aproximadamente 3 minutos em água fervente. Esmague ou bata para formar uma pasta, guardando 4 para decoração, e regue-os com o suco do segundo limão. Bata a clara em neve até que fique bem firme, e misture com o preparo. Tempere e divida a metade do preparo em copinhos.

3. Em um recipiente grande, misture o requeijão, o queijo fresco com alho e ervas finas, a cebolinha picada, sal e pimenta-do-reino a gosto. Divida a metade do preparo nos copinhos, formando uma segunda camada.

4. Em seguida, adicione a metade do salmão em uma terceira camada e repita a operação: mousse de aspargos, requeijão e salmão defumado. Termine com algumas ovas de salmão e um caule de cebolinha. Reserve na geladeira durante 2 horas e sirva gelado.

Minha lista de compras

- Queijo fresca e requeijão 0% de gordura
- Tomates, pimentões vermelhos, cebolas, abobrinhas
- Atum
- Barras de farelo de aveia Dukan
- Iogurtes 0% de gordura sem açúcar
- Aspargos
- Salmão defumado
- Cottage 0% de gordura
- Limões
- Ovas de peixe
- Vieiras
- Purê de aipo
- Aroma de laranja

Seu ambiente de saúde

Se você está fazendo minha dieta sabe que nela as proteínas são essenciais. Mas, talvez, você tenha ouvido alguns rabugentos dizerem: "Parece que comer proteína demais pode acabar com os seus rins." Pois bem, o que posso lhe dizer é que **não apenas isso é mentira como o contrário é verdade.** Todos os nefrologistas sabem que, quando temos rins normais, podemos comer a quantidade de proteínas que quisermos, sem qualquer problema.

Em minha vida profissional tive a oportunidade de aplicar minha dieta a pessoas que tinham apenas um rim funcionando bem (fosse de nascença, fosse por conta de um problema de saúde). Acompanhei esses casos particulares — sessenta no total — aplicando, a cada semana, testes biológicos de acompanhamento do funcionamento do rim. Nunca observei qualquer complicação.

Mas isso não é tudo. **Em 2011, um estudo americano com ratos diabéticos, cujos rins se encontravam em estado terminal de insuficiência renal, mostrou que uma alimentação cetogênica (rica em proteínas e em lipídios) pode regenerar o tecido renal e melhorar o funcionamento dos rins.**

Então, se você ouvir um rabugento tentar dar uma de esperto falando sobre seus rins, fale sobre esse estudo americano: Poplawski M. M. *et al.*, "Reversal of diabetic nephropaty by a ketogenic diet", *PLoS One*, 2011, 6(4):e18604.

179

Fase de cruzeiro • PL • Dia 25

Sua atividade física

Hoje, mais uma vez, vou pedir que você se mexa para ajudar seus quilos a desaparecerem. Diria que vamos "adicionar inclinação" aos seus quilos... Imagine que, neste momento, você está em um caminho em declive: seu esforço para emagrecer é como deixar escorrer seu sobrepeso cotidiano, como um fluxo de água descendo em um caminho inclinado.

Hoje vamos aumentar a inclinação para que esse peso que escorre deslize um pouco mais rapidamente. O objetivo é obter o melhor resultado possível neste dia de proteínas e legumes. Você vai ter de arrumar meia hora a mais em seu dia (meia hora a mais que a sua meia hora de exercício habitual).

Já estou ouvindo você me dizer que não é possível, que tem obrigações sociais ou profissionais. Provavelmente, é verdade... mas, justamente, você vai ver que o tempo pode ser administrado com alguma organização.

Pegue um papel e escreva o que você tem para fazer. **Escreva, antes, o que é realmente prioritário, depois o menos prioritário, em seguida o acessório** (deixe de lado o que for supérfluo). Tente relacionar cada atividade a um horário.

Por exemplo, você vai fazer o que é indispensável ao meio-dia e às 15h30; o que é prioritário (quatro elementos) às 16h30, 17h30, 19h e 20h etc. Quando tiver atribuído um horário a cada coisa que deve fazer hoje, tenho certeza de que vai conseguir encontrar a tal meia hora a mais para o seu exercício.

Se você pensar com bom senso, vai concordar comigo que essa meia hora vai lhe fazer um bem enorme. Ela vai aumentar muito a sua energia!

Essa meia hora a mais que você encontrou organizando sua agenda é uma das raras atividades do dia que são totalmente destinadas a você.

Não nos damos conta de tudo que fazemos pelos outros (para o chefe, para a sociedade etc.) **e, ao mesmo tempo, reclamamos de não ter tempo de agir por nós mesmos.** É necessário interessar-se por si mesmo, não por egocentrismo, mas porque, quando estamos bem, todos são beneficiados.

Exercício do dia

- **Jovem e ativo:** Hoje faremos 45 abdominais e 17 agachamentos.
- **Mais de 50 anos e sedentário:** Hoje vamos manter vinte abdominais e dez agachamentos.

"Escapadas" da dieta

Imagino, às vezes, que você tenha sucumbido à tentação... e que tenha se deixado levar por uma vontade de sair da dieta. E então? Alguém morreu? De forma alguma, apenas um tempo morto, nada mais. Sentir-se culpado de nada serve, uma vez que a escapada aconteceu. O que se deve fazer é evitar dizer a si mesmo que, com isso, o dia foi perdido. Você deve, simplesmente, adicionar um elemento de correção... como beber um pouco mais de água, caminhar mais e apoiar-se na escapada para se esforçar mais, em vez de ceder a ela e deixá-la fazer com que você se sinta mais fraco. Lembre-se bem: tanto para engordar quanto para emagrecer, "tudo acontece dentro da sua cabeça". **Engordamos para evitar o mal-estar e só podemos emagrecer bem e de maneira durável para nos fazer bem.** Fuja de qualquer método que proponha uma punição para emagrecer, pois ele será instável e difícil de seguir.

Meu diário pessoal

O que você tem para escrever em seu diário hoje? Alimentar-se é uma atividade vital para todo o reino animal. No homem, a alimentação perdeu parte de sua animalidade para ser culturalmente sublimada e tornar-se parte fundamental da condição humana. **Alimentar-se continua a ser a única atividade vital, sem a qual a vida definha e, depois, se apaga.** É provavelmente por isso que tal atividade se uniu a uma ideia de recompensa tão prazerosa.

Esta é uma reflexão interessante: como viver a riqueza dessa pulsão vital... sem cair no vício, na doença e no sobrepeso? A palavra está com você!

Fase de cruzeiro • PP • Dia 26

Dia 26
da minha dieta Dukan

| meu peso inicial: | meu peso atual: | total de kg perdidos: | meu peso ideal: |

Panorama do seu 26º dia

Dia de combate: sem legumes. Tente apoiar-se neste dia para continuar seguindo sua dieta com perfeição, para ver o ponteiro da balança APONTAR PARA BAIXO. Não se esqueça de beber 1,5 a 2l de água, consumir duas colheres (sopa) de farelo de aveia e fazer seus 30 minutos de caminhada.

Seu ambiente de saúde

Se você tem um fígado sensível ou cansado, a dieta que lhe proponho é a melhor solução. Ela tem valor de tratamento, pois é muito pobre em gorduras, totalmente desprovida de álcool e sem queijos fermentados. Além disso, seu alto teor de legumes a transforma em excelente vetor de desintoxicação.

Comer alcachofra é ótimo: é um legume presente em inúmeros medicamentos de purificação hepática. Quanto às proteínas, essas têm a vantagem de serem digeridas e assimiladas sem sobrecarregar o fígado, enquanto que as gorduras, os açúcares e o álcool exigem muito dele. **É a calmaria para o seu fígado...**

Exercício do dia

- **Jovem e ativo:** Hoje faremos 45 abdominais e 17 agachamentos.
- **Mais de 50 anos e sedentário:** Hoje vamos continuar com vinte abdominais e dez agachamentos.

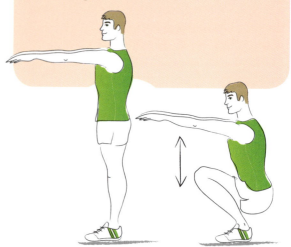

Minha mensagem de apoio para você

"Estou me dando conta de que ainda não acabei de falar sobre os 'açúcares'. Para alimentar um ser vivo existem apenas três nutrientes universais: as proteínas, os lipídios (ou gorduras) e os glicídios (ou açúcares). Encontramos os glicídios em tudo que é doce (balas, doces, frutas etc.), mas também nos cereais, nas massas, nos feculentos, nas farinhas etc. Atualmente, inúmeros cientistas (entre os quais, eu) estimam que o excesso de glicídios é prejudicial ao homem.

É muito simples: o homem não tem a fisiologia necessária para consumir tantos glicídios... principalmente os que encontramos hoje (açúcar branco, farinha branca, massas etc.). **Quando a espécie humana surgiu, há 200 mil anos, e nos 199.900 anos que se seguiram, o açúcar branco NÃO EXISTIA.** Ele foi inventado na época de Napoleão III. O único glicídio de sabor doce e penetração rápida consumido pelos primeiros homens eram as frutas!

Além disso, essas frutas da origem da espécie humana não se pareciam com as frutas que temos hoje em dia: suculentas e bem doces. Eram, na verdade, bagas selvagens, pequenas e recolhidas, mais ácidas que doces, repletas de grãos duros e de fibras. E essas bagas eram rapidamente pilhadas pelos pássaros. Só encontrávamos frutas em uma estação bem específica.

Quanto às gramíneas selvagens, igualmente consumidas pelo homem pré-histórico, são açúcares extremamente lentos (cereais rugosos e de uma dureza lenhosa, riquíssimos em fibras). ISSO ERA TUDO que o homem era capaz de encontrar em seu meio ambiente à época.

Todo o resto foi inventado e produzido por ele, desde sua sedentarização no período Neolítico até hoje... passando, especialmente, pela industrialização do açúcar de beterraba em 1812.

Hoje a história se acelera: os anos 1970 foram verdadeiros fogos de artifício para o açúcar: as tecnologias, a avidez dos produtores e a arma do marketing e da publicidade se aliaram para que o açúcar se instalasse na humanidade com todas as suas forças."

Pierre Dukan

Sua atividade física

E se eu dissesse a você: "Hoje, relaxe." Se eu lhe dissesse: "Hoje, não vamos nos mexer, vamos ficar sentados na frente da televisão, vamos andar de carro, vamos pegar o elevador, se um objeto cair no chão, não vamos pegá-lo etc."? O que você acha disso? Ficou com vontade? Tenho certeza que não. Além do mais, para se opor a essa sugestão suspeita vinda de minha parte, você seria até mesmo capaz de fazer mais exercícios que o normal. Se não estou enganado a seu respeito, é bem assim que você reagiria... Então, proponho isto a você. "Não faça mais nada. Fique parado." Se, porventura, você me levasse ao pé da letra, eu ficaria bem embaraçado. Bom, na dúvida, vou continuar a exercer meu papel: vou pedir que você pense em seu corpo, que não gostaria nem um pouco de ser forçado a se imobilizar. Seu corpo é você. Então, agrade-o: isso também vai me agradar.

Fase de cruzeiro • PP • Dia 26

Sua receita de hoje
Hambúrguer
Dukan (PP)

Cesta de compras do dia

Adicione **carne moída de boi** à sua cesta de compras: **ela existe com apenas 5% de gordura**. Com um pouco de molho de tomate, ervas, um pouco de cebola, você pode fazer um hambúrguer com panqueca de aveia, se sentir um pouco de fome. Compre carne moída congelada e conserve no congelador.

10 min | 10 min* | 1 | * Ou mais, de acordo com o gosto

2 colheres (sopa) de farelo de aveia
2 colheres (sopa) de requeijão
0% de gordura
1 ovo
1 colher (café) de fermento
1 bife de hambúrguer caseiro
1 cebola roxa cortada em rodelas
1 fatia de tomate (em dias PL)
1 cebola picada
1 picles
Mostarda a gosto
Ketchup zero ou maionese Dukan

1. Misture o farelo, o ovo, o requeijão e o fermento.
2. Em uma forma redonda, despeje o preparo e leve ao micro-ondas por 4 minutos.
3. Desenforme o pão e corte-o em dois, no sentido da largura. Grelhe ligeiramente em uma torradeira, se quiser que fique mais crocante.
4. Refogue a cebola picada em uma frigideira antiaderente, com um pouco de água. Em seguida, adicione o hambúrguer (cozimento de acordo com seu gosto).*
5. Espalhe um pouco de mostarda e ketchup sem açúcar ou maionese Dukan em uma das fatias, de acordo com seu gosto. Cubra com o hambúrguer.
6. Adicione o picles picado, uma fatia de tomate e a cebola roxa cortada em rodelas.
7. Cubra com a outra fatia de pão.

* Carne moída não deve ser servida malpassada.

"Escapadas" da dieta

Sair da dieta é como um sinal vermelho que você ultrapassou, mas sendo o único a saber o que fez. Mas por que, tendo decidido que levaria a dieta a sério, você sairia dela? Porque você não é um robô, nem uma máquina, nem um prisioneiro, à mercê de seu carcereiro, ou um bebê passivamente instalado nos braços de sua mãe. Você pode mudar de opinião a qualquer momento.

Mas você deve entender que duas decisões contraditórias tentam se impor dentro de você. Existe, antes, a decisão consciente e voluntária que aceita dizer "não" a cada vez que aparece uma tentação, em vista de um resultado posterior (saúde, beleza, bem-estar, aceitação). E, depois, existe também uma decisão que vem de sua programação arcaica, que conhece apenas a satisfação imediata. Se hoje de manhã você está decidido a manter-se firme, cuidado com os maus encontros... como, por exemplo, um amigo ou uma amiga que sempre lhe coloca diante do nariz aquilo de que você gosta mais. Esse é um verdadeiro amigo?

Cuidado com os acidentes de percurso, com o estresse, as dificuldades afetivas ou profissionais, com as contrariedades... **Tudo que chega a você e o faz sofrer reduz sua determinação e destrói sua resistência à tentação.** Mas existem outros meios para compensar os desprazeres que vão além da comida. Já lhe falei sobre eles diversas vezes. Tente flertar com a tentação e resistir a ela. Tente, você vai ver, é interessante. Você vai sair mais forte. E eu lhe dou os parabéns de antemão.

Fase de cruzeiro • PP • Dia 26

Sua motivação

A motivação não se decreta, mas se exalta, se desenvolve ou se negligencia. Todos temos uma força motivadora que não se esgota senão com a depressão e que se apaga com a vida. Se você quer emagrecer, sua consciência pode lhe dar a direção, mas não a energia e a força de vontade. Entendendo isso, posso garantir que você vai viver melhor. O homem é o primeiro ser vivo dotado de consciência e raciocínio. **Mas o que verdadeiramente toma as decisões em você vem de milhões de anos de vida instintiva: quero falar do instinto e do prazer. São os dois que decidem:** eles têm a força e a energia para fazer você tomar uma decisão.

Em seu caso, em um dado momento, sua consciência convenceu sua motivação a realizar seu projeto de emagrecimento. Essa motivação, no início, foi bastante grande para tirá-lo da passividade na qual você estava estagnado. Mas um mês se passou. Existem homens e mulheres que, vendo os resultados obtidos, continuam com a motivação afiada e sonham em continuar a fazê-la funcionar. Espero que você esteja nesse grupo: seria muito agradável e enriquecedor para mim poder me dizer que fui um bom copiloto. Outros, infelizmente, acham o tempo muito longo. Se você for um deles, deixe-me lhe dizer que TUDO DEPENDE DE VOCÊ.

Se você olhar a situação de frente e tentar, como no xadrez, imaginar alguns avanços, o que vai ver? Se desistir, tenho certeza de que vai ver o seguinte: amargura, uma sensação de fracasso, um retorno ao peso inicial depois de uma semana cheia de esforços, que não terão levado a nada. Vou estimulá-lo a continuar.

Motivação

O que você ganharia, caso parasse a dieta? Uma pizza, alguns doces, pão, queijo, maionese, batatinhas? Será que isso vale a pena? Acho que não. Seria muito triste ver seu projeto afundando desse jeito... E, com ele, sua autoestima. Precisamos de muito pouco para nos sentirmos saciados, apenas um "empurrão mental" para voltarmos a andar na linha. Vamos. Volte a se motivar.... E contemple tudo de que você escapou.

Meu diário pessoal

Carta branca para o seu diário hoje. Deixo você fazer o que quiser, pois algo me diz que você já adquiriu o hábito de escrever e que acabou tomando gosto.

Fase de cruzeiro • PL • Dia 27

Dia 27
da minha dieta Dukan

| meu peso inicial: | meu peso atual: | total de kg perdidos: | meu peso ideal: |

Panorama do seu 27º dia

Frescor na boca depois de um dia de proteínas puras: **os legumes voltaram.** Na hora do almoço e do jantar, que tal tomates débora, macios e tão gostosos quanto os tomates podem ser? Você gosta de manjericão, cebola, pepino, folhas (todos os tipos), cogumelos Paris (ou de outros lugares), rabanetes crocantes? A lista é longa. Eu poderia continuar indefinidamente. Deixo você escolher.

Sua motivação

Não sei a que hora do dia você me lê. Espero que não trapaceie, lendo com antecedência as páginas que se seguem. Escrevi este livro para que seja vivido como um diário de bordo, a fim de que você possa ter, todos os dias, uma relação privilegiada comigo. Ao longo de toda a escrita deste diário de bordo fiquei infinitamente curioso para saber quem você é.

Escrevendo, tenho vontade de lhe dar um rosto. Chego a pensar em uma das minhas pacientes de quem gosto muito ou, às vezes, em uma outra, ou também em um paciente homem.

Se, porventura, você for um homem, saiba que tem sorte, pois minha dieta funciona melhor para os homens do que para as mulheres. Isso acontece porque o homem foi um caçador de carne durante 190 mil anos de sua existência (ao longo dos últimos 10 mil anos nossa alimentação mudou bruscamente).

No período Neolítico, os primeiros caçadores se sedentarizaram: descobriram a agricultura e a criação de animais. Em seguida, séculos e séculos se passaram... até os acordos de Bretton Woods, em 1944, que mudaram totalmente o mundo, impondo-lhe a ideologia do crescimento indefinido.

Estamos nos afastando um pouco do assunto, que é a motivação. Mas nem tanto assim, na verdade... Contarei o resto amanhã. Enquanto isso, não baixe a guarda.

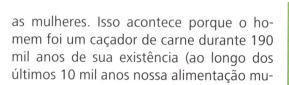

Minha mensagem de apoio para você

"Ontem paramos na questão da responsabilidade dos glicídios (os 'açúcares') no problema do sobrepeso. Hoje, o sobrepeso não é mais o que tentaram fazer com que acreditássemos que era durante muitas décadas: um capricho feminino ou uma simples questão entre outras usadas pelas revistas da moda.

O sobrepeso — meço bem minhas palavras — é o PRIMEIRO fator de risco sanitário atual, responsável pelo maior número de mortes e deficiências no mundo. Disso, os seguros de vida sabem muito bem. No cálculo de preço de sua mensalidade, eles consideram o sobrepeso, mas tomam cuidado para não comunicar seus números, para não contrariar os que prosperam graças a eles.

O sobrepeso (incluindo-se a obesidade) é o primeiro gerador do diabetes e dos problemas renais, oculares, cardíacos e neurológicos.

É um dos principais fatores de risco cardíaco, tendo, na primeira fila, o infarto, o AVC (acidente vascular cerebral, que pode levar à hemiplegia), a hipertensão arterial... Além disso, o excesso de glicídios também é responsável pelo câncer...

Como o sobrepeso e os açúcares podem ter um impacto tão forte sobre o câncer? É muito simples: a célula cancerígena é uma célula imprevisível, que se reproduz infinitamente. Isso você provavelmente já sabia. Mas o que você provavelmente não sabe é que o motor da célula cancerígena difere do da célula normal. Contrariamente à célula normal, que funciona com todos os tipos de combustíveis (glicose, ácidos graxos ou cetonas produzidas a partir das proteínas), a célula cancerígena se alimenta apenas de glicose (açúcar último que resulta da transformação de todos os glicídios no corpo).

Na ausência total de glicose no sangue, a célula cancerígena não poderia mais se alimentar! Seria, então, o fim do câncer... Inúmeros trabalhos pelo mundo provaram, sem ambiguidade, que as dietas cetogênicas (muito pobres em glicídios) reduziriam a virulência do câncer e a proliferação das metástases. O que você diz sobre isso? Continuamos amanhã."

Pierre Dukan

Fase de cruzeiro • PL • Dia 27

Cesta de compras do dia

Coloque vagens francesas em sua cesta de compras. É um dos legumes mais recomendados para uma dieta. Crocantes, macias, ricas em pectina (o que sacia), como acompanhamento ou em uma salada, frescas ou em conserva... Não se esqueça das vagens francesas!

Sua receita de hoje
Lasanha de berinjela à bolonhesa

25 min • 30 min • 4

2 berinjelas grandes cortadas finas no sentido longitudinal
500g de carne moída sem gordura refogada com temperos
3 cebolas
2 dentes de alho
6 tomates
salsinha e cebolinha a gosto
folhas de majericão fresco
1 pote de cottage zero
500ml de leite desnatado
1 colher (sopa) de amido de milho
Noz-moscada ralada na hora
sal

1. Grelhe as berinjelas e reserve.
2. Para o molho de tomate caseiro, refogue as cebolas, tomates e temperos. Tampe a panela e espere o molho apurar, ou use molho de tomate pronto 0% de gordura.
3. Refogue a carne moída e misture ao molho. Reserve.
4. Para o molho bechamel, dissolva o amido de milho em um pouco de leite e leve o restante do leite e a noz-moscada ao fogo até engrossar. Reserve
5. Coloque um pouco do molho à bolonhesa no fundo de um refratário. Distribua as fatias de berinjela previamente grelhadas, uma camada de queijo cottage, outra camada de molho à bolonhesa e uma de molho bechamel. Repita a montagem nessa mesma ordem até completar o refratário.
6. Leve ao forno a 180°C por aproximadamente 30 minutos.

Sua atividade física

Hoje, como você pode comer legumes, e nos legumes há um pouco (eu disse um pouco) de glicídios muito lentos, a perda de peso é sempre menor. Depois de um mês de dieta em alternância, a perda se concentra essencialmente nos dias de proteínas puras (PP). Nos dias de proteínas e legumes (PL), não se deve, portanto, abandonar a atividade física.

Por isso, tente fazer um pequeno esforço a mais. Por exemplo, não hesite em subir novamente algumas escadas e depois descer.

Adicione alguns minutos a mais à sua meia hora de caminhada (ou caminhe com um passo mais rápido).

Enfim, se um objeto cair no chão, não reclame! Não é uma catástrofe, muito pelo contrário: é uma oportunidade de se mexer. Não dobre as costas, dobre os joelhos e recolha o objeto com o busto esticado.

Exercício do dia

- **Jovem e ativo:** Hoje faremos 45 abdominais 17 agachamentos.
- **Mais de 50 anos e sedentário:** Hoje vamos manter vinte abdominais e dez agachamentos.

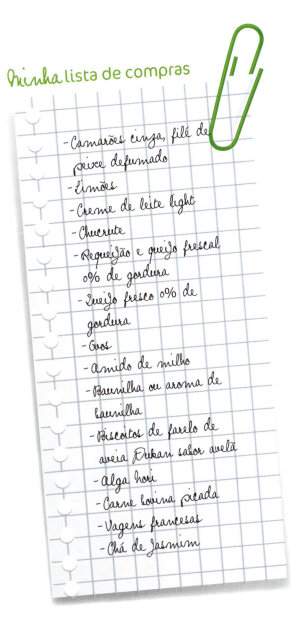

Minha lista de compras

- Camarões cinza, filé de peixe defumado
- Limões
- Creme de leite light
- Chucrute
- Requeijão e queijo frescal 0% de gordura
- Queijo fresco 0% de gordura
- Ovos
- Amido de milho
- Baunilha ou aroma de baunilha
- Biscoitos de farelo de aveia Dukan sabor avelã
- Alga nori
- Carne bovina picada
- Vagens francesas
- Chá de Jasmim

Seu ambiente de saúde

No que diz respeito ao câncer, todos os dias descobrem-se novas relações com a alimentação. Eu lhe expliquei há pouco que o primeiro responsável pela aparição e desenvolvimento do câncer era o açúcar alimentar (transformado em glicose sanguínea, que é o único combustível possível para a célula cancerígena). Infelizmente, não é possível evitar a presença da glicose, pois nosso corpo a fabrica também a partir dos dois outros nutrientes (proteínas e lipídios).

Entretanto, uma dieta desprovida de glicídios freia naturalmente o desenvolvimento do tumor e, mais ainda, a extensão de suas metástases.

Não é uma simples hipótese: é um fato provado por incontáveis pesquisas, que não deixam **qualquer espaço para dúvida**. Fico surpreso que não se fale mais a esse respeito, pois é um elemento muito importante.

Enquanto isso, para se proteger do câncer, deve-se **privilegiar os antioxidantes**, que têm muitas qualidades. Em grande parte, os antioxidantes são vitaminas. Certas pessoas tentaram dizer que na minha dieta os alimentos ricos em proteínas — como a carne, o peixe ou o frango — não têm vitaminas. Grande erro: nesses alimentos há praticamente todas as vitaminas (menos a vitamina C, que podemos encontrar em abundância nos legumes e, particularmente, nos pimentões e couves, que trazem tanta vitamina C quanto as laranjas).

A propósito, o brócolis seria o legume mais anticancerígeno do mundo. Então, se existe uma predisposição ao câncer em sua família, reduza os glicídios e os açúcares, em especial. Saiba, além disso, que o sobrepeso está diretamente relacionado ao câncer.

"Escapadas" da dieta

Por que você sairia da dieta justamente hoje, dia em que pode comer legumes? Você sabia que estamos juntos há mais de um mês? Não sei exatamente quantos dias de fase de ataque você fez (mas fez ao menos três ou quatro). Isto quer dizer que faz pelo menos um mês que você está fazendo minha dieta. **EU SEI que durante esse mês você deve ter dado algumas escapadas.**

Meus pacientes, leitores ou internautas que me contam como foi sua dieta têm quase sempre uma pequena escapada para narrar. Isto posto, um dia, uma das minhas pacientes, a quem eu perguntava se tinha saído da dieta alguma vez, me respondeu: **"Nunca!" Como você pode ver, ainda me lembro disso!** Ela estava tão feliz por ter perdido peso que irradiava alegria e não parecia ter sofrido nem um pouco. Pelo contrário: ela estava nos trilhos e parecia colada a eles. Sei muito bem que isso não acontece com todo mundo. Cuidado: isso não quer dizer que eu aceite que você saia da dieta... Digo isso porque, se porventura lhe acontecer de sair dela, **a pior das reações seria pensar que a batalha está perdida e se deixar levar pela derrota.**

Muito pelo contrário: se escapar da dieta, não se sinta culpado. Retome-a e, principalmente, faça uma limpeza imediatamente. Porque uma escapada, enquanto não for completamente assimilada e não tiver entrado em suas reservas, é infinitamente mais fácil de neutralizar. Se sair da dieta, não diga a si mesmo que o dia foi perdido... pura e simplesmente porque não é verdade.

Meu diário pessoal

Não se esqueça de vir aqui se confidenciar ao seu diário. Reserve sempre um momento para si ao longo da dieta. Faça como os capitães dos grandes navios, que sempre tinham seu diário de bordo à mão: isso os ocupava e, ao mesmo tempo, lhes permitia ter o controle de sua navegação.

Dia 28
da minha dieta Dukan

meu peso inicial: ....
meu peso atual: ....
total de kg perdidos: ....
meu peso ideal: ....

Panorama do seu 28º dia

Dia de proteínas, que eu aconselho que você comece com um café da manhã bem-feito e suficientemente rico. Um dia que começa com alimentos ricos em proteínas se desenrola sob o signo da saciedade. Não existe nada nesse mundo que mais se opõe ao conceito de "beliscar" do que as proteínas. Mesmo as pessoas acostumadas a consumir muito açúcar percebem que sua vontade de comer doce diminui de intensidade quando tomam um café da manhã com ovos, queijo branco, salmão defumado etc. É a calmaria garantida.

Seu ambiente de saúde

Hoje voltarei a falar sobre os antioxidantes e as vitaminas. Costumamos ouvir que durante uma dieta uma carência de certas vitaminas pode surgir. O que se deve pensar a esse respeito? Tomemos, por exemplo, a dieta que você está seguindo hoje, denominada PP e composta por 66 alimentos ricos em proteínas. **Atenção: "proteínas puras" não significa que haja apenas proteínas nesses alimentos autorizados.** Na verdade, na carne, e principalmente no peixe, também há **lipídios**. Em um bife, há de 7% a 8% de gordura (5% para bifes congelados específicos). Também há um pouco de **glicídios** nos laticínios, mesmo nos laticínios magros (lactose). Enfim, também há um pouco de glicídio no farelo de aveia.

Nesses 66 alimentos autorizados, carnes ou peixes, insisto em dizer que encontramos neles todos os aminoácidos indispensáveis à vida. Para um vegetariano, ou, mais ainda, um vegano, muitas astúcias e truques são necessários para conseguir combinar leguminosas e cereais, a fim de se encontrar todo o conjunto essencial de aminoácidos. É muito mais difícil que com a minha dieta... A carne é uma boa fonte de vitaminas A e E (assim como todas as vitaminas do grupo B). Finalmente — e principalmente —, as vitaminas B12 e D estão presentes apenas nos produtos animais. O único problema das "proteínas puras" seria a fraca presença de vitamina C nas carnes e nos peixes.

Mas, como você está na fase de cruzeiro com alternância, os legumes do dia PL fornecem o que você precisa em vitamina C, de maneira mais que suficiente. Em outros tempos, os marinheiros em longas navegações, privados de frutas e legumes, pegavam o escorbuto (doença originada pela carência de vitamina C): são necessários seis meses para chegar a esse nível de carência! Por outro lado, basta um limão para interromper os efeitos do escorbuto. Então, fique tranquilo. Aproveite os legumes mais ricos em vitamina C, o pimentão ou a couve, que a fornecem tanto quanto a mítica laranja. E você também sempre pode comprar complementos vitamínicos nas farmácias.

Minha mensagem de apoio para você

"Ontem tive o enorme prazer de descrever para você os perigos dos alimentos açucarados, no sentido amplo. Não me arrependo. Por quê? Porque é importante que você tenha consciência desses riscos. Eles têm a capacidade de modificar profundamente sua relação com a comida... e, especialmente, com o grupo dos glicídios. Dizer que os açúcares são perigosos não basta (vemos o pouco-caso que os fumantes fazem das menções fúnebres escritas em seus maços de cigarro!). Além disso, não basta incitar as pessoas a comer bem.

Você se lembra das grandes campanhas nacionais que mobilizaram centenas de milhares de euros para nos incitar a comer cinco frutas e legumes por dia? Agora, os franceses estão perfeitamente informados... mas, em dez anos, o consumo de frutas e legumes aumentou muito pouco. **Existe um abismo entre entender e fazer.** Essas campanhas nacionais tinham como único argumento o teor de vitaminas e fibras, o que não é muito convincente... e longe de ser verdadeiro.

Bom, voltemos aos açúcares e ao homem primitivo, que viveu um percurso majestoso de 190 mil anos antes de se fixar em um lugar ao longo dos últimos 10 mil anos. Cultivando terras e criando animais, esse homem entrou na civilização.

Antes de entrar na civilização, esse caçador-coletor vivia a vida para a qual seu organismo foi feito (ou seja, não concebido para receber e tratar uma grande quantidade de açúcares). **O estudo mais importante consagrado à alimentação do caçador-coletor foi reali**zado no ano 2000 por pesquisadores americanos e australianos (com base em 229 populações antigas estudadas por antropólogos). Esse estudo mostrou que **uma em cada cinco dessas 229 populações vivia apenas de caça e pesca e não consumia legumes, frutas e cereais.** O regime alimentar desses 229 grupos humanos era muito mais rico em proteínas e em gorduras que o nosso (logo, menos ricos em glicídios e, principalmente, não contendo NENHUM dos açúcares rápidos que nos fazem tão mal hoje em dia; falo desses alimentos modernos que contém mais de 70% de glicídios refinados: açúcar branco ou farinha branca).

Atualmente, diante da epidemia do sobrepeso, a ciência fala em "diabesidade". Logo, ela reconhece a origem comum entre o diabetes e a obesidade, cujo principal responsável é o açúcar. Você conhece esses alimentos famosos, que acalmam? Esses biscoitos ditos de trigo, corn flakes, guloseimas, doces, confeitos, balas, sobremesas lácteas que damos aos nossos filhos, sem sequer pensarmos direito?

Saiba que na família dos glicídios esses são os piores inimigos do seu peso e da sua saúde. Para emagrecer é preciso eliminá-los totalmente, e ao longo da vida deve-se tentar consumi-los o mínimo possível."

Pierre Dukan

Fase de cruzeiro • PP • Dia 28

"Escapadas" da dieta

Se existe um dia em que você não deve sair da dieta, esse dia é o das proteínas. Por quê? Porque a potência desse dia depende da produção de corpos cetônicos: substâncias naturais, derivadas de proteínas e gorduras, que produzem um excelente efeito de saciedade. Basta sair um pouco da dieta (ou seja, consumir glicídios) para destruir o efeito moderador de apetite.

Antes de mim, **a dieta Atkins revolucionou a nutrição de sua época**, recusando, pela primeira vez, o dogma das calorias e sua inverossímil imposição do consumo de 55% a 60% de nossa ração alimentar cotidiana em forma de glicídios. Atkins autorizava as proteínas à vontade, assim como eu. Infelizmente, ele dava a mesma **liberdade total às gorduras animais**, incitando as pessoas a comer manteiga, queijos mais gordurosos, maionese, carne de porco, patês, terrinas, salames etc. Ele só proibia os glicídios... mas também os legumes e as verduras!

Essa liberdade total para o consumo de gorduras foi seu grande erro, em uma época em que as autoridades sanitárias americanas se entregavam a uma batalha sem piedade contra o colesterol. No plano do emagrecimento, no entanto, a dieta Atkins era bastante eficaz. Um detalhe me chamou a atenção na época: Atkins pedia ao seus leitores que comprassem fitas medidoras de pH para verificar a colorimetria do nível de cetose em sua urina. Esse teste simples conseguia provar a ausência de glicídios na alimentação e a combustão de gorduras, indicando o emagrecimento. **Era um "apetrecho" que tinha um bom efeito psicológico contra as escapadas da dieta. Espero que você não precise disso...** mas, se quiser testar, pode fazê-lo, pois é absolutamente sem riscos (compre papel ou fita medidora de pH em sua farmácia).

Sua receita de hoje

Mingau à moda indiana
com cardamomo (PP)

200ml de leite desnatado
2 colheres (sopa) de farelo de aveia
1 colher (sopa) de farelo de trigo
1 colher (café) de aroma de coco
1,5 colher (café) de cardamomo em pó
Adoçante a gosto

1. Em uma panela, esquente o leite com o aroma de coco e o cardamomo.
2. Quando estiver quente, adicione o farelo de aveia, o farelo de trigo e o adoçante.
3. Diminua o fogo e misture até obter uma massa espessa, em forma de mingau.

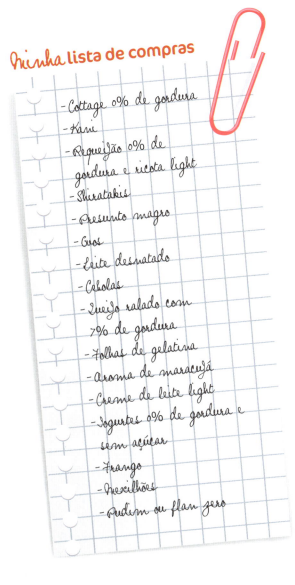

minha lista de compras

- Cottage 0% de gordura
- Kani
- Requeijão 0% de gordura e ricota light
- Shiratakis
- Presunto magro
- Ovos
- Leite desnatado
- Cebolas
- Queijo ralado com 7% de gordura
- Folhas de gelatina
- Aroma de maracujá
- Creme de leite light
- Iogurtes 0% de gordura e sem açúcar
- Frango
- Mexilhões
- Pudim ou flan zero

Cesta de compras do dia

Hoje eu gostaria de lhe falar sobre os adoçantes. Há trinta anos esses produtos oferecem um sabor doce... sem açúcar, nem calorias. Quando comecei a trabalhar como médico tudo que existia no mercado era a **sacarina**, conhecida desde a guerra por ter substituído o açúcar. Nessa época já se começava a falar que a sacarina era cancerígena.

Desde então, um grande número de adoçantes começou a ser comercializado, como os **ciclamatos ou o isomalto**. Mas os mesmos rumores sempre voltam... e sempre com a mesma contradição das autoridades sanitárias. Em 1965 chegou o **aspartame** (e depois, dois anos mais tarde, o **acesulfame**). Foi um evento mundial. Apesar de tudo, os rumores persistiram. Dez anos depois, apareceu a **sucralose**, adotada, especialmente, nos Estados Unidos. Finalmente, veio a grande família **do poliol, como o xilitol** dos chicletes. Recentemente, chegou a stévia, que os japoneses já utilizam há muito tempo.

Muitas pessoas, especialmente as que fazem dieta, se perguntam se os adoçantes representam algum perigo para a saúde. **Pessoalmente, eu e meus filhos consumimos adoçantes: não tenho qualquer opinião negativa prévia contra os adoçantes**, até mesmo porque todas as autoridades sanitárias do mundo os autorizam.

Se você faz parte dessas pessoas intransigentes ou dos que não gostam de adoçantes, a decisão é sua: os adoçantes significam conforto. Eu os aconselho àqueles que têm necessidade de sentir um gosto doce. Às vezes, dizem que se deve eliminar qualquer recurso ao sabor doce para as pessoas que fazem dieta, pois isso faz com que corram o risco de manter o apego ao açúcar.

Esse argumento não me convence: **não é porque eliminamos o recurso ao sabor doce que a atração pelo açúcar desaparece.** Enfim, saiba que os adoçantes são usados há cinquenta anos: tal duração nos dá o afastamento necessário para julgar eventuais efeitos secundários ou colaterais.

Sua motivação

Você sabia que escrevi este diário de bordo sem saber que um dia ele seria publicado? Tudo começou com uma das minhas pacientes, que queria um escrito meu a mão, algo que fosse capaz de lhe dar forças para avançar. Era uma mulher à moda antiga, que não usava a internet (logo, não era acessível por e-mail). Escrever para ela me divertiu, pois era uma pessoa de quem eu gostava muito. Confeccionei para ela um diário de bordo de uma semana, com todos os elementos deste livro que você tem em mãos. E assim, um dia, falei a respeito com meu editor. Ele me pediu para fazer um manuscrito desse tal diário de bordo. Algumas horas depois, ele me telefonou para saber se me parecia possível desenvolver um diário de bordo cotidiano do tipo, mas para um leitor desconhecido...

A ideia era oferecer, todos os dias, um argumento de motivação, um argumento "antiescapada", um argumento para a atividade física, uma receita, uma cesta de compras e um argumento de saúde. Na hora, como eterno otimista que sou e contando com a minha longa experiência na medicina, pensei que poderia ser simples, fácil de fazer e, principalmente, ÚTIL.

Na prática, foi infinitamente mais difícil de escrever do que eu havia previsto. Por um motivo bem simples: não conheço você e sou obrigado a imaginá-lo. No entanto, todos os dias encontro uma maneira de elaborar minha mensagem de força e suporte. Fico muito feliz com isso. Há alguns dias em que consigo fazer melhor que em outros. E, através dessa experiência, aprendi muito sobre a motivação, especialmente sobre essa famosa vontade que, nos fatos, é apenas um conceito teórico **inventado para dar a entender que basta querer para conseguir.**

Nos fatos cotidianos, tudo em nós se decide nas camadas profundas e arcaicas de nossa animalidade, cuja única função é assegurar a sobrevivência da espécie. Quando aparecem a consciência e a razão humanas, essas forças instintivas conservam o controle do essencial, deixando ao que chamamos de vontade a ilusão de tomarmos alguma decisão.

Você, que quer emagrecer, está neste momento dando o máximo de si para destruir o que seu organismo protege como um capital de sobrevivência muito precioso. É por essa razão que o combate é tão difícil e que é praticamente impossível travar a batalha sozinho. **Para conseguir, você precisa de um "mestre de obras", de um tutor e de um programa estruturado, diretivo e cotidiano.** Foi o que tentei realizar com este diário de bordo.

Sua atividade física

Hoje estamos na velocidade rápida do motor que alterna dias PP e PL da dieta. Nada de legumes e clima propício à perda de peso. Então, vamos aproveitar para forçar a passagem. **Ouça-me bem: não importa o que você tem para fazer hoje, tente caminhar pelo menos uma hora.** Se realmente não for possível, faça apenas os 30 minutos habituais, mas caminhe mais rápido que o normal e compre pesos de 2kg para colocar nos tornozelos e aumentar a carga de gasto calórico de sua caminhada. Não se esqueça de que, ficando mais magro, seu corpo se torna mais fácil de transportar: os pesos podem compensar a perda de peso transportada (é inútil conservá-los, se você trabalha sentado).

Exercício do dia

- **Jovem e ativo:** Hoje faremos 45 abdominais e 17 agachamentos.
- **Mais de 50 anos e sedentário:** Hoje vamos manter vinte abdominais e dez agachamentos.

Meu diário pessoal

Hoje eu o aconselho a reler algumas páginas de seu diário. Por que não as do início, que você pode comparar com as mais recentes? Tenho certeza de que vai encontrar elementos que facilitarão o prosseguimento de nossas operações.

Fase de cruzeiro • Semana 6

Semana 6
da minha dieta Dukan

Cole
sua foto
aqui

Minha "estratégia de felicidade"

O lúdico: da necessidade de brincar e jogar

Os taitianos, descobertos por Bougainville, os índios da Amazônia estudados por Lévi-Strauss, os africanos de Livingstone, os australianos de Cook, os esquimós inuítes... todos esses povos primitivos inventaram jogos que os ajudavam a viver, via liberação natural de serotonina. Hoje em dia, jogamos... vendo os outros jogarem jogos televisivos! Também jogamos videogames solitários. É alguma coisa...

Minha foto da semana

Mas nada substitui a diversão cara a cara, com outro ser humano.

Em suma: quanto mais você se divertir, menos comerá.

Autoavaliação:

☐ Sempre adorei jogar

☐ Não penso nisso com muita frequência

☐ Não é "a minha praia"

O segredo da semana: quando estiver feliz, pule!

Faça como François Mauriac, acadêmico, um dos melhores autores do século XX. Frágil, o absoluto oposto de alguém esportivo, François Mauriac adquiriu **o hábito de pular de frente para o seu espelho.** Pular, com pequenas e leves flexões no início, para estender as pernas e, progressivamente, pular cada vez mais alto.

Achei essa ideia surpreendente e a adotei. Comecei a pular, como ele dizia para fazermos, quando me sentia alegre, estimulado ao esforço pela força e energia do corpo, que transitam com o contentamento agudo de viver que é a alegria. E, para terminar, me dei conta de que a alegria, mesmo que passageira por definição, se prolongava com o esforço.

E, depois, procurei testar esse tipo de salto, sem associá-lo à alegria, e me dei conta de que **pular me deixava alegre.** Seria um condicionamento ou uma associação mental? Não sei, mas, desde então, crio para mim mesmo pequenos movimentos de alegria e mantenho a associação nos dois sentidos. E, ao mesmo tempo, trabalho meus quadríceps, que são os maiores consumidores de calorias do corpo, e controlo meu peso. Tente, você tem tudo a ganhar e nada a perder (exceto, claro, alguns gramas)!

minhas medidas esta semana

- Circunferência peitoral: ....
- Circunferência da cintura: ....
- Circunferência dos quadris: ....
- Circunferência das duas coxas: ....

Sugestões de cardápios para a semana

		café da manhã	almoço	lanche	jantar
SEGUNDA-FEIRA	PL	Bebida quente 1 panqueca de farelo de aveia com cacau sem açúcar Leite desnatado e/ou requeijão 0% de gordura	Salada de tomate e hambúrguer 5% de gordura Couve-de-bruxelas 1 iogurte 0% de gordura e sem açúcar com essência de baunilha	Ganache de cacau	Cenoura ralada Torta de tofu e espinafre Sopa de alho poró, tomate e hortelã
TERÇA-FEIRA	PP	Bebida quente 1 panqueca de farelo de aveia Requeijão 0% de gordura	Salmão defumado Camarões empanados Queijo frescal 0% de gordura	1 biscoito de farelo de aveia Dukan sabor coco	Sopa missô com tofu Sashimi de atum e salmão Bavaroise caseiro
QUARTA-FEIRA	PL	Bebida quente Muffin de farelo de aveia 1 omelete de claras com ervas finas Queijo frescal 0% de gordura	Salada raita de pepino com iogurte Escalopes de peru tandoori Vagens francesas com cogumelos 1 iogurte 0% de gordura, sem açúcar, sabor coco	1 iogurte 0% de gordura sem açúcar com essência de morango 1 biscoito de farelo de aveia Dukan sabor avelã	Gaspacho express Escondidinho de couve-flor Panna cotta
QUINTA-FEIRA	PP	Bebida quente 1 panqueca de farelo de aveia 1 ovo frito	Enroladinho de presunto e queijo fresco Camarões VG ao forno 1 iogurte 0% de gordura, sem açúcar, sabor baunilha	Barra de farelo de aveia sabor chocolate Dukan Ricota light	Moluscos com maionese Dukan **Espetinhos de espadarte** Copinhos de mousse cremosa de chá-verde
SEXTA-FEIRA	PL	Bebida quente 30g de pepitas de farelo de aveia sabor caramelo Leite desnatado e/ou requeijão 0% de gordura	Alcachofras no vapor Bife grelhado **Pudim de cenoura e coentro** Cottage 0% de gordura	Queijo frescal 0% de gordura	Sopa fria de pepino e camarão Espetinhos de frango marinado com limão e abobrinha Creme de ágar-ágar caseiro sabor caramelo
SÁBADO	PP	Bebida quente 1 barra de farelo de aveia sabor chocolate Cottage 0% de gordura	Bresaola **Escalopes de vitela à milanesa à moda Dukan** Milkshake de café Dukan	1 iogurte 0% de gordura sem açúcar com essência de coco	Fígado de frango com molho de vinagre balsâmico Coelho em papelotes com ervas "Loucura branca"
DOMINGO	PL	Bebida quente Rabanada (com base de pão de farelo de aveia caseiro) Requeijão 0% de gordura	Copinhos de beterraba, cottage e requeijão 0% de gordura Codorna com queijo fresco e purê de aipo Pudim ou flan zero	1 iogurte 0% de gordura sem açúcar com essência de coco 1 biscoito de farelo de aveia Dukan sabor coco	Prato de legumes crus com enroladinhos de presunto magro **Shiratakis com queijo e espinafre**

Fase de cruzeiro • PL • Dia 29

Dia 29
da minha dieta Dukan

meu peso inicial: ....

meu peso atual: ....

total de kg perdidos: ....

meu peso ideal: ....

Panorama do seu 29º dia

Todas as energias concentradas nos legumes. Ontem eu lhe disse que seu programa de emagrecimento não tinha qualquer problema de carência, qualquer que fosse. Na carne e no peixe, você tem todos os aminoácidos essenciais, todas as vitaminas A, B, D e E (especialmente a B12, que encontramos somente na carne animal). A única vitamina que falta é a C, cuja presença é abundante nos legumes. Use e abuse deles e não se esqueça do farelo de aveia!

Seu ambiente de saúde

Já que estamos na coluna do ambiente de saúde, gostaria de falar hoje, mais uma vez, sobre a epidemia do sobrepeso. A Organização Mundial da Saúde (OMS) fala até mesmo em calamidade: em 2011, **o número de pessoas com sobrepeso teria ultrapassado o número de pessoas desnutridas** (ou seja, as que não comem o suficiente)! Nos dias de hoje, é difícil ler um jornal sem ouvir falar das consequências do sobrepeso na saúde ou na economia. Você mesmo, que está com sobrepeso, deve ter uma opinião sobre a questão. Vou lhe dar a minha.

Faz 42 anos que recebo pacientes, cara a cara. Durante quase meio século não me contentei em apenas fazer uma consulta. Curioso por natureza, astucioso e obstinado, já pensei muito sobre a questão do sobrepeso. É algo que me fascina! Examinei todas as pistas, li praticamente tudo sobre esse problema. Fiz muitas sondagens com meus pacientes, me correspondi com boa parte deles, assim como com médicos e associações. Participei de congressos, li os resultados daqueles que não pude participar. Criei minha associação internacional de médicos. Conheci o Dr. Atkins e Michel Montignac.

Foi com esse alicerce incontestável que construí meu método. Meu método possui um verdadeiro fundamento científico, que nada tem a ver com algo concebido *a priori*. Na verdade, a princípio, eu não tinha nenhuma opinião formada sobre o problema! Simplesmente constatei a inverossímil e preocupante ineficácia dos tratamentos propostos pela nutrição oficial. E prometi a mim mesmo que criaria algo eficaz.

Minha mensagem de apoio para você

"Hoje vou esclarecer **o que se passa DENTRO do seu corpo e de seus órgãos quando você consome glicídios em excesso.** Imaginemos que seu café da manhã seja composto por uma torrada com geleia, um pão — ou, pior ainda, cereal de milho. No almoço, você come massa ou pizza e, depois, finaliza com uma torta de maçã. Eis o que seu corpo vai fazer com os glicídios ingeridos.

A partir do momento em que você leva a comida à boca, seu pâncreas entende que há glicídios chegando. Ele vai começar a **secretar insulina.** Essa insulina expulsa do seu sangue os ácidos graxos que poderiam ter sido utilizados pelo seu corpo. Privadas de ácidos graxos circulando, suas células vão, imediatamente, aguçar seu apetite. Uma vez ingeridos, necessitando tão somente de uma digestão sumária, esses glicídios deixam o estômago e se encontram no intestino delgado. Lá, se decompõem em açúcares simples: passam para o sangue e se transformam em glicose. **A glicemia** (nível de açúcar no sangue) rapidamente se eleva e atinge seu ápice em 30 minutos.

O estado de alerta máximo é, assim, iniciado pelo **pâncreas, que inunda o sangue de insulina.** Tudo isso demanda um esforço considerável. Mais cedo ou mais tarde o pâncreas acaba se cansando e se consumindo demais (principalmente quando trabalha dessa maneira desde a infância). Ao final, diabetes e obesidade podem surgir."

Pierre Dukan

Fase de cruzeiro • PL • Dia 29

Cesta de compras do dia

Hoje vamos falar dos aromas. Eles são naturais (extraídos de alimentos) ou sintéticos (copiam o sabor de um alimento). O que têm de interessante é o **fato de possuírem o gosto de um alimento sem ter suas calorias.** Isso vai enriquecer muito sua alimentação, especialmente porque esses aromas são, na maioria das vezes, extraídos de alimentos proibidos em meu método.

Eis alguns dos aromas entre os disponíveis no mercado: chocolate, amêndoa, banana, manteiga, café, caramelo, cassis, cereja, limão, tangerina, conhaque, rum, morango, framboesa, maracujá, menta, mel, avelã, nozes, coco, laranja, pistache, amendoim... tudo para você cozinhar com gosto e criatividade!

O único problema é que esses aromas nem sempre são muito fáceis de encontrar. Você vai encontrá-los na internet ou em algumas farmácias.

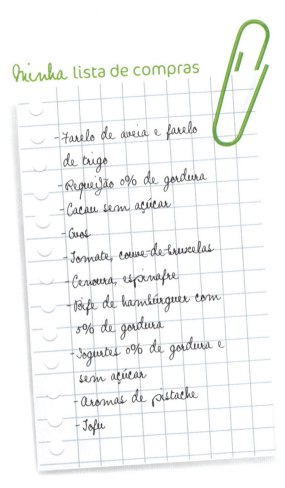

Minha lista de compras
- Farelo de aveia e farelo de trigo
- Requeijão 0% de gordura
- Cacau sem açúcar
- Ovos
- Tomate, couve-de-bruxelas
- Cenoura, espinafre
- Bife de hambúrguer com 5% de gordura
- Iogurtes 0% de gordura e sem açúcar
- Aromas de pistache
- Tofu

Exercício do dia

- **Jovem e ativo:** Hoje faremos 45 abdominais e 17 agachamentos.
- **Mais de 50 anos e sedentário:** Hoje vamos manter vinte abdominais e dez agachamentos.

Sua receita de hoje

Ganache de cacau

3 min | 20 min | 8

- ¾ xícara de creme de leite light
- 5 colheres (sopa) de adoçante culinário
- 2 colheres (sopa) de leite em pó desnatado
- 4 colheres (sopa) de cacau em pó sem açúcar
- 1 canela em pau

1. Misture todos os ingredientes e cozinhe em fogo médio até obter uma mistura homogênea e cremosa. Para uma ganache mais firme, cozinhe por 20 minutos ou mais.
2. Sirva em taças individuais.

Sua motivação

Voltemos a falar sobre a "força de vontade". Diz-se que é preciso ter força de vontade para emagrecer! Mas a vontade, enquanto tal, não existe... O que chamamos de vontade é apenas um jogo de forças que se enfrentam em seu inconsciente, um território em que as palavras e as ideias não têm curso. **Nesses cantos recuados do seu sistema nervoso tudo é decidido por você, mas sem que você participe da decisão.**

Tomemos um exemplo. Em plena consciência, você decidiu emagrecer e escolheu este método e este diário de bordo para chegar ao seu objetivo. Por inúmeras razões, essa decisão lhe agrada... Digamos que você aderiu a ela de maneira bastante sólida. Mas o tempo passa e, à medida que você perde peso, que as tentações voltam e, principalmente, que a balança fica estagnada por um momento, **dois grandes oponentes do seu projeto** retomam vigor.

O primeiro é o seu cérebro reptiliano, a parte dos instintos. Seu objetivo é buscar comida através de todos os meios possíveis, até que você fique calmo e se sinta saciado.

O outro oponente é este cérebro um pouco mais evoluído, o sistema límbico, que governa seus atos em função de um sistema binário de prazer/desprazer. Quando você procura emagrecer, ele não se sente seguro e vai se opor ao seu projeto: ele vai lhe dar vontade de comer alimentos gratificantes (vontade de comer açúcar, tentação para beliscar...).

Acho essa teoria fascinante. Mas estamos apenas nas preliminares da compreensão do funcionamento profundo de nosso cérebro...

Fase de cruzeiro • PL • Dia 29

"Escapadas" da dieta

Hoje de manhã, ao se levantar, você deve ter pensado em muitas coisas. Mas, certamente, não pensou na possibilidade de sair da dieta hoje. Então, sou eu quem vai fazer você pensar nisso. Por quê? **Prevenindo desde o início do dia sobre o perigo de uma eventual escapada da dieta você estará mais bem-equipado quando a tentação aparecer.**

Um dia inteiro é muito tempo: a todo momento pode surgir seu companheiro ou seus filhos com torradas bem crocantes e amanteigadas, cobertas por geleia; um colega do escritório pode vir lhe fazer uma visita com um pacote cheio de coisas deliciosas, que vão do chocolate aos demais doces e salgadinhos, passando por um pedaço de bolo que sobrou do aniversário de outro colega.

Se você for pego desprevenido, será menos forte, pois você tem medo de recusar o que lhe oferecem, como esse pedacinho de bolo tão gentilmente oferecido. **Ah, você conhece bem esse pequeno tempo morto, ao longo do qual vem a hesitação:** no fundo, você tem vontade de dizer não... mas gostaria de dizer sim, para não fazer desfeita ao interlocutor, ou por hábito... ou por uma verdadeira vontade de morder o alimento proibido.

Em contrapartida, se você pensou ANTES, já está preparado: a resposta está pronta, ela é direta. A resposta é NÃO!

Tente viver essa situação com a resposta já pronta (pois duvido que hoje, em seu caminho, você não cruze com a "Senhora Tentação").

Sua atividade física

Não sei se você trabalha usando um computador. Independente disso, tente fazer este pequeno exercício que, rapidamente, vai se tornar um hábito.

Você trabalha diante de uma tela? Se for um ser humano normal, em algum momento, sem se dar conta, **vai ficar com as costas curvadas.** Sua cabeça é um órgão pesado, praticamente sempre postado adiante de sua linha de gravidade. Com o tempo, essa postura inadequada acaba por modificar a forma de suas vértebras (e, mais ainda, dos seus discos intervertebrais).

Continuando sentado, esqueça um pouco a tela do seu computador para esticar as costas, até que o topo do seu crânio esteja colocado de forma paralela ao teto. Nesse momento, faça o esforço de empurrar a parte chata de seu crânio em direção ao teto. **Estou pedindo a você para "crescer". Se o fizer direito, vai ganhar 3 ou 4 cm de altura.** Fazendo isso, você também faz funcionarem alguns músculos que NUNCA trabalham. Existem dezenas de pequenos músculos adormecidos que ligam cada vértebra à vértebra seguinte, assim como às vértebras vizinhas, de cima e de baixo.

Colocando-as para trabalhar você vai sentir essa zona quente mais sensível (e se mantiver a postura, um pouco mais dolorida também). Eu mesmo faço esse movimento há muitos e muitos anos, e adquiri uma força tão grande nesses músculos da coluna vertebral que, enquanto me estico, sinto as vértebras estalarem, uma após a outra. Não se preocupe: o estalo não diz respeito aos ossos, mas à cápsula articular que, quando se estica, deixa passar um pouco de líquido sinovial, produzindo o barulho.

Com esse pequeno exercício diário, você não apenas vai queimar calorias provenientes de músculos adormecidos, mas também vai prevenir futuros danos vertebrais e o torcicolo. Melhor ainda: vai ganhar um pescoço alongado e um porte muito mais elegante.

Meu diário pessoal

Caso você tenha alguma pergunta que o incomode ou preocupe ao longo da leitura deste diário de bordo, pode me fazê-la diretamente, enviando um e-mail para o seguinte endereço: docteurpierredukan@gmail.com.

Não garanto responder a todas as perguntas, mas se a sua for pertinente, prometo responder. Quanto a você, não se esqueça de usar esta coluna. Agora você já deve ter entendido o quão importante ela é.

Fase de cruzeiro • PP • Dia 30

Dia 30
da minha dieta Dukan

| meu peso inicial: | meu peso atual: | total de kg perdidos: | meu peso ideal: |

Panorama do seu 30º dia

Como as ondas à beira do mar, o fluxo e o refluxo, o ciclo das marés altas e baixas, **nossa alternância nos leva, hoje, de volta às proteínas puras.** Sendo assim, retorno às fontes e à pureza do diamante nutricional. Vamos nos reencontrar com os alimentos do caçador que trazemos em nós há 2 mil séculos. É por uma boa causa: perder esses últimos quilos que de nada nos servem e que nos prometemos perder juntos.

Seu ambiente de saúde

A primeira consequência do sobrepeso é o diabetes. **Caso você seja diabético,** deve, imperativamente, emagrecer ou aceitar sofrer, em prazo muito curto, as graves consequências dessa doença (problemas cardiovasculares, infarto, acidente vascular cerebral, cegueira — 80% dos cegos ficaram assim por conta do diabetes), hipertensão arterial, zumbido, vertigens, dificuldade de ereção no homem... Caso não seja diabético, mas pelo menos um de seus pais seja, e caso esteja em sobrepeso, é preciso fazer de tudo para não se tornar diabético também! Com disciplina você pode muito bem nunca adquirir a doença.

Em contrapartida, se sua glicemia estiver compreendida entre 1,10g e 1,26g/l, você está no caminho do diabetes (considera-se que uma pessoa é diabética a partir de 1,26g/l). Felizmente, assim que emagrecer e aceitar caminhar 20 minutos por dia, o processo vai se interromper! E ele se inverte a partir do momento em que você passa a 1,10g/l de açúcar no sangue.

Se você não tiver qualquer problema de diabetes, isto significa que seu pâncreas está controlando a situação e que sua sensibilidade ao açúcar é boa: é uma sorte muito grande. Hoje devemos terminar o que começamos juntos. Temos que perder esse sobrepeso restante; eu continuo ao seu lado.

Minha mensagem de apoio para você

"Já falamos sobre os açúcares: **existem os rápidos (como o açúcar branco e a farinha branca) e os lentos (como os feculentos, os cereais integrais, as massas e as leguminosas).** Existe uma verdadeira diferença entre os açúcares rápidos e os lentos (ou, como também se diz, entre os que têm uma penetração invasiva e os que têm uma penetração mais progressiva). Qual é essa diferença? O choque insulínico.

Quando a glicose abunda, o corpo é ameaçado pela hiperglicemia e pela toxicidade (para os órgãos que o sangue atravessa: o coração, os olhos, os rins...). Este estado de alerta vermelho obriga o pâncreas a reagir secretando **doses massivas de insulina.** Essa insulina, **nesse momento,** lhe é **favorável,** uma vez que expulsa o açúcar para fora do sangue: ela salva sua vida. **Entretanto, progressivamente, ela faz com que você engorde e acaba por se tornar tóxica.** Por que tóxica? Porque, quando a insulina está muito presente, milhares e milhares de células que compõem seu corpo se tornam **resistentes a ela.**

Sendo assim, seu pâncreas deve fabricar cada vez mais insulina para sua proteção imediata

Além disso, você não é diretamente informado do que se passa em seu organismo: sem que você saiba, **se entrar em um circuito de dependência do açúcar, a insulina e a glicose começam a atacar seus órgãos.** Seu fígado fabrica substâncias tóxicas inflamatórias que levam a consequências muito graves e, com elas, especialmente à entrada em uma doença chamada **síndrome metabólica.** Você vai ver surgir uma 'pança', barriga proeminente formada por uma gordura particular, tanto fora da parede muscular quanto dentro dela, em torno dos órgãos.

O que se passa depois depende dos seus genes: ou você tem uma grande tendência familiar ao diabetes, ou uma tendência leve, ou você não é propenso a essa doença. Vamos ver o que acontece em função dessas três opções amanhã."

Pierre Dukan

Fase de cruzeiro • PP • Dia 30

Minha lista de compras

- Requeijão e cottage 0% de gordura
- Salmão defumado, salmão e atum cru para sashimi
- Presunto magro cru
- Shiratakis
- Ovos
- Cebola, salsa
- Queijo ralado com 7% de gordura
- Queijo fresca 1% de gordura
- Sopa missô
- Gelatina
- Aroma de avelã
- Biscoitos de farelo de aveia sabor coco Dukan

Sua receita de hoje

Camarões empanados

1h — 30 min — 3

300 g de camarões cozidos
Suco de 3 limões
2 colheres (sopa) de alho em pó
2 ovos batidos
Farelo de aveia (o suficiente para empanar)
Sal e pimenta-do-reino a gosto

1. Tempere o camarão com suco de limão, sal, pimenta e alho em pó.
2. Deixe marinar por uma hora.
3. Passe os camarões no ovo batido e em seguida no farelo de aveia.
4. Leve-os ao forno num refratário untado. Deixe dourar, vire e doure do outro lado antes de servir.

Cesta de compras do dia

Hoje, pense em comprar ovos. No ovo há a gema e a clara. A clara é a proteína de referência utilizada por todos os nutricionistas: é a mais pura que existe. A gema é um alimento rico em uma grande quantidade de substâncias benéficas (vitaminas A, D, E e K...) mas também em colesterol.

Ora, o colesterol amedronta as pessoas. Se você tiver uma porcentagem muito elevada de colesterol no sangue, não deve, por isso, excluir totalmente os ovos de sua alimentação. Três ovos por semana não lhe farão mal algum. Mas tente não passar dessa dose. E, acima de tudo, saiba que a clara não tem qualquer incidência no seu colesterol.

Por isso, não hesite em preparar omeletes de claras com um pouco de presunto picado. É uma refeição rápida deliciosa, que vai deixá-lo saciado.

Sua atividade física

Ontem eu lhe ensinei um pequeno exercício dos músculos pré-vertebrais: solicitados e contraídos, são capazes de endireitar sua coluna quando você trabalha em um computador. Hoje proponho um outro movimento que, a longo prazo, poderá lhe trazer muitos benefícios.

Você já notou que, quando uma pessoa está de pé, ela tende a se encostar em um elemento estável e sólido, como uma parede ou um objeto pesado? Quando não há objetos por perto, frequentemente, ela se entorta para se manter de um só lado (em uma única perna). Nessa posição, o peso do tórax não é mais suspenso por forças musculares, mas pela tensão passiva dos ligamentos e dos tendões.

Eis o que lhe peço: quando estiver em pé, em um ônibus, no metrô, no elevador ou em qualquer outra situação que o obrigue a estar nessa posição, pense em voltar ao seu centro de gravidade, mantendo-se ereto, com as pernas ligeiramente afastadas. Nessa posição, o peso de seu corpo é verdadeiramente apoiado por seus músculos... e não músculos quaisquer, mas os "grandes portadores", os músculos das coxas, dos quadris e dos glúteos. São os músculos que mais consomem calorias por minuto!

Sendo assim, além do fato de queimar calorias suplementares, você vai ter uma postura mais elegante. E, principalmente, vai se manter consciente de sua atitude, de seu corpo... e de sua dieta!

Sua motivação

Ontem dividi com você meu entusiasmo quanto ao que amanhã será, penso eu, **uma das mais importantes preocupações do gênero humano. Quero falar sobre a compreensão do funcionamento do cérebro.**

Algumas pessoas talvez pensem que já se sabe muito sobre o assunto. É mentira: o que sabemos é apenas uma parte. E o pouco que sabemos já mudou muito a nossa vida (penso, em especial, na psicanálise e na emergência das neurociências). Ao fim do século XIX a descoberta do inconsciente foi uma verdadeira revolução. Atualmente, o pensamento de Freud está situado em um fundamento mais científico: sabe-se que o cérebro humano, objeto dos mais complexos e mais sofisticados do universo, se construiu muito progressivamente em centenas de milhares de anos.

Tudo começou com os primeiros anfíbios, peixes cujas barbatanas se tornaram membros ao se apoiarem na terra firme. **Em seguida, vieram os répteis,** com um cérebro já suficientemente complexo para dominar o mundo (penso nos grandes dinossauros, os predadores mais espetaculares de todos os tempos). O cérebro dos répteis foi — e continua a ser — um templo de instinto puro: "Estou com fome, como a qualquer preço, mesmo que arrisque a minha vida, sem emoção ou imaginação. Vejo uma fêmea, que reconheço pela maneira de se mover, pela cor de seus flancos, seu cheiro, sua ausência de agressividade, sinto-me seguro e copulo e sequer sei que ela colocará ovos... Nem ela.

"Um outro macho se aproxima de meu território, olho-o fixamente; se ele penetra em meu espaço, ataco-o, não importa qual seja seu tamanho. Quanto mais ele se aproxima do meu território, mais forte e ameaçador eu me torno." Fome, sexo ou agressão... é o que vibra mais forte no cérebro de um réptil. O homem também possui esse cérebro. Claro que, em nós, vem acompanhado de outras instâncias, que o freiam e o enquadram. Até amanhã.

Cérebro reptiliano

"Escapadas" da dieta

Hoje eu me permiti tomar uma decisão sem consultá-lo. Na verdade, decidi de maneira unilateral que você, da hora que se levantar à hora de dormir, não fará QUALQUER escapada da dieta. Nada de novo, você vai me dizer... mas gostaria, me expressando de maneira mais clara, de lhe oferecer essa decisão como um empurrãozinho a mais. Algo que fará a balança pender para o lado certo. Conheço as forças antagonistas que podem, algumas vezes, armar uma batalha contra você, quando está diante da tentação. Razão a mais para que hoje, mais uma vez, eu seja **seu aliado no "lado bom" da força.**

Exercício do dia

- **Jovem e ativo:** Hoje passaremos a cinquenta abdominais e faremos 18 agachamentos.
- **Mais de 50 anos e sedentário:** Hoje vamos tentar passar a 22 abdominais e a 11 agachamentos.

Meu diário pessoal

Ontem fiz uma proposta a você. Propus que lhe responderia se você me escrevesse. Se eu julgar que sua pergunta faz sentido, responderei: tomarei esse tempo de minhas consultas. Mas não me queira mal caso eu não julgue a resposta à sua pergunta realmente necessária.

....
....
....
....
....
....
....
....
....
....
....
....
....
....
....
....
....
....
....
....
....
....
....
....
....
....
....

Fase de cruzeiro • PL • Dia 31

Dia 31
da minha dieta Dukan

meu peso inicial: ....

meu peso atual: ....

total de kg perdidos: ....

meu peso ideal: ....

Panorama do seu 31º dia

Eis os legumes novamente: frescor, fibras e vitaminas na programação de hoje! Não desperdice essa oportunidade. Crus, cozidos, em conserva ou congelados, tudo é possível com os legumes. Não se esqueça, também, do que eu já lhe disse: "Nunca, em minha carreira de médico, encontrei um obeso que adorasse legumes!" Se você não gosta deles, pois bem, isso é apenas um mau hábito a ser mudado. O mesmo vale para o seu hábito de estar com sobrepeso: você vai se acostumar a ser magro!

Minha mensagem de apoio para você

"Se você fizer parte daqueles (ou daquelas) que engordaram porque abusaram dos açúcares, é possível, caso o abuso tenha durado muito tempo, que você tenha cansado seu pâncreas, obrigando-o a secretar um excesso de insulina. Sendo esse o caso, é possível que **as células do seu corpo tenham, progressivamente, se tornado resistentes à insulina. E se você continuou a engordar cada vez mais, essas mesmas células finalmente se tornaram intolerantes à insulina.** Assim sendo, três soluções são possíveis, em função de sua predisposição ao diabetes.

Se em sua família existe uma forte tendência ao diabetes, é possível que você mesmo tenha se tornado diabético. De manhã, em jejum, sua porcentagem de glicose sanguínea (ou glicemia) ultrapassou 1,26g/l. Você já deve tomar remédios para controlá-la.

Felizmente, se essa situação for recente, você pode CURÁ-LA. Você pode muito bem voltar a ter uma porcentagem abaixo desse limite de 1,26g/l e até mesmo, no final, voltar a ter uma glicemia de 1g/l. Isso é possível se você emagrecer, se parar de comer glicídios e caminhar de 20 a 30 minutos todos os dias.

Se a predisposição ao diabetes em sua família for moderada, o melhor é que você vigie sua glicemia, pois o sobrepeso e o sedentarismo podem acelerar uma evolução que normalmente seria lenta. Aqui ainda, e talvez principalmente aqui, mexa-se e emagreça. Você tem grandes chances de escapar dessa doença agressiva.

Caso não exista tendência diabética em sua família, você tem muita sorte. Mas isso não o exclui totalmente dos riscos. Como você engordou muito e é sedentário, existe o risco de que seu pâncreas se esgote. Então, seja prudente e emagreça. É o momento ideal para que você o faça. E, principalmente, guarde na memória a ideia de que o açúcar é seu inimigo."

Pierre Dukan

Sua motivação

Ontem nos despedimos com um pequeno texto sobre o velho cérebro reptiliano: guardião dos instintos primordiais ligados à sobrevivência do indivíduo e da espécie. Esse cérebro funcionou dessa forma até o espantoso acidente que eliminou todos os dinossauros! Um meteorito gigantesco, de 10 quilômetros de diâmetro, se chocou contra a Terra no lugar onde hoje é o México, há 65 milhões de anos, criando uma explosão similar a "milhares de bombas de Hiroshima". O impacto projetou milhões de toneladas de poeira, carregadas de irídio altamente tóxico, dizimando todos os animais de grande porte. Quando a aterrorizante hegemonia dos dinossauros chegou ao fim, os mamíferos vieram ocupar o cenário, e multiplicaram-se em grande velocidade.

A mãe mamífera, ao contrário da fêmea réptil que abandonava seus ovos sem acompanhá-los, traz sua progenitura no ventre e a alimenta pelas mamas, até sua maturidade. Em outra época, o cérebro do réptil, incapaz de sentir emoção e sem memória, não permitia o apego fundado na memorização de elementos dessa ligação. A partir disso, a evolução adiciona um novo "programa" ao primeiro: o cérebro mamífero. É a emergência do prazer e do desprazer ressentidos. É também o advento das emoções... Logo, do condicionamento, do hábito, do apego às coisas e aos seres, incluindo-se nisso a comida e, especialmente, o açúcar.

O ser humano possui estes dois cérebros: o reptiliano e o mamífero. Trata-se de dois cérebros bem diferentes, que devem funcionar em conjunto. Cada um tem seus objetivos, sua linguagem, suas prioridades, e sempre foi preciso que um acerto se fixasse entre os interesses dos dois. Sim, nós, seres humanos, somos portadores desse segundo cérebro mamífero, que gera as emoções e os afetos, da mesma maneira que nossos animais domésticos o são. É o que explica o fato de, às vezes, nos sentirmos tão próximos de nossos cachorros e nos apegarmos tanto a eles.

Amanhã explicarei como o funcionamento dos dois cérebros desempenha um papel importante na motivação e na relação com a comida...

Fase de cruzeiro • PL • Dia 31

Cesta de compras do dia

Hoje proponho que você coloque gaspacho em sua cesta de compras. Trata-se de um prato da Andaluzia, que é metade sopa fria, metade suco de legumes. É uma verdadeira delícia, especialmente se você está fazendo a dieta no verão. **Mas seja prudente: há um pouco de óleo nessa receita**, pois os espanhóis o adoram. Então, não tome mais que uma tigela por hoje. Depois, você vai ter de esperar ao menos até depois de amanhã, o próximo dia PL.

Sua receita de hoje

Gaspacho express (PL)

 10 min   30 min   2

6 tomates maduros, retirando a semente
½ pimentão verde
½ pepino
1 chalota cinza
ou 1 cebola pequena cortada ao meio
1 dente de alho inteiro
2 colheres (café) de azeite
½ colher (café) de vinagre balsâmico
Pimenta Tabasco ou caiena (a gosto)
1 colher (café) de stévia
Sal, pimenta-do-reino a gosto
200ml de água

Esta receita contém a dose de azeite diária autorizada.

1. Coloque todos os ingredientes previamente cortados em um liquidificador.
2. Ligue o aparelho em velocidade baixa e termine em velocidade alta. Se estiver com pressa, leve à geladeira por 30 minutos. Caso contrário, deixe o máximo de tempo possível na geladeira.

Minha lista de compras

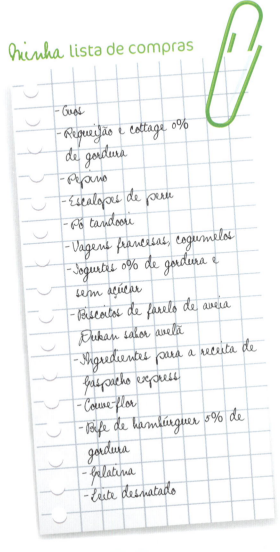

- Ovos
- Requeijão e cottage 0% de gordura
- Pepino
- Escalopes de peru
- Pó tandoori
- Vagens francesas, cogumelos
- Iogurtes 0% de gordura e sem açúcar
- Biscoitos de farelo de aveia Dukan sabor avelã
- Ingredientes para a receita de gaspacho express
- Couve-flor
- Bife de hambúrguer 5% de gordura
- Gelatina
- Leite desnatado

Sua atividade física

Hoje vamos fazer juntos um pequeno teste de resistência ao esforço: simples, mas eficaz.

Antes de começar, pressione seu pulso durante 1 minuto para contabilizar o número de batimentos cardíacos em repouso. Em seguida, posicione-se diante de uma mesa, uma mesa de escritório ou uma pia e coloque suas mãos esticadas sobre ela. Depois, abaixe-se, inspirando, até que seus glúteos entrem em contato com seus calcanhares. Suba novamente, expirando, e conte até UM. Em função de sua idade e de sua condição física, realize o movimento 10, 15 ou 20 vezes.

Imediatamente após o esforço, retome seu pulso (e uma terceira vez, depois de 1 minuto). Assim, você terá três pulsações. Vamos chamá-las de P1, P2 e P3. Adicione os três P (P1 + P2 + P3) e você terá uma soma. Subtraia 200 do resultado da soma e divida o que obtiver por 10.

Se o número for inferior a 0 (logo, um número negativo), você tem um coração de atleta e poucas chances de estar com sobrepeso.

Se o número estiver situado entre 0 e 5, sua adaptação ao esforço é boa. **Entre 5 e 10,** a adaptação é média. **Entre 10 e 15,** a adaptação é insuficiente. Se o número **for superior a 15,** você tem dificuldades em se adaptar ao esforço: emagrecer é essencial para você. Converse com seu médico.

Seu ambiente de saúde

Hoje eu gostaria de voltar à relação entre o sobrepeso (ou obesidade) e o câncer. Fico surpreso ao constatar a que ponto essa relação é desconhecida pelos pacientes e por inúmeros médicos. E, no entanto, a relação entre peso e câncer é bastante lógica. A célula humana, como qualquer entidade vivente, precisa de energia e de combustível para viver. A célula cancerígena, que tem pressa em se multiplicar para invadir e depois destruir o organismo que a abriga, precisa de ainda mais combustível!

Já vimos anteriormente que uma célula normal não cancerígena funciona com dois tipos de combustíveis: primeiramente, os ácidos graxos, trazidos pela alimentação ou liberados pelo tecido adiposo; em seguida, a glicose, fornecida pelos alimentos ricos em glicídios, como o açúcar, a farinha, os feculentos, os cereais etc.

Quanto à célula cancerígena, esta tem uma propriedade bem peculiar: ela não pode funcionar senão com a glicose, pois seu metabolismo não aceita os ácidos graxos. Isso significa, de maneira mais clara, que, privada de glicose, a célula cancerígena está condenada a morrer. Assim, finalmente, teríamos encontrado o remédio contra o câncer! Na realidade, ao que parece, o organismo privado de glicídios consegue, de qualquer forma, sintetizar sua própria glicose... mas em quantidades bem menores! Desse modo, a célula cancerígena é freada em seu desenvolvimento e disseminação. É o que confirmam os estudiosos do câncer, que constatam que uma alimentação sem glicídios diminui a progressão do câncer e, ainda mais, a difusão de suas metástases. Infelizmente, essa alimentação, que exclui os legumes e as frutas, não é algo fácil de ser instaurado. Frequentemente, ela necessita da presença de legumes por janelas de alguns dias, assim como da associação de uma quantidade de vitaminas de excelente qualidade.

Se você fizer parte de uma família com risco de câncer, reduza seu consumo de açúcares e glicídios. Se você já teve câncer e hoje está curado, reduza fortemente seu consumo de açúcar. E, caso tenha um câncer em evolução, fale com o seu médico e veja com ele se é possível parar completamente de consumir açúcares.

Ainda hoje você pode constatar que um bom número de patologias têm uma ligação com o consumo de glicídios. Infelizmente, e apesar do extremo sedentarismo humano atual, ainda insistem em nos pedir que consumamos muitos glicídios (55 a 60% de nossa alimentação cotidiana).

"Escapadas" da dieta

Eis que estamos próximos de quarenta dias de navegação conjunta. Todas as manhãs insisto mais uma vez neste ponto preciso que é o das ESCAPADAS. Se posso acreditar em minha experiência, você deve ter escapado da dieta... pois você não é um robô, nem um herói. Você é um ser humano, com emoções, afetividade, necessidade de prazer e alegria. Do meu lado, tenho um papel a desempenhar: o de acompanhar você até que chegue ao seu Peso Ideal. Ora, tenho apenas 60 dias para fazê-lo. Cada dia é importante nessa viagem. E eu levo o meu papel muito a sério.

Faltam apenas vinte dias para acabar nossa viagem juntos: nessa ótica de prazo muito curto, **não sair da dieta é um desafio que você pode facilmente retomar.** Então, ainda conto com você para que o vença hoje! Amanhã voltarei com novas e boas ideias.

Exercício do dia

- **Jovem e ativo:** Hoje faremos cinquenta abdominais e 18 agachamentos.
- **Mais de 50 anos e sedentário:** Hoje vamos manter 22 abdominais e 11 agachamentos.

Meu diário pessoal

Já tem um bom tempo que começamos juntos a nossa jornada. Você deve ter notado que sei muitas coisas a seu respeito. É este velho fundo de experiência e de empatia que desenvolvi em mais de quarenta anos de prática cotidiana. Podemos ter 5, 10, 20 ou 50kg a perder: há sempre uma relação entre o peso e a comida que encontramos de maneira quase idêntica em todos esses seres comoventes dos quais aprendi a gostar e aos quais me apeguei. Se lhe digo isso, é para que você confie em mim... e para que venha escrever o que sente neste diário. Acredite em mim, escrever faz muito sentido. Então, escreva todos os dias.

Fase de cruzeiro • PP • Dia 32

Dia 32
da minha dieta Dukan

| meu peso inicial: | meu peso atual: | total de kg perdidos: | meu peso ideal: |

Panorama do seu 32º dia

Hoje, dia de proteínas puras. Sinal verde para a carne, o peixe, os frutos do mar, as aves, os ovos, os presuntos, a vitela ou o peito de peru, os laticínios magros e o tofu. Você tem muitas opções, aproveite para sair dos alimentos que costuma escolher.

Seu ambiente de saúde

Hoje vou evocar **duas reflexões vindas de meus pacientes**. Elas me divertiram e me interessaram.

Um dia, um açougueiro de cerca de 50 anos e em processo de emagrecimento me disse: "Doutor, quando comecei a engordar, tinha a impressão de ter um bezerrinho nas costas e, depois, com o tempo, ganhei 40kg e vivi, sem me dar conta, com um boi nas costas! Desde que emagreci, ainda continuo me perguntando como pude tolerar um peso tão grande sobre mim durante tanto tempo."

A outra reflexão é a de um engenheiro alemão. Ele me disse: "O senhor sabe como temos orgulho da qualidade de nossos carros na Alemanha. Mas se, por exemplo, o senhor pegar duas Mercedes novas em folha e der a primeira a alguém solteiro e a outra a uma família com três filhos... Cinco anos depois, se fizer um controle técnico, vai ter duas fichas de exame extremamente diferentes! Imagine os pneus, os freios, a embreagem, o motor, o estado exterior e interior. Tudo será diferente."

A mesma coisa acontece com dois homens que têm 10kg de diferença: ao cabo de vinte anos seus saldos de saúde vão ser muito diferentes!

Minha mensagem de apoio para você

"Passei muito tempo com você ao longo dos últimos dias. Descrevi o que acontece com seu corpo quando você o alimenta com comidas muito ricas em glicídios. Quanto a você, poderia contestar que os glicídios são, no entanto, mais que aconselháveis em uma alimentação! E você teria razão: **as preconizações oficiais recomendam que sejam atribuídos aos glicídios entre 55 e 60% de nossa alimentação cotidiana. É estranho, mas é assim.** Essa é, a propósito, uma das maiores dificuldades que encontro no estabilishment *da* nutrição, que sabe, pertinentemente — que não poderia não saber —, que o açúcar é um inimigo que o homem moderno deve temer.

Os estudiosos do diabetes não deixam de clamar esta evidência: existem 3,5 milhões de diabéticos na França, e esse número dobrou em dez anos. A epidemia do diabetes está relacionada ao sobrepeso, de forma tal que os especialistas agora falam em "diabesidade"! Em 1950, cerca de 65 anos atrás, não existia epidemia de sobrepeso, nem de diabetes. Depois da guerra e de suas restrições, as autoridades sanitárias recomendaram que se atribuísse aos glicídios uma posição central na alimentação humana, fixando esses famosos 55 a 60% da ração cotidiana.

Progressivamente, um grupo de pessoas com sobrepeso apareceu na população (e a mesma coisa para os diabéticos). Esses grupos cresceram ao ponto de se tornarem preocupantes e "endêmicos". Em países como os Estados Unidos ou o México, a diabesidade é, atualmente, uma verdadeira calamidade, responsável por 1 milhão de mortes por ano. Enquanto isso, com a ajuda do progresso e da tecnologia, a atividade física diminuiu drasticamente: os ocidentais se tornaram grandes sedentários.

Diante de tal situação, que é uma verdadeira hecatombe, o que o estabilishment da nutrição fez? Nada! Apesar da epidemia do sobrepeso e da obesidade, apesar do sedentarismo e, principalmente, apesar da avalanche de pesquisas que provam que, com essa dose, os glicídios são perigosos, a OMS não se mexeu. *E as recomendações não mudam: ainda são de 55 a 60% de glicídios... Isso é demais!*

É exatamente contra isso que luto: contra essa perigosa persistência. Compreendo perfeitamente que estou lidando com gente muito mais poderosa que eu. Desse modo, é do outro lado da corda que me posiciono, do lado daquele que sofre os prejuízos: *é a VOCÊ que me dirijo.* Quando tiver terminado esta dieta, quando tiver chegado ao seu Peso Ideal e se estabilizado nele, continue a desconfiar dos glicídios. **Desconfiar deles não significa se proibir de consumi-los, mas saber que eles não lhe são favoráveis:** não fomos feitos para consumir tais alimentos em grande quantidade. Até amanhã."

Pierre Dukan

Fase de cruzeiro • PP • Dia 32

Minha lista de compras

- Ovos
- Presunto magro
- Ricota light
- Camarão VP, moluscos, peixe branco magro
- Iogurtes 0% de gordura e sem açúcar
- Barras de farelo de aveia Dukan sabor chocolate
- Chá verde
- Tofu cremoso
- Ágar-ágar
- Aroma de baunilha

Cesta de compras do dia

Hoje concentre todas as atenções no **peixe-espada,** um peixe caro, mas muito menos caro quando congelado; como todos os peixes semigordurosos, suporta muito bem o congelamento. É um "peixe carnudo" que, assim como o atum e o cação, tem uma carne bem firme e com uma textura próxima à da carne vermelha. Escolha um pedaço gorduroso: os lipídios dos peixes são ricos em ômega 3, que têm propriedades medicinais muito interessantes.

Sua receita de hoje
Espetinhos de Espadarte (PP)

 5 min   8 min   2 h*   4

* Marinada

4 colheres (café) de azeite
Suco de 1 limão
1 colher (sopa) de molho shoyu
1 dente de alho picado em pedaços pequenos
1 colher (sopa) de coentro fresco picado
1 colher (café) de cominho
Sal, pimenta-do-reino moída a gosto
600g de peixe branco magro (cherne ou robalo) em postas

Esta receita contém a dose de azeite diária autorizada.

1. Prepare a marinada, misturando o azeite, o suco de limão, o molho shoyu, o alho, o coentro picado e o cominho. Adicione pimenta-do-reino e sal.
2. Corte o peixe em pequenos cubos, de cerca de 3cm, e embeba os cubos na marinada. Cubra com filme plástico e leve à geladeira por pelo menos 2 horas, virando o peixe de vez em quando.
3. Preaqueça sua grelha ou churrasqueira.
4. Retire o peixe da marinada e escorra cuidadosamente. Coloque os cubos de peixe em palitos e cozinhe durante 6 a 8 minutos, virando os espetinhos até que fiquem macios por dentro e dourados por fora.

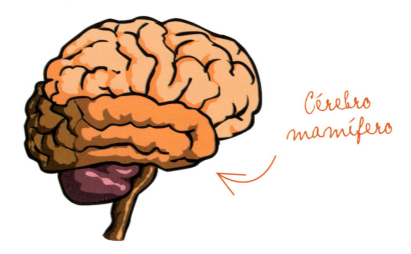

Cérebro mamífero

Sua motivação

Eis que estamos de volta a esta coluna consagrada à motivação. Ontem nos despedimos falando sobre o duo "cérebro reptiliano/cérebro mamífero": conjunto que compõe o que hoje chamamos de "velho cérebro". Nesse momento da evolução estamos a **200 mil anos antes da aparição do homem: o que chamamos de motivação passa a existir, pois a decisão não é mais um ato de reflexo, como o era para o réptil.**

Doravante, a motivação vem de um permanente compromisso entre os interesses dos dois cérebros. O primeiro quer e segue aquilo que seus instintos ditam, o segundo navega entre o prazer e o desprazer, guiado por sua memória dos bons e maus encontros.

Graças à evolução, você e eu tivemos acesso ao terceiro cérebro, o cérebro racional e consciente. Mas se esquecêssemos esse cérebro por um instante e tentássemos imaginar como nos comportaríamos sem ele, nossas decisões se pareceriam com as de um cão ou de um rato: **uma permanente arbitragem entre a urgência de sobreviver e a necessidade de ter prazer. Simples, não é?**

Pois bem, se você pensar bem... ainda estamos nessa, mesmo 200 mil anos depois! **Quando você faz minha dieta, seu cérebro reptiliano lhe pede para comer assim que você sente fome e tudo que você tem nas mãos,** com uma preferência pelo que está inscrito no registro natural do patrimônio alimentar do homem.

Mas o seu cérebro mamífero fará a diferença entre aquilo que não conhece e o que já experimentou. Ele também saberá diferenciar aquilo que adorou, que amou, que tolerou ou detestou. Ao fim desse confronto duas forças se conjugarão para adotar a escolha mais forte.

Se você tivesse apenas esses dois cérebros, a palavra "dieta" não existiria: não existe nenhum outro animal no mundo que já tenha feito dieta, isso é algo que chega a ser inimaginável. A única coisa que faz com que você consiga imaginar uma dieta é o terceiro cérebro, o consciente: ele, e apenas ele, consegue entender que o excesso de carga pode ter repercussões na vida, na saúde, na sexualidade, na atividade física, na autoestima...

"Escapadas" da dieta

Já falamos muito e com frequência sobre a noção das escapadas da dieta, inevitáveis obstáculos no seu trajeto de emagrecimento. Hoje eu gostaria de lhe dizer que não é mais o momento para sair da dieta. A data fatídica se aproxima. Nosso objetivo de **perder 10kg não é algo sem importância na vida de um ser humano.** Eu chegaria até mesmo a dizer que esse emagrecimento vai mudar sua vida. Quando digo "vida" **falo do projeto de vida.** Já que nos restam apenas vinte dias de verdadeiro combate, vamos nos fixar um novo objetivo: nada de sair da dieta ou, em todo caso, não hoje.

Sua atividade física

Ontem eu lhe propus um teste de resistência ao esforço (com a medição do pulso antes e depois do esforço). Se você fez esse exercício, espero que tenha percebido que faz parte das pessoas com boa resistência ao esforço... pois é uma vantagem importante para toda pessoa que está de dieta!

Ser resistente não é apenas ser capaz de fazer um esforço físico. É também ter força de vontade, resistir à tentação, criar meios de atingir um objetivo. Se você não tiver essa resistência, pode, ao menos, desenvolvê-la. Você vai aumentá-la graças à atividade física e, muito rapidamente, vai ficar surpreso ao constatar até que ponto as fronteiras entre o físico e o mental são frágeis.

Os esforços físicos e psíquicos formam um todo. A grandeza do homem se desdobra apenas quando existe uma energia subjacente, capaz de unir o corpo e a mente. Um grande matemático, um grande escritor ou um grande ator precisam de energia e resistência física para exprimir seu talento — e mesmo, pura e simplesmente, para fazê-lo funcionar.

Para conseguir emagrecer também é preciso ter energia e resistência. Então, caminhe, nade, dance, cante, suba... mas nunca deixe seu corpo parado.

Meu diário pessoal

Eis o que gostaria que você fizesse hoje: **tente reler tudo que escreveu até hoje nesta coluna de diário.** Com um lápis ou um marcador de texto, sublinhe tudo que, ao reler, lhe pareça ter um sentido mais forte que o resto, algo que lhe chame a atenção. Reúna tudo e envie-me, você tem meu endereço de e-mail... Mas seja gentil, guarde para mim apenas o que lhe serviu e pode servir aos outros.

Exercício do dia

- **Jovem e ativo:** Hoje faremos cinquenta abdominais e 18 agachamentos.
- **Mais de 50 anos e sedentário:** Hoje vamos manter 22 abdominais e 11 agachamentos.

Fase de cruzeiro • PL • Dia 33

Dia 33
da minha dieta Dukan

meu peso inicial: ....

meu peso atual: ....

total de kg perdidos: ....

meu peso ideal: ....

Panorama do seu 33º dia

Dia de comer legumes, aproveite. Hoje eu lhe proponho um prato que, pessoalmente, adoro... mesmo estando certo de que alguns vão dar gritos de pavor! Vou tentar mesmo assim: cebola grelhada. Você deve comprar cebolas de bom tamanho. Em seguida, deve cortá-las em fatias grossas de ½ centímetro de espessura e, em uma chapa (ou, caso não tenha, em uma frigideira com um pouco de óleo espalhado com papel-toalha), cozinhar em fogo alto, para caramelizar a superfície e, depois, em fogo mais brando, para torná-las mais macias e fazer com que percam seu sabor mais forte. Experimente, você vai ficar surpreso com o resultado.

Seu ambiente de saúde

Hoje vamos falar um pouco sobre suas articulações. Não sei qual é a sua idade, mas sei, por experiência, que qualquer pessoa com excesso de peso terá problemas de articulação. De quais articulações se trata?

As primeiras são as vértebras, principalmente se você não for musculoso. Sua coluna vertebral é composta por muitas dezenas de vértebras, da primeira cervical (o atlas, sobre o qual a cabeça repousa, como a bola do bilboquê), até a última lombar, que fica sobre o sacro. Entre duas vértebras há um disco que é uma espécie de amortecedor. No meio do disco apresenta-se um bolso de líquido viscoso, contornado por uma sucessão de camadas de tecido resistente, que lembra a estrutura de uma cebola. Quando tropeçamos, o choque é retransmitido à coluna vertebral e a todos os discos intervertebrais.

Certos discos são mais vulneráveis que outros: é o caso das cervicais e, principalmente, das lombares, que têm, de certa forma, o papel das dobradiças de uma porta (entre a parte de baixo e a parte de cima do corpo). Nesse estágio, a porta é particularmente pesada. Quando as últimas lombares sofrem choques, a beliscadura do disco intervertebral causa lumbagos ou ciáticos. À medida que é sobrecarregada, a lombar também pode fazer surgir uma hérnia de disco muito dolorosa. Não estar com sobrepeso é, portanto, forçar menos a lombar.

Minha mensagem de apoio para você

"Achei que tinha acabado de falar sobre os glicídios... Mas gostaria de adicionar dois elementos a esta longa apresentação de extrema importância para o futuro do seu peso e de sua saúde.

O primeiro elemento diz respeito ao argumento do preço dos alimentos. Sim, os glicídios são alimentos baratos quando os trazemos ao custo das calorias. Sim, as massas, o arroz, o açúcar, as pizzas, a sêmola e a maioria dos glicídios de base são muito econômicos. Mas o que dizer sobre os glicídios que a indústria refinou, ao ponto de, nesses alimentos — que são, no entanto, de origem vegetal —, já não restar qualquer traço de estrutura vegetal? As farinhas brancas ou os biscoitos cujas qualidades se vangloriam tanto na televisão são desertos nutricionais! Não existe mais qualquer vitamina ou sal mineral nesses alimentos. Esses produtos, repletos de glicídios — de 70 a 80% — fazem com que paguemos muito caro no que trazem de açúcar e farinha. Logo, o argumento do preço é enviesado... Cheios de açúcares ultrarrápidos, geradores de sobrepeso e diabetes, esses produtos lhe dão pouco pelo preço pago.

O segundo elemento diz respeito ao poder de criação de dependência dos glicídios. As pessoas, em geral, gostam muito de pão, massas ou batata. No entanto, se tratando de açúcares rápidos como as balas, o mel, guloseimas diversas, sorvetes, bolos, pastas.... caímos, necessariamente, na dependência, que ultrapassa a simples atração natural. Inúmeros neurocientistas mostraram que esses 'açúcares de penetração ultrarrápida' exercem uma ação poderosa no cérebro, ação próxima à das drogas.

Se você fizer uma pesquisa com pessoas bulímicas ou pessoas que costumam beliscar na madrugada, notará que são esses os alimentos que elas mais usam para satisfazer seus desejos súbitos de comida.

Se lhe interessar, veja o programa da Elise Lucet ("Cash investigation", junho de 2012) sobre os conflitos de interesses entre médicos ditos "nutricionistas" e a indústria das guloseimas.

Nesse programa você vai ver ratos que foram drogados com heroína durante 15 dias. No 16º, os ratos drogados foram expostos à escolha entre heroína e... água com açúcar. **Você vai vê-los desdenhar a pior das drogas pesadas para se voltarem a uma mera água açucarada!**

Corra para ver a experiência realizada pelo CNRS; depois disso tenho certeza de que verá o açúcar com outros olhos. E, assim, finalmente, encerro o assunto sobre os açúcares e os glicídios.

Até amanhã."

Pierre Dukan

Fase de cruzeiro • PL • Dia 33

Cesta de compras do dia

Se for de seu gosto, hoje, **compre cenouras**. Dizem que as cenouras são açucaradas e que não se deve comê-las em uma dieta pobre em glicídios, ou que diabéticos não devem consumi-las. Talvez... Mas há POUQUÍSSIMOS glicídios na cenoura. Se for consumida crua, ralada e ocasionalmente, é um legume muito rico em caroteno, antioxidante muito benéfico para a pele.

Emagrecer é retirar a gordura de paredes inteiras dos territórios subcutâneos: esse esvaziamento, mecanicamente, afrouxa a pele que o encobre. Se você for jovem e dono de uma pele bem elástica, o excesso de pele vai se retrair, mas se não for o caso, um pouco de caroteno uma ou duas vezes por semana fará muito bem à sua dieta — e ajudará a pele distendida pela perda de peso a se regenerar.

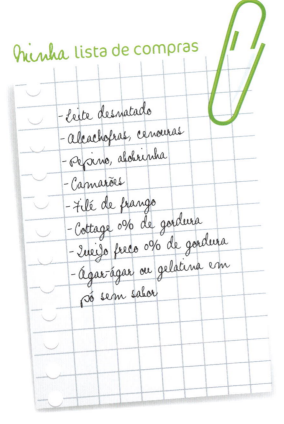

Minha lista de compras
- Leite desnatado
- Alcachofras, cenouras
- Pepino, abobrinha
- Camarões
- Filé de frango
- Cottage 0% de gordura
- Queijo fresco 0% de gordura
- Ágar-ágar ou gelatina em pó sem sabor

Sua receita de hoje
Pudim de Cenoura
e coentro (PL)

200g de cenoura
2 ovos
2 colheres (sopa) de requeijão 0% de gordura
60g de queijo ralado com 7% de gordura
Coentro, sal, pimenta-do-reino a gosto

Esta receita contém um tolerado por pessoa.

1. Lave, descasque e rale as cenouras bem finamente. Lave e pique o coentro.
2. Preaqueça seu forno a uma temperatura de 210°C.
3. Em um recipiente, bata os dois ovos e o requeijão, adicionando em seguida o queijo ralado. Tempere com sal e pimenta-do-reino.
4. Despeje a cenoura ralada e o coentro em duas forminhas e cubra com a mistura dos ovos. Cozinhe em banho-maria durante 20 minutos, sempre à mesma temperatura.

Sua atividade física

Não sei a que horas você abre este diário de bordo. Mas, caso seja de manhã, coloque na cabeça que, ao longo deste dia, vai ter de fazer, pelo menos, meia hora de caminhada. Se você for jovem e apressado, pode fazer apenas 20 minutos de jogging. Mas lembre-se que essa caminhada é algo necessário, contratualmente aceito e, acima de tudo, fundamentalmente ÚTIL à sua perda de peso. **Eu chegaria a dizer que é indispensável:** não a curto prazo, pois, mesmo sem se mexer, apostando na dieta, você pode continuar a perder peso. **O exercício físico é indispensável a médio e, sobretudo, a longo prazo:** sem atividade física, lhe faltaria alguma coisa de essencial para não engordar novamente.

É, também, algo de profundamente natural, pois nosso corpo foi feito para a atividade: ele precisa dela. Um corpo é igual a cerca de oitocentos músculos, ossos, tendões, articulações e ligamentos. São milhões de anos de evolução e melhoras progressivas até que se chegasse a você, esse majestoso conjunto.

É algo que você não pode ignorar, o corpo foi feito para se mexer. E, no seu caso, pode apostar que uma parte do seu sobrepeso se deve ao fato de você não ter respeitado essa regra do jogo. Então, hoje, onde quer que você esteja, não importa em que momento do dia, faça, ao seu corpo e a mim, a gentileza de caminhar. E sinta o prazer da caminhada.

Fase de cruzeiro • PL • Dia 33

Sua motivação

Hoje, nesta sessão dedicada à motivação, gostaria de concluir minha **apresentação dos três cérebros**. Os dois primeiros já foram mais detalhados:

– **o cérebro reptiliano** é o piloto automático que governa sua fisiologia, seus instintos e sua sobrevivência;

– **o cérebro mamífero** gerencia sua vida emocional, suas ligações às coisas e às pessoas, sua memória, seus condicionamentos, preferências e obsessões (enfim, tudo que colore a visão em preto e branco do réptil).

Somos, hoje, compostos por essa junção réptil-mamífera que é, ao mesmo tempo, terrivelmente oposta e complementar.

Há 60 milhões de anos os primeiros primatas apareceram... entre eles, o que foi o ancestral comum do gorila, do chimpanzé e do homem. Um esboço do terceiro cérebro começou a surgir. Lentamente, ele se afinou para chegar a "você e eu", o *Homo sapiens sapiens*, há 200 mil anos. Desde então, nada mudou. Um recém-nascido de 200 mil anos adotado por parisienses modernos se desenvolveria mais ou menos como qualquer outro bebê. Bom, sei bem que este livro é um diário de bordo, com uma rota de 60 dias que deve levar você ao seu **Peso Ideal**.

Se eu tomo o tempo de explicar tudo isso, é porque **emagrecer também é algo a se aprender... Para recusar a violência dos dois cérebros primitivos é preciso que você entenda a força do terceiro cérebro:** racional, ele também tem algo a dizer. Os dois primeiros cérebros são apenas servomecanismos (mecanismos automáticos) que não têm vocação para tomar uma decisão não prevista por seu programa... mesmo que essa decisão possa lhes trazer benefícios a longo prazo. É justamente aí que intervém o terceiro cérebro, **o neocórtex**, do qual falarei um pouco mais amanhã...

Exercício do dia

- **Jovem e ativo:** Hoje faremos cinquenta abdominais e 18 agachamentos.
- **Mais de 50 anos e sedentário:** Hoje vamos fazer 22 abdominais e 11 agachamentos.

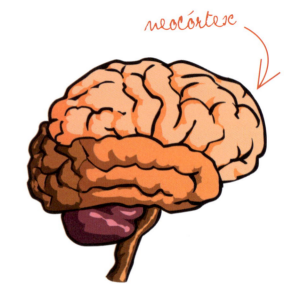

"Escapadas" da dieta

Em um diário de bordo como este que você está seguindo, que tem como objetivo fazer com que você perca seu excesso de peso, falar de sair da dieta significa, na verdade, falar de NÃO sair da dieta. Você poderia, e com razão, me dizer que sair ocasionalmente da dieta não vai interromper seu percurso. Na teoria, você tem razão... Mas, **em seu lugar, eu não sairia da dieta. E isso por dois motivos.**

Antes, apesar da firmeza das regras a seguir, quase todos os meus pacientes saem algumas vezes da dieta em um mês (entre duas consultas). Apenas os robôs respeitam de maneira mecânica as ordens inscritas pelos engenheiros em seu programa. **O ser humano tem emoções, tentações, desejos. Fico muito feliz que você não seja um robô.** Isso confere ainda mais mérito ao nosso projeto em conjunto, a você, principalmente, que faz o trabalho, e a mim, que lhe mostro o caminho.

Por outro lado, mesmo que sair da dieta seja possível, pois somos seres humanos, acredito muito na importância da disciplina. É com ela que ganhamos guerras e nos educamos. Para que um percurso seja corretamente efetuado é necessário que as ordens sejam claras, sem ambiguidade. Aceitar sair da dieta seria colocar um caco de vidro em uma fruta... Então, para concluir: hoje, "nada de sair da dieta".

Meu diário pessoal

Hoje, tente encontrar o ponto mais interessante de todos os que você escreveu desde que usa este pequeno diário: um único, o mais forte, aquele que representa uma descoberta e o ajuda ainda agora, lendo e relendo...

Fase de cruzeiro • PP • Dia 34

Dia 34
da minha dieta Dukan

| meu peso inicial: | meu peso atual: | total de kg perdidos: | meu peso ideal: |

Panorama do seu 34º dia

Nada de legumes hoje. Espero que ontem você tenha aproveitado bem e que os legumes não lhe façam falta hoje. No entanto, tente evitar limitar sua refeição do meio-dia aos clássicos kanis, presunto magro de peru ou frango, ovos cozidos, lata de atum sem óleo... Isso é perfeito, quando você não tem tempo para preparar comida, mas não deve se tornar um hábito.

Se você trabalha, pode, por exemplo, levar (à sua escolha): uma carne grelhada, uma coxa de frango, uma ou duas belas fatias de salmão defumado, uma panqueca de farelo de aveia, ovos mimosa, um escalope de peru empanado com farelo de aveia, almôndegas de carne moída, uma sobra do cozido da véspera...

Sua atividade física

Diante da atividade física existem duas posições bastante divididas.

Você ama se exercitar e precisa disso para sentir prazer. Nesse caso, existem fortes chances de que você seja esportivo e que não tenha muito peso a perder.

Você não gosta e se sente obrigado a praticar atividades físicas (até porque eu insisto muito). Sendo assim, você tem fortes chances de parar qualquer atividade quando tiver emagrecido... e, com isso, corre o risco de engordar novamente! É por esse motivo que lhe peço que pratique uma atividade física que seja o mais simples e natural possível. **O fundamento da minha recomendação é a caminhada:** 20 minutos em fase de ataque e 30 minutos em fase de cruzeiro (a fase que você está fazendo agora). Caminhe em qualquer lugar, a qualquer hora do dia ou da noite, vestido como quiser.

Além disso, também lhe peço que siga a evolução dos exercícios abdominais e de agachamento. De propósito, não pedi que você fizesse muitas repetições, pois procuro tornar esses exercícios o mais acessíveis e o menos enjoativos possível. **Gostaria de fazer com que você os aceite como um ritual ou um hábito que você vai guardar depois de emagrecer:** este será o seu maior trunfo para estabilizar o peso.

Minha mensagem de apoio para você

" A cada dia que passa damos mais um passo em direção ao pódio! Estamos em nosso 40º dia de dieta. Existem boas chances de que você tenha perdido peso o suficiente para se sentir muito melhor com seu corpo. Você tem uma melhor imagem de si mesmo, uma moral melhor, sua saúde está melhor. Na realidade, **existem duas maneiras de se posicionar durante uma dieta.**

Primeiro caso: você vive a dieta como um combate entusiasmante, com garra para vencer; você atravessa sua dieta no comando de um trator que esmaga todas as resistências em sua passagem. Assim, você vai conseguir emagrecer rápido e, ao mesmo tempo, conservar energia suficiente para estabilizar seu peso no final.

Segunda hipótese: você sofre por fazer dieta como sofreu quando engordou... se esse é seu caso, você não está no caminho certo! Você corre o risco de se estafar, de se perder no caminho e de não mais ter motivação suficiente no momento crucial, no qual vai passar à fase de consolidação. A motivação é um combustível que se consome rapidamente caso não seja renovado. Se estiver nesse caso, entenda bem que eu NÃO POSSO ABANDONAR VOCÊ. Tenho um engajamento com você, e preciso ajudá-lo. Amanhã, se você estiver nessa situação, vou lhe dizer o que fazer para não abandonar o barco. Mas se, em vez disso, tudo estiver bem e você estiver conseguindo vencer, saiba que tem sorte: isso não acontece com todo mundo. Hoje, se você está tendo êxito, é porque a força está com você e o vento está em suas costas. Saiba, no entanto, que isso pode mudar: o vento muda de direção e qualquer acidente de percurso, qualquer contrariedade da vida, pode torná-lo vulnerável.

Cada quilo que você ganhou antes de começar esta dieta representava 9 mil calorias de prazer que você buscou na comida para se acalmar (ou, de maneira mais ampla, para ajudá-lo a viver).

Hoje, como você quer emagrecer, deve encontrar prazer em outras coisas. A vida nos traz, às vezes, belos presentes que nos libertam da 'comida consoladora': amor, evolução profissional, sucessos de qualquer gênero... Desejo isso a você de todo o meu coração.

Quanto a mim, proponho outro grande prazer que, sozinho, pode compensar a fuga na comida: é, pura e simplesmente, EMAGRECER. Controlar seu peso e desenvolver um projeto de vida sem os quilos a mais é algo muito benéfico. **"**

Pierre Dukan

Fase de cruzeiro • PP • Dia 34

Sua receita de hoje

Escalopes de vitela à milanesa
à moda Dukan (PP)

Cesta de compras do dia

E se, hoje, **você colocasse uma bela costela de vitela em sua cesta de compras?** É uma carne branca, mas bem molhadinha, com um sabor e uma textura agradáveis. Tente tirar a parte com gordura que envolve a costela da vitela. Tempere bem para que fique ainda mais gostosa!

2 escalopes de vitela
1 ovo
2 gotas de aroma de manteiga (facultativo)
4 colheres (sopa) de farelo de aveia
2 colheres (sopa) de farelo de trigo
2 colheres (café) de salsa picada
1 suco de limão
Sal, pimenta-do-reino a gosto

1. Recubra os escalopes de vitela com filme plástico e achate-os com a ajuda de um amaciante de carne ou um rolo de massas.

2. Bata o ovo e misture com o aroma de manteiga.

3. Misture o farelo de aveia e o farelo de trigo e disponha em um prato.

4. Embeba os escalopes de vitela no ovo, depois passe cada face no prato dos farelos para fazer um empanado.

5. Com algumas gotas de óleo, unte uma frigideira antiaderente, com a ajuda de papel-toalha. Esquente a frigideira e frite os escalopes empanados de cada lado, até que fiquem dourados.

6. No final do cozimento, tempere com sal, pimenta-do-reino e salpique com salsa picada. Sirva com um pouco de suco de limão.

Minha lista de compras

- Barras de farelo de aveia Dukan sabor chocolate
- Bresaola
- Escalopes de vitela ou peito de frango
- Fígado de galinha
- Coelho ou codorna
- Ovos
- Salsa
- Limões
- Aroma de manteiga
- Leite desnatado
- Requeijão 0% de gordura
- Iogurtes 0% de gordura e sem açúcar
- Gelatina

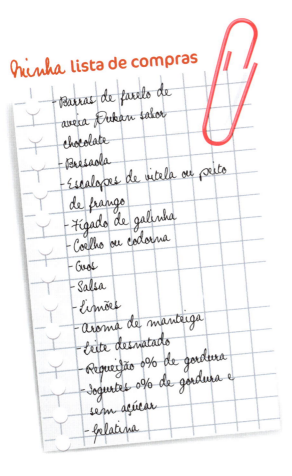

Exercício do dia

- **Jovem e ativo:** Hoje faremos cinquenta abdominais e 18 agachamentos.
- **Mais de 50 anos e sedentário:** Hoje vamos manter 22 abdominais e 11 agachamentos.

Seu ambiente de saúde

Ontem eu lhe disse que, se você está com sobrepeso, tem grandes chances de já ter sido confrontado com problemas de articulação. Falei sobre as vértebras e os quadris.

Hoje vou evocar os joelhos. Se você for jovem, pouco esportivo e tiver dor nos joelhos, isso só pode ser fruto de um acidente ou de uma queda (no esqui, no futebol ou de uma mobilete, por exemplo). Mas se já tiver passado dos 50 anos e for predisposto à artrose e, além disso, estiver com sobrepeso há muito tempo, você tem grandes chances de ter os joelhos lesados.

Os joelhos são os primeiros portadores do corpo: para você, se deslocar deve ser um sofrimento! Talvez você tenha, em breve, de fazer uma operação... Se restar um pouco de cartilagem entre o fêmur e a tíbia, preserve-a a todo custo! Um único milímetro basta para impedir que os ossos se toquem.

A melhor maneira de proteger essa cartilagem essencial é emagrecer. Não apenas um pouco, mas atingir seu Peso Ideal. Siga esse conselho e você não vai imaginar do que escapou!

Sua motivação

Ontem evoquei o terceiro cérebro: o cérebro que chamamos de humano, consciente, inteligente e racional, o que nos faz falar e escrever. Como esse cérebro nasceu? Os grandes macacos viviam muito bem sem tais performances!

Vou contar a você. Um acidente geológico derrubou o continente africano: foi um abalo sísmico de potência rara, uma espécie de grande golpe de sabre que partiu a base africana do norte ao sul. **O grande vale do Rift surgiu (ele divide o continente africano em dois). Toda nossa história começa lá,** nesse Rift que atravessa a exuberante floresta equatorial, nessa selva em que viviam os grandes macacos, entre os quais, nosso famoso ancestral...

Essa grande fratura criou no solo africano uma espécie de "degrau de escada", com uma parte alta e uma parte baixa. As nuvens, as chuvas e a umidade, "tropeçando" nesse desnível, acumularam-se na parte baixa, que se manteve em estado normal, povoada por macacos frugívoros.

A parte alta, privada de chuva, ressecou e tornou-se uma savana de mato alto. Nessa parte, os grandes macacos, entre os quais nosso famoso ancestral comum, foram obrigados a abandonar as árvores para viver na terra. A partir disso, o processo de hominização foi lançado.

A vida da mata alta obrigou os macacos a se tornarem mais eretos, para que fossem capazes de ver chegarem os perigos ou os alimentos. Foram os primeiros passos do futuro homem, o advento da estação bípede. As patas dianteiras se tornaram braços, e as mãos, liberadas do solo, começaram a interagir com o cérebro: o hominídeo teve a ideia de usar instrumentos, depois armas de pedra. Como a cabeça não precisava mais ser carregada pelos grandes músculos do pescoço, o cérebro se desenvolveu.

Para sobreviver era preciso se defender dos predadores e se alimentar de outros alimentos além das frutas. **Esses antigos macacos, outrora frugívoros, tornaram-se carnívoros.** Também deviam caçar e se proteger. Para tanto, tiveram de aprender a... se comunicar.

Foi assim que se acumulou todo um conjunto de pequenas mutações que levaram ao desenvolvimento da inteligência e da linguagem. As espécies humanoides evoluíram progressivamente para chegar até nós, a espécie mais evoluída: o *Homo sapiens*. O que se passou no cérebro durante essa longa viagem? Como se formou o terceiro e último cérebro? Como a união de três cérebros tão diferentes uns dos outros chegou a uma função comum e coerente? É o que vou lhe explicar amanhã.

"Escapadas" da dieta

Esta noção de escapada me opõe aos psiquiatras. A recusa da escapada (ou, ao menos, sua limitação) é um elemento essencial e reivindicado em minha dieta, em meu método e em minha filosofia. Seu discurso poderia ser o seguinte: *"Quero emagrecer, decido realizar este projeto. Tudo o que interrompe minha dieta, mesmo de maneira breve, cria uma brecha perigosa. Sim, ao tomar essa decisão eu sabia que devia romper com o modo de vida que me fez engordar. Sim, isso contraria o hábito de me voltar para a comida para obter prazer ou calma. Mas meu objetivo é de uma importância tão grande que reivindico o rigor da disciplina que a dieta exige."*

Os psiquiatras dizem que essa decisão representa uma prova traumática, que deixa a pessoa condenada a voltar ao peso perdido.

Refuto formalmente esse argumento. Ele talvez seja válido para certos pacientes de psiquiatria, frágeis, vulneráveis e sujeitos a eventuais distúrbios alimentares. Mas esses pacientes representam uma ínfima minoria da população: não são, de forma alguma, representativos dos 24 milhões de franceses com sobrepeso. Para os últimos, **emagrecer não é um traumatismo ou um sofrimento. É uma libertação, uma proeza, um esforço, certamente... mas extremamente valorizante e realizador.** Talvez exista uma facilidade hedonista para não resistir à tentação, mas há outra para vencer, ser mestre do próprio destino e ter êxito. Continuaremos amanhã... e por hoje, enquanto persistirem as dúvidas, não saia da dieta.

Meu diário pessoal

Escrever é criar, é transformar seu papel em testemunha e conservar a memória do que lhe aconteceu de notável, bom ou ruim. Seu diário é uma testemunha. É meu aliado, pois sei o quanto ele pode ajudá-lo. Espero que você faça parte dos 79% das pessoas que o usam. E posso lhe dizer, ainda no âmbito das estatísticas, que os que usam o diário emagrecem mais, mais rapidamente e se estabilizam melhor.

Fase de cruzeiro • PL •– Dia 35

Dia 35
da minha dieta Dukan

| meu peso inicial: | meu peso atual: | total de kg perdidos: | meu peso ideal: |

Panorama do seu 35º dia

Hoje você tem o direito de comer todos os legumes! Você deve aproveitar ao máximo Na hora do almoço, saladas, saladas e saladas: de todos os tipos e, se possível, compostas, misturadas (alface crespa, alface lisa, escarola, endívias, rúcula, folhas de espinafre...). Não esqueça do vinagre balsâmico, do atum em lata, sem óleo, do salmão defumado, do kani... e, claro, você pode comê-los com qualquer uma das carnes ou peixes que mais lhe abrirem o apetite. E você pode terminar sua refeição com um laticínio magro. Na hora do jantar, pense nas sopas!

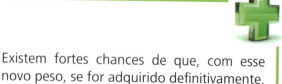

Seu ambiente de saúde

Ontem, falando dos seus joelhos, usei um argumento que sempre uso com meus pacientes. Eu lhe disse que, emagrecendo (e, evidentemente, estabilizando seu peso fixo e obtido), **"você nunca vai saber do que escapou"...** Deixe-me explicar. Tomemos um exemplo. Você tem 45 anos, mede 1,65m e pesa 95kg. É apenas um exemplo, mas é algo palpável. Você emagrece e atinge os 70kg ao cabo de seis meses. Você segue, em seguida, as fases de consolidação e, depois, de estabilização (as duas últimas fases do meu método).

O que eu posso lhe dizer é que, desse jeito, **você muda a trajetória da sua vida.**

Existem fortes chances de que, com esse novo peso, se for adquirido definitivamente, você escape de toda uma série de sintomas e doenças, da sua inevitável ressonância na qualidade de vida e da perda de vontade de viver que a acompanha.

Com ainda mais certeza, sua esperança de vida pura e simplesmente sua esperança de vida com uma boa saúde vão aumentar ainda mais. Escute bem o que lhe digo: você vai viver mais tempo e em melhor estado. **Francamente, você conhece algo de mais precioso que a vida?**

Minha mensagem de apoio para você

"Ontem, eu lhe disse que existem duas maneiras de se posicionar durante uma dieta. **Ou você tem uma motivação forte** e vai conseguir emagrecer rapidamente, conservando energia suficiente para estabilizar seu peso, **ou sua motivação é fraca** e você sofre fazendo dieta como sofreu quando engordou. Se estiver no segundo caso, é preciso reforçar sua motivação. Para tanto você deve passar a ter consciência de tudo que vai ganhar quando emagrecer... pois emagrecer por emagrecer está fora de questão.

Pense na sua imagem. Atribuímos tanta importância às imagens: por que a sua não seria importante também? Olhe-se no espelho e tente se lembrar do corpo que tinha antes de começar a dieta. Contraia seus músculos para vê-los aparecerem e diga a si mesmo que faltam ainda vinte dias para ir mais longe, para secar sua barriga, para ver as gordurinhas desaparecerem dia após dia. Seus braços, suas coxas, suas pernas, seus glúteos: tudo já reflete uma outra imagem.

Pense, também, no olhar dos outros. O que você percebe em si mesmo pode ser visto por seus próximos, seus amigos, seus colegas de trabalho e por todos que você não conhece. Isso é válido para todos, não importa a idade. **Certos leitores poderiam me dizer que não se importam com sua imagem.** Não acredito nisso: somos todos dependentes de nossa imagem. Isso não quer dizer, de forma alguma, ser superficial ou fútil, é uma questão de identidade.

Emagrecer também vai ajudá-lo a viver melhor em seu cotidiano. Você vai sentir mais bem-estar. Ao emagrecer, paramos de ficar ofegantes subindo escadas, transpiramos menos, amarramos o cadarço com mais facilidade, não precisamos mais afrouxar o cinto ao final de uma refeição, dormimos melhor (muito melhor, pois o sobrepeso incha as mucosas nasais e nos faz roncar).

A perda de peso também reduz consideravelmente o número de apneias do sono, quando estamos sujeitos a elas. Contemple esse conjunto de fatos positivos. Estou começando a ficar sem espaço... continuo amanhã."

Pierre Dukan

Exercício do dia

- **Jovem e ativo:** Hoje faremos cinquenta abdominais e 18 agachamentos.
- **Mais de 50 anos e sedentário:** Hoje vamos manter 22 abdominais e 11 agachamentos.

Fase de cruzeiro • PL • Dia 35

Minha lista de compras

- Pão de forma Dukan (caseiro)
- Requeijão e cottage 0% de gordura
- Beterrabas, legumes crus sortidos
- Purê de aipo-rábano
- Shiratakis
- Pudim ou flan zero
- Iogurtes aromatizados 0% de gordura e sem açúcar
- Biscoitos de farelo de aveia sabor coco
- Presunto magro
- Manjericão, salsa
- Queijo ralado com 7% de gordura
- Espinafre
- Codorna ou peito de frango
- Presunto magro
- Ovos

Sua receita de hoje
Shiratakis com queijo e espinafre (PL)

3 pacotes de shiratakis
200g de espinafre (congelado, de preferência)
4 ovos
1 colher (sopa) de manjericão picado
1 colher (sopa) de salsa picada
2 gotas de aroma de manteiga
120g de queijo ralado com 7% de gordura
Sal, pimenta-do-reino a gosto

Contém 1 tolerado por pessoa

1. Escorra os shiratakis e lave-os bem com água corrente. Cozinhe-os durante 2 minutos em uma panela cheia de água fervente, depois lave novamente e escorra.
2. Disponha o espinafre em um refratário e cozinhe durante 5 minutos ou descongele-os em uma panela em fogo brando. Reserve. Quebre os ovos em um recipiente e adicione as ervas, temperando também com o sal, a pimenta-do-reino e o aroma de manteiga.
3. Preaqueça o forno a uma temperatura de 210°C.
4. Despeje tudo em uma forma retangular de silicone e salpique o queijo ralado com 7% de gordura, levando ao forno por 15 minutos.
5. Retire a forma do forno e divida os shiratakis em quatro pratos para servir.

Cesta de compras do dia

Hoje, todas as atenções concentradas no espinafre. Compre espinafre fresco. Se quiser consumir à moda americana, crus como uma salada, compre fresco, evidentemente. O gosto e a consistência do espinafre é bastante peculiar. Se gostar desse legume, saiba que é uma excelente escolha, pois é crocante e muito gostoso. Evite cortar muito o caule, pois é cheio de uma seiva densa e de uma textura crocante. Cozidos, os espinafres perdem esse sabor e passam a ter uma consistência mole e ligeiramente amarga, que você poderá abrandar com creme de leite light, muitos condimentos e um pouco de especiarias, como gengibre ou coentro. Para aproveitar esse alimento ao máximo, saiba que ele é rico em ferro!

"Escapadas" da dieta

Voltemos ao profundo desacordo que me opõe aos psiquiatras a respeito de uma dieta. Se estamos juntos hoje é porque, depois de ter ganhado peso, você decidiu emagrecer.

Analisemos, por um instante, esse sistema de fluxo e refluxo de peso. **Engordamos, em geral, para compensar um fundo de insatisfação.** Um ganho de peso que, a princípio, é tolerável, acaba se instalando completamente. Progressivamente, torna-se um mal-estar e, depois, um sofrimento. **Chega, enfim, o momento em que o sobrepeso se torna intolerável:** o sofrimento causado é superior ao sofrimento inicial, que o fazia comer para acalmar suas frustrações. **Assim, mecanicamente, cria-se a vontade de emagrecer:** eis que você está decidido a fazê-lo.

O que os psiquiatras parecem não entender é que **você é a pessoa mais bem-colocada para saber o que é o melhor para si.** Você engordou e tem vontade de emagrecer.

Apenas você conhece o imenso prazer que podemos sentir ao emagrecer, quando decidimos fazê-lo. Existem homens que atravessaram o Atlântico remando, outros escalaram o Himalaia: todos eles sofreram infinitamente, mas chegaram lá e, desse modo, deram sentido às suas vidas.

Foi nessa direção que construí meu método: **sei que não podemos construir algo de forte e durável sem essa imensa satisfação do êxito, do controle, da valorização do esforço.** É bom que você saiba disto. É a única maneira de conseguir realizar seu projeto. Nenhum animal jamais se privou de comida para perder peso.

Apenas o ser humano é capaz de recusar o prazer imediato de um alimento para ter um outro prazer, projetado e diferenciado. Que esta reflexão lhe dê forças para evitar a tentação de sair da dieta hoje!

241

Sua motivação

Ontem lhe apresentei o terceiro cérebro. Contei como ele apareceu ao longo da evolução das espécies. **Agora, gostaria de lhe ensinar como usá-lo melhor. Na verdade, gostaria que você conduzisse da melhor maneira possível a junção de seus três cérebros.**

Entre o último dos grandes macacos e o primeiro dos homens, surgiu a consciência refletida, um novo nível de funcionamento da vida. Antes disso, os animais certamente tinham uma consciência presente: um cachorro pensa e age em sua vida. **Mas o homem tem algo a mais: ele é consciente do fato de ser consciente, e isso muda tudo.** Além disso, o homem fala: isso modifica fundamentalmente sua relação com os outros. Enfim, o homem escreve: isso lhe permite conservar traços do que não pode reter.

Em contrapartida, esse cérebro consciente ignora o que é decidido entre os dois outros cérebros, que funcionam de modo inconsciente. Ora, é precisamente nesses dois cérebros primitivos que as decisões essenciais, ligadas à sobrevivência, são tomadas. Então, você vai me dizer: "Para que serve esse monumento de consciência e de intelecto?" E eu lhe digo: para tornar a ação eficaz.

Eis como o terceiro cérebro agiu ao longo das eras... **Agir de maneira eficaz é domesticar seu ambiente. A ciência e a tecnologia instauraram o progresso.** A pedra talhada, a flecha, a roda, mais tarde a abundância alimentar, o desaparecimento da dificuldade das tarefas, os medicamentos... Infelizmente, os novos medicamentos curam tanto e tão bem que a expectativa de vida aumenta, mas novas doenças aparecem (ligadas à idade, ao desgaste, à senilidade: câncer, Alzheimer, diabetes etc.).

Quanto aos alimentos, você é mais indicado para falar a respeito do que eu! Você sabe muito bem que existem diversos novos alimentos e que eles despertam a nossa curiosidade para além de nossas necessidades biológicas e nutricionais. Finalmente, a erradicação do esforço nos desliga de nosso corpo. Uma oferta alimentar exagerada e a erradicação total do esforço explicam, em grande parte, a epidemia do sobrepeso.

Todavia, como um em cada dois adultos escapa disso, eis outra pergunta: **por que certas pessoas — entre elas, você — comem além de suas necessidades biológicas... e outras**, que estão submetidas ao mesmo ambiente cultural, não o fazem? Bem, estou vendo que vou ultrapassar meu limite de fala aqui. Nos encontramos amanhã para continuar o assunto...

Sua atividade física

Hoje não vou me limitar ao mero conselho de incentivá-lo a se mexer e usar seu corpo. Vou lhe prescrever alguma coisa, como faço com meus pacientes. Então, vamos lá! **Vou pegar uma receita médica e escrevê-la de meu próprio punho:** "30 minutos de caminhada por dia: ou de uma vez só, ou fragmentados em dois períodos de 15 minutos." E isso não o dispensa dos exercícios abdominais e de agachamento! Quando se mexer, **toque seus músculos durante o esforço**, ou imediatamente depois: você vai senti-los mais firmes e tonificados, mais presentes, mais vivos. É uma sensação muito gratificante, que pode incentivá-lo a fazer um pouco mais para prolongar a satisfação. Experimente.

Meu diário pessoal

Eis que estou aqui, no seu espaço, em que nada tenho para fazer a não ser lembrá-lo que é de extrema importância escrever em seu diário todos os dias e falar sobre o que o regime provoca na sua vida. Escreva como você o vive: os traços deixados, as lições tiradas. Exemplo: "Hoje, pela primeira vez, vi aparecerem minhas costelas na parte debaixo do meu tórax." Ou então: "Ao subir as escadas, senti que a contração de minhas coxas me dava uma nova e agradável sensação de tônus — e não mais o cansaço muscular que eu costumava sentir a cada passo." Não fui eu quem inventou esse exemplo: ele me foi comunicado por uma paciente. É isso. Pode haver muitas outras sensações e reflexões interessantes para se escrever. Até amanhã.

....
....
....
....
....
....
....
....
....
....
....
....
....
....
....
....
....
....
....
....

Fase de cruzeiro • Semana 7

Semana 7
da minha dieta Dukan

Cole
sua foto
aqui

Minha foto da semana

Minha "estratégia de felicidade"

Da necessidade de se pertencer a um grupo

Comer preserva o indivíduo. Reproduzir-se preserva a espécie. Pertencer a um grupo preserva a sociedade. Isso mostra o quanto a necessidade é forte... assim como a recompensa que vem dela. Os grandes macacos próximos do homem (chimpanzés, gorilas e orangotangos) vivem em grupos em que o número de indivíduos é geneticamente programado para ser o mais adaptado possível à felicidade de cada um.

Para o homem, esse número varia entre cinquenta e cem. Hoje, nossas sociedades são calculadas em dezenas de milhões. A necessidade ainda esta lá... mas é pouco satisfeita: nosso pertencimento ao grupo, na maioria das vezes, tem mais a ver com a gregarismo do que com o verdadeiro pertencimento (que vislumbramos nos grandes amontoados coletivos e nas inúmeras tribos constituídas à distância... no Facebook, por exemplo!). Mídias, tendências e redes sociais solicitam você. Mas é de amigos, relações reais, parentes, familiaridade, ajuda mútua, rostos, empatia e proximidade afetiva que você precisa para ser feliz.

Autoavaliação:

☐ Sou muito sensível a isso

☐ Talvez seja uma solução

☐ Não preciso pertencer a um grupo

O segredo da semana: o segredo do G.A.T.

Com o G.A.T. você vai poder queimar calorias em qualquer lugar ou qualquer situação e, particularmente, se costuma trabalhar sentado. **G.A.T. quer dizer Glúteos, Abdominais e Tríceps.**

Os glúteos: sentado em sua cadeira de escritório, contraia os glúteos durante seis segundos consecutivos e repita por mais dez vezes. Meia hora mais tarde, recomece, para não permitir que seus glúteos se achatem em seu assento durante muito tempo. A imobilização em compressão amolece muito rapidamente esse grande músculo, que assegura a postura de seus glúteos. **Os abdominais:** sentado, mentalize seu cinto abdominal e contraia-o sem mexer seu tronco. Mantenha a posição durante seis segundos e recomece a operação por mais dez vezes seguidas. Como o exercício anterior, você pode refazer este de meia em meia hora. **Os tríceps:** sentado, com os braços dobrados e as palmas apoiadas nos braços da cadeira, empurre a palma de suas mãos para esticar os braços até levantar seu corpo do assento; desça lentamente. Tente fazer esse movimento dez vezes e recomece de meia em meia hora. No total, trinta movimentos que duram apenas 1 minuto, mas que consomem muita energia.

Minhas medidas esta semana

- Circunferência peitoral: ....
- Circunferência da cintura: ....
- Circunferência dos quadris: ....
- Circunferência das duas coxas: ....

Sugestões de cardápios para a semana

		Meu café da manhã	Meu almoço	Meu lanche	Meu jantar
SEGUNDA-FEIRA	PP	Bebida quente 1 panqueca de farelo de aveia Requeijão 0% de gordura	Bresaola **Fraldinha com molho de chalota à moda Dukan** Queijo frescal 0% de gordura 1 iogurte 0% de gordura sabor coco	Queijo frescal 0% de gordura	Camarões cinza Bacalhau fresco ao molho de mostarda Flan de caramelo Dr. Dukan
TERÇA-FEIRA	PL	Bebida quente 30g de pepitas de farelo de aveia sabor caramelo Leite desnatado Iogurte 0% de gordura	Salada de endívias Posta de salmão com azedinha Espinafre 1 iogurte 0% de gordura sem açúcar	1 biscoito de farelo de aveia Dukan sabor coco 1 iogurte 0% de gordura sem açúcar com essência de baunilha	Salada chinesa crocante de soja **Shiratakis com abóbora e cogumelos** Geleia de aroma de frutas
QUARTA-FEIRA	PP	Bebida quente 1 panqueca de farelo de aveia com cacau sem açúcar 1 omelete de claras com ervas finas Cottage 0% de gordura	Sardinha em lata (sem óleo) **Kibe de forno** Ricota light	Iogurte de frutas 0% de gordura e sem açúcar 1 biscoito de farelo de aveia Dukan sabor avelã	Fígado de frango com molho de vinagre balsâmico Espetos de frango com mostarda e limão Mousse de limão
QUINTA-FEIRA	PL	Bebida quente 1 panqueca de farelo de aveia Ricota light Iogurte 0% de gordura	Salada de rúcula e beterraba Quiche sem massa de tomate e abobrinha Queijo fresco 0% de gordura	1 iogurte 0% de gordura e sem açúcar sabor pêssego	Salada de funcho com limão **Tomates recheados à moda Dukan** Sorvete de iogurte
SEXTA-FEIRA	PP	Bebida quente 30g de pepitas de farelo de aveia sabor frutas vermelhas Leite desnatado e/ou cottage 0% de gordura	Fatias de presunto magro **Sanduíche de farelo de aveia grelhado com atum** 1 Iogurte 0% de gordura, sem açúcar, com essência de baunilha	Queijo frescal 0% de gordura passado em 1 panqueca de farelo de aveia	½ panqueca de farelo de aveia Cavala ao forno Milkshake de cacau com 1% de gordura
SÁBADO	PL	Bebida quente Queijo frescal 0% de gordura Mingau de farelo de aveia com canela	Dips de legumes (cenoura, couve-flor, tomate-cereja) com requeijão 0% de gordura e ervas Linguado ao forno Funcho no vapor Creme de caramelo com ágar-ágar	1 iogurte de frutas 0% de gordura e sem açúcar 1 biscoito de farelo de aveia Dukan sabor avelã	Bresaola **Salpicão de frango**
DOMINGO	PP	Bebida quente Rabanada (com base de pão de farelo de aveia caseiro) Ricota light + aroma de baunilha	Frutos do mar sortidos **Ovos mexidos com ovas de salmão** Bolo de chocolate Dukan	Queijo frescal 0% de gordura	Salmão defumado Camarões VG com ervas ao forno Merengue Dukan

Dia 36
da minha dieta Dukan

meu peso inicial: .... **meu peso atual:** .... **total de kg perdidos:** .... **meu peso ideal:** ....

Panorama do seu 36º dia

Espero que, ontem, você tenha feito sua recarga de frescor e legumes! Talvez você esteja se perguntando **por que prescrevo essa alternância de dias com e, depois, sem legumes**, pois os legumes e as frutas são alimentos conhecidos como os mais saudáveis que existem.

Antes, farei uma distinção bem clara entre as frutas e os legumes. Ambos são ricos em fibras, sais minerais e vitaminas. Mas a grande diferença está no nível de seu teor de açúcar: **as frutas, como você já poderia imaginar, são bastante açucaradas.**

Em cada 100g, os glicídios contidos nas frutas trazem: 35 calorias para o morango, 45 para a maçã, 60 para a pera, 80 para a uva e a cereja, 95 para a banana. Em contrapartida, os legumes são bem mais pobres em glicídios. Para cada 100g de legumes há apenas: 8 calorias na endívia, 11 no pepino, 12 na alface, 13 na abobrinha, 14 na couve, 15 nos cogumelos, 16 no pimentão, 17 no espinafre, 19 no tomate e no aspargo, 20 no aipo, 21 na couve-flor. É por esse motivo que excluo as frutas ao longo das duas primeiras fases (ataque e cruzeiro).

Quanto aos legumes (sempre "à vontade"), esses contêm açúcar suficiente para enfraquecer o poder das proteínas; por isso, incluo-os apenas dia sim, dia não.

Exercício do dia

- **Jovem e ativo:** Hoje faremos cinquenta abdominais e 18 agachamentos.
- **Mais de 50 anos e sedentário:** Hoje vamos manter 22 abdominais e 11 agachamentos.

Sua motivação

Ontem, ao terminar minha apresentação sobre o terceiro cérebro, *o humano, o grandioso*, fiz uma pergunta, que ocorre a muitas pessoas com sobrepeso: **"Por que certas pessoas — entre as quais você — comem além de suas necessidades biológicas, enquanto outras, que estão submetidas às mesmas condições de vida, conseguem se controlar?"**

O que é certo é que ninguém busca engordar consciente e voluntariamente. E então? A resposta é simples. Ela está inscrita no modo de funcionamento dos dois cérebros arcaicos. O cérebro reptiliano, mestre dos instintos, deve comer quando tem vontade ou necessidade, de maneira mecânica, como um reflexo. O cérebro mamífero gera o prazer e o desprazer: a recompensa e a punição, as emoções, os afetos, as ligações e condicionamentos...

Quando sua colheita de prazeres e satisfações diminui, seu corpo se estressa (liberação de cortisol e de adrenalina, que é tóxica para sua saúde) e seu cérebro mamífero reage. No caso de algumas pessoas (mais que outras), esse cérebro se volta completamente para a comida, e escolhe alimentos gratificantes, sensoriais, os mais doces, os mais gordurosos e os mais salgados.

É assim que, com o corpo que se defende e sofre, podemos chegar a comer além de nossas necessidades biológicas e a engordar relativamente rápido.

Minha mensagem de apoio para você

" Ontem eu lhe expliquei que, se você se lançou na minha dieta sem a ajuda de uma motivação forte, corre o risco de não ter êxito. Para reforçar essa motivação **você deve se apoiar nos motivos que lhe dão vontade de perder peso.** Expliquei que emagrecer o ajuda a voltar a ter uma imagem positiva de si mesmo e um certo bem-estar. **Também recorro ao argumento fundamental da saúde,** que é ameaçada a médio ou longo prazo pelo sobrepeso (e mais ainda pela obesidade). Todo sobrepeso notável — superior a 7 ou 8kg — facilita a aparição do diabetes, da hipertensão arterial, do infarto (especialmente para quem é fumante), de um acidente cardiovascular cerebral (especialmente em caso de hipertensão arterial).

Além disso — o que é uma descoberta relativamente recente —, **o câncer está intimamente relacionado ao sobrepeso.** Quanto mais engordamos, mais temos chances de desenvolver um câncer: isso deve ser levado em conta quando viemos de uma família propensa à doença. Já lhe expliquei: a célula cancerígena, ao contrário da célula normal, que funciona com inúmeros combustíveis, se desenvolve e se multiplica única e exclusivamente com a glicose. Em minha dieta, a alimentação sem açúcares, comidas com farinha e feculentos reduz o teor de glicose no sangue. Minha dieta atenua a virulência do câncer e a disseminação das metástases. O açúcar não é seu amigo, guarde isso na cabeça.

Pierre Dukan "

Fase de cruzeiro • PP • Dia 36

Cesta de compras do dia

Você gosta de fraldinha? Se sim, corra para comprar, pois é um dos pedaços mais gostosos do boi. E, principalmente, não cozinhe muito: a riqueza desse corte é a parte crocante vinda de suas fibras. Sua textura não deve ser muito firme, para que a carne possa ser mais bem-mastigada.

Além disso, **compre chalotas.** Sim: é a maneira tradicional de se preparar a fraldinha na França! Uma tradição tão estabelecida e clássica certamente tem uma razão para existir. Se você não for vegetariano, vai se deliciar.

Sua atividade física

De acordo com uma ideia pronta, a melhor maneira de encarar o cansaço seria descansar e se mexer o mínimo possível! **Isso não apenas é falso, como é o exato inverso do que se deve fazer.** Quando não há, é claro, qualquer contraindicação orgânica ou médica que explique o cansaço, seu corpo sem tonicidade não lhe pede para descansar, mas para gastar.

Tente... e você ficará surpreso ao constatar que, assim que seus músculos se aquecerem, vão gerar uma sensação de tonicidade e firmeza estimulantes. E, também, se, pela manhã, você se levantar sem a menor vontade de caminhar, saiba que é uma armadilha do seu corpo: é uma simples sensação que vai mudar totalmente quando você estiver em ação. Vamos lá: prometo que você não vai se arrepender e vai voltar para casa regenerado e tonificado.

Sua receita de hoje

Fraldinha com molho de chalota
à moda Dukan

4 chalotas
2 bifes de fraldinha
½ cubo de caldo de carne sem gordura
1 xícara (chá) de água quente
3 colheres (sopa) de vinho tinto
2 colheres (sopa) de vinagre balsâmico
Sal, pimenta-do-reino a gosto

Contém ½ tolerado por pessoa.

1. Descasque as chalotas e depois corte em pedaços bem finos.
2. Dilua a metade do cubo de caldo na água quente.
3. Esquente a frigideira antiaderente em fogo alto e frite as fraldinhas de cada lado, até que as superfícies fiquem bem grelhadas e que o suco da carne apareça no fundo da frigideira. Tempere com sal e pimenta-do-reino. Reserve a carne.
4. Conserve a frigideira no fogo, diminuindo e passando ao fogo brando. Adicione o vinho tinto ao suco da carne que ficou na frigideira, esfregando bem com uma espátula.
5. Adicione as chalotas e o caldo diluído, para amolecer as chalotas. Cozinhe tudo, adicionando o vinagre balsâmico, durante 5 a 10 minutos, em fogo baixo, ou até o molho reduzir pela metade.
6. Quando as chalotas estiverem bem cozidas, coloque os bifes novamente na frigideira para encharcá-los com o molho de chalotas. Sirva bem quente.

Minha lista de compras

- Farelo de aveia e farelo de trigo
- Fermento químico
- Requeijão e cottage 0% de gordura
- Ricota light
- Flor de laranjeira
- Aroma de manteiga
- Peito de peru
- Presunto magro
- Chalota, limão verde
- Aroma de manteiga, mel e nozes
- Iogurtes 0% de gordura aromatizados e sem açúcar
- Atum em lata (sem óleo)
- Camarões
- Amido de milho
- Fraldinha
- Ovos

Seu ambiente de saúde

Hoje eu gostaria de falar sobre o seu fígado, esse órgão vital cuja função primeira é protegê-lo dos tóxicos ao redor. Se você está (ou estava) em sobrepeso, é porque comeu além do que seu corpo esperava, e isso durante tempo suficiente para cansar seu fígado.

Seu fígado existe para protegê-lo de todos os alimentos, substâncias ou medicamentos que, sem sua ação, reapresentariam um risco para sua saúde. No âmbito dos alimentos, falemos, antes, das gorduras: o fígado é encarregado de estocar seu excesso.

Falemos também dos glicídios (farinha branca e açúcar): seu excesso é responsável por uma secreção quase permanente de insulina. A longo prazo, isso cansa seu fígado, que acumula gordura até passar à esteatose hepática (acúmulo de gordura nas células do fígado). Um excesso de peso superior a 20kg é quase que sistematicamente acompanhado por um fígado "gorduroso", principalmente no caso de uma tendência familiar ao diabetes.

No entanto, emagrecendo, o fígado também emagrece: a esteatose, se não for muito antiga e irreversível, é curada. Espero que você não tenha tanto peso a perder assim e que essa informação e esse conselho não lhe digam respeito. Mas, se for o caso, é mais uma razão para lutar!

Fase de cruzeiro • PP • Dia 36

"Escapadas" da dieta

Você conhece minha oposição ao discurso dos psiquiatras que, muito frequentemente, pregam contra as dietas. Em congressos onde me encontro com eles, **pergunto-lhes o que esperam fazer desses 24 milhões de pessoas em sobrepeso e, especialmente, com os 6 milhões e meio de obesos ameaçados em sua dignidade, sua saúde e, não raro, sua própria vida.** Sei que os psiquiatras ficam embaraçados com a minha pergunta... mas eis o que me respondem. Antes de mais nada, eles estimam que **um grande número de pessoas em sobrepeso não tem uma necessidade autêntica de emagrecer,** pois seu sobrepeso não é algo suficientemente ameaçador para sua saúde e, logo, não justifica uma dieta. Em um plano estritamente médico, é verdade... Mas se uma mulher, ou um homem, se sente mal com seu próprio corpo, por que não ajudá-los?

Para todas as demais pessoas em sobrepeso notável que, evidentemente, precisam emagrecer, os psiquiatras têm outra resposta. Segundo eles, bastaria que uma pessoa "gorda" **se apoiasse nas sensações vindas de seu corpo:** bastaria que aprendesse, por exemplo, a distinguir a sensação de fome verdadeira da banal tentação alimentar. Mas é justamente aí que o problema se encontra!

Para uma pessoa em sobrepeso, as tentações são muito frequentes: é muito difícil resistir a elas... e, no final das contas, mais fácil entrar em uma dieta bem-enquadrada e poderosamente estruturada. As pessoas em sobrepeso frequentemente vivem emoções dolorosas e comem para compensar as frustrações. Saber disso não muda sua vontade de comer!

Desconfie de opiniões muito "psicologizantes", que em nada ajudam a emagrecer. Em toda a minha vida de nutricionista nunca vi um obeso curado pela psiquiatria. Já me aconteceu de enviar alguns obesos a um psiquiatra e, muitas vezes, voltarem com receitas de antidepressivos!

Existem dois tipos de psiquiatra: os que acompanham você e o ajudam a valorizar seu esforço ao fazer uma dieta... **e os que admitem que o ganho de peso e o emagrecimento** não têm a ver com a psiquiatria, mas com perturbações induzidas pela sociedade.

Existe uma associação de psiquiatras, o G.R.O.S. (Group de Réflexion Obésité Surpoids) [Grupo de Reflexão Obesidade e Sobrepeso], que se tornou famosa pregando o conceito americano marginal e provocador do *No Diet* (em português, a antidieta). **O G.R.O.S. recusa a dieta, como outros recusam as vacinas e os antibióticos.**

O que o G.R.O.S propõe para diminuir a calamidade do sobrepeso? Um tratamento de liberdade, com acesso livre ao chocolate (o chocolate, rico em gordura e açúcar, sendo instituído como símbolo)... Certamente, a ideia é sedutora: bastaria ouvir suas sensações de fome e de saciedade para ver seu corpo entrar naturalmente na moderação, no equilíbrio e na diminuição do peso. **Infelizmente, se tão pouco fosse necessário** para vencer a temível pandemia da obesidade e do diabetes, eu entraria em aposentadoria antecipadamente! Deixaria de lutar e militaria para que essa proposta de não restrição alimentar ganhasse o Prêmio Nobel!

Mas a realidade é completamente outra: o sobrepeso altera profundamente a vida de milhões de indivíduos e mata centenas de milhares todos os anos. No fundo, é a sociedade que gera esse sobrepeso e tira vantagem do problema.

Felizmente, a proposta do G.R.O.S. seduz apenas aqueles que, depois de diversas tentativas, terminaram por abaixar os braços e aceitar seu sobrepeso. Respeito esta escolha e a compreendo. **Mas todas as outras pessoas obesas ou em sobrepeso que lutam para emagrecer sabem bem que tais propostas loucas nunca resolverão o problema das pulsões violentas que sentem.** Quando pensamos que a cirurgia da obesidade, com suas mutilações e seus 2% de mortos em pós-operatórios, não obtêm senão resultados medíocres e insuficientes em nível de peso, imaginamos bem que **propor chocolate com acesso livre é de uma inconsequência absurda! Essa inconsequência é culpada, pois, enquanto alguns se divertem com exercícios de demagogia interesseira, seres humanos morrem.** Então, permaneça vigilante: não perca o contato com seu bom senso. Siga sua dieta, coma quanto quiser dos alimentos autorizados e, mais uma vez, hoje, por favor, não saia da dieta.

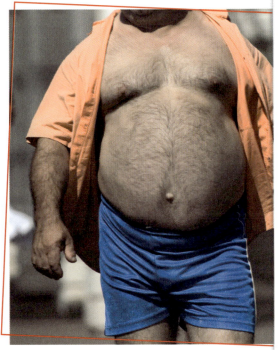

Meu diário pessoal

Caro leitor, ou leitora, ESCREVA alguma coisa todos os dias neste diário. Lembro a você que meu endereço de e-mail está disponível e que você pode me escrever. Prometi responder se a pergunta for pertinente. A propósito, suas reflexões e perguntas são preciosas para mim. Elas me permitem entender melhor suas reações à minha dieta e, assim, adaptá-la.

Fase de cruzeiro • PL • Dia 37

Dia 37
da minha dieta Dukan

| meu peso inicial: | meu peso atual: | total de kg perdidos: | meu peso ideal: |

Panorama do seu 37º dia

Retorno aos legumes. Gostaria de lhe fazer uma confidência. Nunca tive problemas relacionados ao peso em minha vida, mas convivo com pessoas em sobrepeso há tanto tempo que, frequentemente, me coloco em seu lugar, em sua pele. Assim, me pergunto como me comportaria caso seguisse minha dieta. Gosto muito das proteínas, especialmente de peixes e de aves, mas é dos legumes que mais sentiria falta nos dias de proteínas puras. Hoje você tem o direito de comer legumes! Se você for como eu e se os legumes lhe fizerem falta, aproveite plenamente seu frescor, suas fibras, suas vitaminas e cores. E se seu intestino aceitar, coma-os crus.

Sua motivação

Na França e na maioria dos países ocidentais, estamos confrontados com o desastre sanitário que o sobrepeso e a obesidade representam. Inúmeras pessoas tentam lutar contra essa calamidade: médicos, nutricionistas, jornalistas, os que trabalham nas indústrias agroalimentar e farmacêutica, políticos, funcionários etc. Os nutricionistas, em especial, têm um engajamento contra o sobrepeso. Cada um tem seu ponto de vista e defende com unhas e dentes sua própria dieta.

O dogma da contagem calórica ainda está muito em voga (com base na ideia de igualdade entre as calorias, independente de sua origem: vindas de proteínas, lipídios ou glicídios). Apesar do sedentarismo atual, os glicídios deveriam trazer 55% do teor energético alimentar. Esse discurso "nutricionalmente correto" prega o equilíbrio alimentar, a medida, as pequenas quantidades etc. **De acordo com esses nutricionistas, uma dieta certa, mais do que conduzir ao emagrecimento, deveria levar as pessoas a comer de maneira saudável.** No entanto, essa não é a prioridade das pessoas obesas ou em sobrepeso consequente! Essas pessoas querem emagrecer, antes de mais nada.

Quando se é médico, deve-se considerar um obeso como alguém que está se afogando. **Ora, não se pode ensinar uma pessoa que se afoga a nadar!** A urgência é salvá-la e colocá-la em terra firme: depois, finalmente, se poderá ensinar as sutilezas da arte de nadar. **Não nos esqueçamos nunca de que o melhor juiz de uma dieta, de sua qualidade, de sua eficácia e da estabilidade de seus resultados, é aquele que sofre seu rigor.**

Minha mensagem de apoio para você

> "A maioria dos pacientes que tratei em minha vida ganhou peso comendo demais e mal. Quando essas pessoas decidem emagrecer, devem passar a um modo restritivo. Na maioria das vezes, é difícil: uma forte dose de motivação se faz necessária. Para os que não têm motivação suficiente, o caminho é perigoso. É por esse motivo que, nesses últimos dias, pedi a você que se concentrasse no que o fato de emagrecer vai lhe trazer em termos de imagem, bem-estar e saúde.
>
> Agora, gostaria de lhe falar de um aliado muito poderoso. **Trata-se da autoestima, que pode agir como um verdadeiro motor.** Como seres humanos, temos uma necessidade legítima de sentir que temos valor, que nossa existência tem sentido, que temos um papel a desempenhar em nossas vidas e que somos úteis para alguma coisa ou alguém. Precisamos disso para termos confiança em nós mesmos e nos amarmos.
>
> Ora, o sobrepeso pode alterar em muito o nosso ego. E, inversamente, a partir do início da perda de peso, por menor que seja, deve-se começar a interpretar os resultados como um ato de controle, um primeiro passo em direção à vitória contra o sobrepeso. Esse controle nos dá uma prova concreta e evidente de nosso valor. Se você conseguiu hoje, certamente conseguirá amanhã. Esse é um pensamento bastante poderoso."
>
> *Pierre Dukan*

Fase de cruzeiro • PL • Dia 37

Cesta de compras do dia

Hoje você tem o direito de comer legumes! Então, corra para comprar abóbora. Na boca, com qualquer tipo de preparo, você não vai ter a impressão de comer um legume, mas um feculento.

Em minha dieta a abóbora traz muitas vantagens e receitas. Quando está bem madura, tem um delicioso gosto de avelã. A abóbora também tem uma consistência densa e macia, é tão agradável quanto sacia.

Se você tiver pouco tempo, pode fazer o que quiser, como, por exemplo, uma sopa com coentro ou gengibre, canela ou até mesmo molho shoyu. Você também pode usar menos líquido e fazer um purê.

Pessoalmente, adoro a abóbora em grandes pedaços, cozidos no vapor, servidos com um pouco de molho shoyu. Também gosto da abóbora cortada em pequenos pedaços e refogada na frigideira.

Exercício do dia

- **Jovem e ativo:** Hoje faremos cinquenta abdominais e 18 agachamentos.
- **Mais de 50 anos e sedentário:** Hoje vamos manter 22 abdominais e 11 agachamentos.

Sua receita de hoje
Shiratakis
com abóbora e cogumelos (PP)

30 min • 25 min • 4

600g de abóbora descascada
350g de cogumelos frescos
4 colheres (café) de azeite
½ cebola
1 copo de leite desnatado
2 pacotes de shiratakis
1 pitada de noz-moscada
Sal, pimenta-do-reino e salsa picada a gosto

Esta receita contém a dose diária de azeite autorizada.

1. Corte a abóbora em cubos, descasque e corte a cebola em fatias finas ou pique-a.
2. Lave os cogumelos em água corrente durante 1 minuto, sem deixá-los dentro da água. Corte-os em pequenos pedaços.
3. Em uma panela, despeje o azeite e refogue a cebola durante 5 minutos em fogo médio. Em seguida, adicione os pedaços de abóbora, os cogumelos picados, o leite e tempere com sal e pimenta-do-reino.
4. Cozinhe com a tampa durante 15 a 20 minutos, até que a abóbora fique macia.
5. Em uma panela com água em ebulição ferva os shiratakis (que você terá previamente lavado na água fria) com um pouco de sal. Depois de 2 minutos, escorra os shiratakis e adicione-os à frigideira com a abóbora e os cogumelos, salpicando com uma pitada de noz-moscada e pimenta-do-reino. Sirva quente com um punhado de salsa picada.

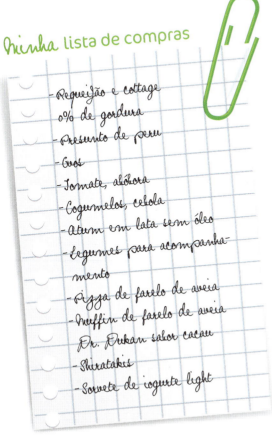

Minha lista de compras

- Requeijão e cottage 0% de gordura
- Presunto de peru
- Ovos
- Tomate, abóbora
- Cogumelos, cebola
- Atum em lata sem óleo
- Legumes para acompanhamento
- Pizza de farelo de aveia
- Muffin de farelo de aveia
- Dr. Dukan sabor cacau
- Shiratakis
- Sorvete de iogurte light

Seu ambiente de saúde

A maioria das pessoas em sobrepeso está **sujeita às flatulências.** Não se deve confundir a flatulência com uma barriga grande ou uma sobrecarga abdominal. Um não impede o outro... mas, aqui, quero lhe falar das verdadeiras flatulências.

Pela manhã, em jejum, as pessoas sujeitas às flatulências ficam com a barriga chapada. Aos poucos, a barriga incha, chegando à sua diltação máxima depois do jantar.

É claro, esse inchaço não se deve à gordura absorvida: para engordar tanto seria preciso consumir mais de 20 mil calorias em um dia!

Na verdade, o inchaço abdominal (reversível) está ligado à produção de gás vinda do estresse, da fermentação e da irritabilidade intestinal. **O estresse ativa as contrações intestinais** e perturba a secreção dos sucos digestivos (gástrico, biliar e pancreático). Bolsas de gás se criam.

Uma alimentação rica em carboidratos (açúcar, alimentos doces ou salgados feitos com farinha) frequentemente ocasiona **fermentações** e perturbações da flora intestinal que, também elas, são produtoras de gás. Enfim, inúmeras mulheres têm um intestino irritado, muitas vezes graças à **ansiedade**... O que também tem um papel nesse distúrbio frequente e desconfortável que é a flatulência.

Para reduzi-las é preciso recorrer a complementos alimentares que chamamos de probióticos (que regulam a flora intestinal). Deve-se comer menos alimentos à base de farinha, praticar o relaxamento e reforçar a faixa abdominal com exercícios para a parede muscular. Se a situação não melhorar, deve-se recorrer a uma desinfecção intestinal, feita com antissépticos intestinais que apenas seu médico poderá prescrever.

Fase de cruzeiro • PL • Dia 37

Quilos

"Escapadas" da dieta

Hoje falarei uma última vez sobre os psiquiatras. Eu já lhe disse: segundo seu discurso, fazer uma dieta é a mesma coisa que ter uma frustração traumatizante. Eu penso exatamente o contrário! Afrontar seu peso e se esforçar para reduzi-lo é, certamente, um desafio. Mas, uma vez aceito, **esse combate enriquecedor desemboca em uma vitória, uma grande alegria e uma profunda valorização íntima.**

Em congressos ou na televisão, tive muitas oportunidades de debater com esse tipo de psiquiatras (ou psicólogos). Sempre lhes faço a mesma pergunta: **"Sua recusa à dieta também se aplica ao diabetes**, que sabemos ser frequentemente causado pelo sobrepeso?" Isso sempre deixa os especialistas em uma saia justa. Principalmente porque uma de suas propostas mais importantes é o que chamam de perda de sensibilidade ao chocolate (sugerem que se comece o dia por uma refeição de chocolate... para que as pessoas fiquem enjoadas, imagino). Uma de minhas pacientes bulímicas foi tratada por essa "pseudovacina de chocolate". Uma semana depois, voltou a se consultar comigo, assustada com a rapidez com que ganhou peso!

Quanto a mim, mantenho sempre minha posição: **sobrepeso e diabetes têm uma origem comum, que é o excesso de consumo de glicídios** (açúcares, farinha branca, bolos, alimentos à base de farinha, biscoitos, sobremesas e refrigerante). Luto contra esses psiquiatras que, irritados com a guerra do peso, propõem um armistício perigoso: não podemos deixar um piromaníaco sozinho em uma floresta, brincando com gasolina e fósforos!

No que diz respeito a você, saiba que espero que seja suficientemente robusto para sentir prazer em lutar contra um sobrepeso que, manifestamente, acaba com sua vida. Então, peço que você evite sair da dieta por mais alguns dias. Pense no dia seguinte, em que, ao subir em sua balança, você vai ver seu Peso Justo, enfim, aparecer no ponteiro.

Tenha orgulho do que está fazendo.

Sua atividade física

Gostaria, hoje, de chamar sua atenção para uma coisa muito importante. Toda atividade física consome calorias e ajuda a emagrecer. **No entanto, o exercício físico também aumenta o apetite.**

Nosso corpo não foi programado para a vida moderna. Ele foi concebido para um ambiente de escassez. Em estado natural, nossas reservas de gordura, quando temos a sorte de tê-las, são uma caução de sobrevivência. Mas assim que adentramos essas reservas nosso hipotálamo nos envia um sinal de fome! Esse é um fato raramente levado em conta pelos nutricionistas. Ele também explica por que as tentativas de emagrecimento por parte dos esportistas são mais difíceis do que imaginamos. Pessoalmente, sempre deparo com essa dificuldade: alguns de meus pacientes que têm uma atividade esportiva intensa veem que seus grandes gastos calóricos são compensados por uma fome devastadora!

E, assim, descobri que existe uma atividade física que não gera a sensação de fome: a caminhada. Quando não é muito rápida, não leva a uma exacerbação do apetite. O homem é o caminhante mais natural da criação. O gasto calórico da caminhada é tão exposto e ajustado à sua fisiologia que modifica muito pouco o nosso apetite.

É por isso que em meu método dou uma importância tão grande à caminhada. Desconfio de toda atividade física muito intensa, cuja consequência é a fome. É tão possível lutar contra as tentações passageiras quanto é possível lutar contra a fome, que é uma necessidade orgânica puramente fisiológica.

Meu diário pessoal

O que você descobriu hoje, em sua vida de todos os dias? Você aprendeu alguma coisa que, de perto ou de longe, se refira ao percurso que estamos fazendo juntos? Você teria, por exemplo, uma informação nova sobre algum alimento (através da leitura de um rótulo, por exemplo)? Você descobriu um novo molho ou uma nova receita? Enfrentou uma dificuldade particular em algum momento do dia, um estresse que não soube controlar? Algum amigo lhe falou sobre as aulas de pilates, yoga ou hipnose que ele está fazendo? Fique atento a tudo que pode melhorar sua qualidade de vida e reforçar seu compromisso com o bem-estar e o emagrecimento. Se você adquirir o hábito de escrever, amanhã vai se tornar mais atento ao que acontece na sua vida. Agora é com você!

Fase de cruzeiro • PP • Dia 38

Dia 38
da minha dieta Dukan

| meu peso inicial: | meu peso atual: | total de kg perdidos: | meu peso ideal: |

Panorama do seu 38º dia

A palavra de ordem de hoje é a seguinte: **retorno às proteínas puras.** De manhã, no café da manhã, não se esqueça de sua panqueca de farelo de aveia. Ou, então, tente preparar um mingau com leite desnatado e adoçante (levando ao micro-ondas). Na hora do almoço, opte por almôndegas de carne moída com bastante tempero ou uma fatia de salmão marinado caseiro. Ou, então, uma coxa de frango também pode ser uma boa pedida. Além disso, essas refeições são facilmente transportáveis para o trabalho, o que simplifica muito o seguimento de uma dieta, você vai ver.

Sua atividade física

Já falamos da importância das escadas (que você deve preferir aos elevadores). Tente fingir para si mesmo, se não morar em um andar muito alto, que seu elevador está em pane: suba a pé sem reclamar. Faça o mesmo em qualquer lugar aonde for: na casa dos amigos, das pessoas de sua família, no seu médico etc.

Por que insisto tanto nas escadas? Antes, porque subir degraus solicita os músculos mais poderosos do organismo: os das coxas e das pernas (o quadríceps e as panturrilhas, "os grandes portadores"). Mas, principalmente, porque **as escadas trazem um estado de espírito de vitória.** Quando você está no térreo de um prédio, vê, de um lado, as escadas, do outro, o elevador.

Se subir pela escada, deu a largada: a cada degrau, você sabe que está ganhando.

Mas se pegar o elevador, não é mais você quem decide: você não está mais agindo por si mesmo e, a cada andar, sabe que sua resistência cede, o que não é bom para sua motivação. Então, tenha coragem de subir pela escada, mesmo que, a partir do terceiro andar, suas coxas estejam doendo e você se sinta ofegante.

Esteja certo de que, ao emagrecer e ao se habituar às escadas, você vai rapidamente sentir os efeitos do treino, a agradável titilação do quadríceps, que lhe suplica para continuar.

Minha mensagem de apoio para você

" **Caro leitor, nós começamos a ter um passado em comum.** Este diário de bordo é um conceito totalmente novo, que desenvolvi para responder a um fato evidente: emagrecer é um ato muito difícil e tudo que pode contribuir para esse ato é útil. Já disse diversas vezes e não é você quem vai me desmentir: nunca engordamos voluntariamente. Wols, um pintor alemão da primeira metade do século XX, escreveu uma pequena frase, aparentemente inofensiva, em seus cadernos: **'Aquilo que fazemos, o fazemos porque somos incapazes de não fazê-lo.'** Pode parecer um truísmo, por a frase ser simples e banal! E, no entanto, é uma grande ideia, muito profunda, que se aplica a todas as atividades da vida.

No que diz respeito ao sobrepeso, engordamos em um momento da vida porque, em determinado contexto (afetivo, emocional, profissional), somos incapazes de não engordar. Em seguida, o mal-estar ocasionado pelo peso aparece. O alimento que nos acalmava, agora nos tortura. E, então, tudo muda: QUEREMOS emagrecer... porque não podemos não fazê-lo.

Quando, em um barco à vela, o vento está muito violento, temos de baixar as velas e nos deixar levar para longe da costa, para não naufragar. É um pouco o que acontece quando engordamos: o barco deriva, se dobra, mas não afunda, nem se rompe. Hoje você está comigo neste projeto, pois decidiu comprar este diário de bordo: para mim, isso significa que o vento se acalmou e que você gostaria muito de voltar a um bom porto. Meu papel é ajudá-lo.

Se você seguiu a programação que lhe propus, deve ter perdido peso suficiente para já sentir mais bem-estar. Se continuar, em breve vai chegar ao seu Peso Ideal. E eu não vou abandoná-lo. "

Pierre Dukan

Seu ambiente de saúde

Para algumas pessoas, durante uma dieta, a **prisão de ventre** se instala ou se acentua. Se for o seu caso, você corre o risco de ficar indisposto e também pesar mais (graças ao acúmulo de fezes). Beba muito, principalmente pela manhã. Beba chá verde, por exemplo (ou água, uma infusão, café... mas beba meio litro de uma vez, para desbloquear as contrações intestinais). Ao mesmo tempo, coma duas colheres de farelo de aveia, que vai se impregnar do líquido, ganhar volume e melhorar seu trânsito intestinal. E não se esqueça das séries de abdominais, alongados, joelhos dobrados em um ângulo de noventa graus: vinte repetições. Se não melhorar, peça ao seu médico uma ajuda pra o trânsito intestinal (complementos à base de fibras de frutas, naturais e de sabor agradável).

Fase de cruzeiro • PP • Dia 38

Cesta de compras do dia

Se você passar pelo açougueiro (ou na parte de carnes do supermercado), **compre contrafilé**. É um excelente pedaço do boi: não é o mais barato, mas é tão bom... Aconselho que o guarde para a refeição da noite, pois "para um pedaço de rei, uma refeição de rei". Cozinhe como preferir. Os argentinos, que são os reis do contrafilé (o bife de chorizo argentino), aconselham que se coma ao ponto, ligeiramente rosado. Coloque-o em um belo prato e feche os olhos durante as primeiras garfadas. Se estiver com muita fome, pode comer seu bife com shirataki (tipo de macarrão sem calorias).

Sua receita de hoje

Kibe de forno

600g de carne moída
2 colheres (sopa) de farelo de trigo
3 colheres (sopa) de farelo de aveia
1 e 1/2 colheres de requeijão 0% de gordura
1 cebola pequena picada
2 dentes de alho
2 colheres (sopa) de hortelã fresca picada
1 colher (chá) de pimenta síria
Sal a gosto
Hortelã para decorar

1. Deixe o farelo de trigo de molho em água por aproximadamente 15 minutos. Coloque num pano limpo e esprema até sair toda a água.
2. Tempere a carne com a cebola, a hortelã, o sal, a pimenta e a pimenta síria.
3. Acrescente o requeijão, o farelo de trigo espremido e o farelo de aveia seco. Misture muito bem.
4. Coloque num refratário e, com a faca, faça o desenho de quadrados, que ajudam no cozimento da carne.
5. Leve ao forno a 180°C por aproximadamente 45 minutos ou mais, dependendo do forno.

"Escapadas" da dieta

Os conselheiros não são os pagantes. É mais fácil prescrever uma dieta do que segui-la. Entre o momento em que um nutricionista prescreve uma dieta e aquele em que uma pessoa a começa, existe um tempo de latência ao longo do qual muitas coisas podem acontecer. Entre o momento em que essa mesma pessoa começa a dieta e aquele em que chega ao Peso Ideal, o grande navio do regime, algumas vezes, pode tombar. Enfim, entre chegar ao Peso Ideal e conservá-lo, há um mundo.

Quando esse longo projeto jaz tão somente na influência de um livro (este que você tem em mãos), a partida não é simples, nem fácil. No entanto, é o que estamos realizando juntos. Há mais de quarenta dias tenho orgulho de acompanhar você na empreitada.

Com este livro, um contato afetivo e profissional se estabelece entre você e eu. Devo apoiar seu projeto, devo lhe fazer promessas que se realizarão com pontualidade. Tenho de fazer de tudo para que a confiança se instaure e para que aquilo que proponho a você resista ao tempo que passa, assim como às tentações que se acumulam. Espero que essa corrente exista entre nós... e que continue a ajudá-lo.

Para mim, é um trabalho difícil escrever a um desconhecido com tanta força e convicção, como se você estivesse sentado diante de mim em meu consultório. Repito novamente: não o conheço. Mas você me conhece cada vez melhor, pois falo com o coração aberto, e é por essa razão que lhe peço para passar mais um dia inteiro sem sair da dieta. Note que eu disse "dia", no singular.

Fase de cruzeiro • PP • Dia 38

Sua motivação

Estamos a apenas dois dias do 40º dia da fase de cruzeiro. Se adicionarmos de três a seis dias da fase de ataque, me dou conta de que estamos nos aproximando do objetivo. Se você tiver seguido bem o plano que tracei, deve ter perdido cerca de 2kg na fase de ataque + 5kg na fase de cruzeiro, ou seja, 7kg. Qualquer que seja o peso total que você tinha de perder, já se pode sentir e notar alguma perda. Pessoas vieram falar com você e, sem dúvida, você ficou interiormente feliz com essa perda de peso.

Mas talvez não tenha seguido corretamente o meu programa... Ou, talvez, sequer tenha começado! Nesse caso, são poucas as chances de que esteja me lendo agora. Continuo confiante, sei que você vai começar quando estiver suficientemente maduro para isso. De qualquer forma, você fez seu melhor. Talvez tenha avançado o caminho da dieta de maneira caótica, controlando alguns dias e afrouxando as rédeas em outros. Em todo caso, você chegou até aqui.

Aos que fizeram tudo corretamente, nada tenho a acrescentar. Sei que você vai até o fim e estou inteiramente ao seu lado.

Aos que não seguiram a dieta, já disse antes: isto é apenas um "até logo", pois, sim, vamos nos encontrar novamente.

É principalmente ao terceiro grupo de pessoas (as que têm dificuldades em seguir a dieta de maneira linear) que gostaria de falar. Gostaria de lhes dizer que **a motivação é uma energia que se renova.** Uma dieta instável revela uma motivação instável. Você deve fazer o possível e o impossível para ter êxito. Tente se organizar para, todos os dias, ter aquilo de que precisa ao alcance das mãos. Cozinhe um pouco na véspera e prepare tudo para ter o necessário no dia seguinte, pela manhã.

Não se esqueça de caminhar e subir escadas. **E, principalmente, sinta a satisfação de realizar aquilo que tem vontade...** está ao seu alcance. Não se lamente, aconteça o que acontecer, pois é contraprodutivo. Faça o oposto: crie um desafio para si mesmo, mesmo a curto prazo, e tente atingi-lo.

Seu diário pessoal

Hoje vou deixar que você escreva tranquilamente alguma pequena passagem de sua viagem em terras reencontradas do "melhor peso". Não se esqueça de que, se tiver um elemento interessante para me contar, estou interessado... e, principalmente, estou interessado em transmiti-lo aos outros!

Exercício do dia

- **Jovem e ativo:** Hoje vamos continuar com cinquenta abdominais e 18 agachamentos.
- **Mais de 50 anos e sedentário:** Hoje vamos manter 22 abdominais e 11 agachamentos.

Fase de cruzeiro • PL • Dia 39

Dia 39
da minha dieta Dukan

meu peso inicial:

meu peso atual:

total de kg perdidos:

meu peso ideal:

Panorama do seu 39º dia

Maré alta, maré baixa, fluxo e refluxo, eis que nossa alternância nos traz de volta a um dia de legumes. Para o metabolismo, a adição de verduras pode parecer virtuosa.... mas os legumes contêm açúcares extremamente diluídos em uma trama vegetal muito rica em água, fibras, sais minerais e vitaminas. Essa pouca quantidade de açúcares extremamente lentos é o suficiente para diminuir – e apenas diminuir – o ritmo da perda de peso gerada pelos dias de proteínas. Você sabe, é por isso que construí a fase de cruzeiro como um motor em dois tempo, baseado na alternância de um dia com e um dia sem legumes.

"Escapadas" da dieta

O que é, exatamente, uma escapada da dieta? É um encontro ruim que termina com um abraço, uma brecha em sua linha de defesa, nada mais. Não é uma guerra, nem mesmo uma batalha perdida. É um momento em que a vigilância se perde, para melhor se encontrar em seguida. Eu diria que é desse modo que se deve interpretar a escapada, uma vez que ela aconteceu.

Durante ela, a estratégia mais adequada é fechar os olhos para saborear e se deleitar enquanto você vive o momento. Imagine que tenha se deixado seduzir por um pedaço de chocolate ou um saquinho de castanha de caju. Não consuma esses alimentos como se cometesse uma fraude, tendo vergonha e se culpando. Na medida em que se trata de um acidente de percurso aceito e não sofrido, deleite-se, não engula de uma só vez, mas deixe esses transmissores de sabor o máximo de tempo possível em contato com suas papilas, lá onde a sensação gustativa nasce, e transforme uma pequena fraqueza em força. DEPOIS, RECOMECE AINDA MAIS FORTE, foi apenas um pequeno deslize, uma pausa de prazer em seu caminho.

Minha mensagem de apoio para você

" *Hoje vou lhe dar um conselho muito simples e precioso:* **tente comer com as pessoas que você ama.** *Quando você coloca comida na boca, isso raramente acontece porque suas células estão urrando de necessidade de energia! É muito mais por prazer (tão essencial quanto a pura carga energética do alimento).*

O prazer é uma recompensa inventada pela natureza para levá-lo a satisfazer uma necessidade mais ou menos vital (assim como o desprazer o condiciona a evitar uma situação ameaçadora). A propósito, tente meditar sobre essa noção: você vai ver que **existe prazer em todos os lugares onde existe vida, e o desprazer, contrariamente a isso, frequentemente é 'ruim para você'.** *É uma regra bem simples que governa a vida animal: escutando a si mesmo, escutando os sinais de prazer e desprazer, você aumenta suas chances de sobrevivência. Mas você já começa a saber disso tudo! Já falei sobre a serotonina e a dopamina que, juntas, mantêm sua alegria e sua vontade de viver. Pois bem, comer com aqueles que amamos faz parte dessa noção de prazer: nada melhor que fazer uma refeição na presença de seres queridos; é tão essencial quanto a própria comida. Você vai se deleitar tanto com a presença das pessoas ao seu lado quanto com os alimentos: você vai falar, vai rir, talvez divirta seus vizinhos de mesa... é tão agradável!* "

Pierre Dukan

"Quando convidamos alguém para ir a um restaurante, não é para lhe oferecer glicídios, lipídios ou proteínas, mas para conversar, trocar ideias e muito mais! No fundo, é para harmonizar nossas emoções e evitar o sofrimento da solidão."

Boris Cyrulnik

Fase de cruzeiro • PL • Dia 39

Cesta de compras do dia

Em sua cesta de compras, hoje, coloque tomates. É um dos alimentos mais preciosos que existem. Claro, o tomate não é mais como era antigamente... Mas continua a ser um excelente trunfo em um período de dieta. No gosto é um fruto que reconhecemos por seu sabor doce, com um fundo ligeiramente ácido. Provavelmente, é isso que explica sua originalidade. Além disso, seu teor em licopeno antioxidante faz do tomate, juntamente com os brócolis, um dos melhores legumes de prevenção contra o câncer. E, principalmente, o tomate é ideal para diversos tipos de preparo. O mais simples é uma fatia de tomate bem vermelho com um pouco de vinagre balsâmico. Pessoalmente, recomendo o tomate recheado à moda de Nice, ou um mil-folhas de tomate, berinjela e cebola (cada camada separada por um pouco de recheio de carne moída magra).

Sua receita de hoje
Tomates recheados
à moda Dukan

4 tomates grandes
2 cebolas cortadas em cubos bem pequenos
2 dentes de alho picados
1 molho de salsa
300g de carne moída magra
Sal, pimenta-do-reino a gosto

1. Lave os tomates e corte a parte de cima (a "tampa"). Trabalhando em cima de um bowl ou prato, com uma colher, retire o máximo possível do interior do tomate, sem cortar as laterais. Retire as sementes, mas guarde a poupa e o suco que saiu. Adicione um pouco de sal e vire-os de cabeça para baixo, para escorrer. Lave a salsa, pique e reserve.

2. Em uma frigideira antiaderente, sue a cebola e junte a carne moída. Deixe dourar levemente. Junte o molho e salteie até ficar fragrante. Adicione a poupa e o suco de tomate reservados, e a salsa picada. Tempere com sal e pimenta-do-reino e salteie por mais 1 minuto.

3. Encha os tomates com esse recheio de carne, e feche-os com sua "tampa". Disponha-os em um refratário e asse por até 30 minutos a 180°C.

Seu ambiente de saúde

Dormir um sono insuficientemente recuperador favoriza o ganho de peso e o diabetes. Quando dormimos mal, ficamos menos resistentes às tentações alimentares...

Além disso, estudos clínicos recentes mostraram que a privação do sono torna a insulina menos eficaz. O pâncreas deve secretar mais para o mesmo resultado. E, ainda por cima, a falta de sono é responsável pela secreção de cortisol e noradrenalina, dois hormônios que favorecem o sobrepeso e o diabetes. No entanto, você vai me dizer que não podemos simplesmente decidir dormir bem.

Mesmo que seu sono seja normal, faça de tudo para que tenha uma boa qualidade. **Em primeiríssimo lugar, desconfie do ronco: roncar não é algo sem importância, pois se trata de uma luta barulhenta contra a asfixia,** que provoca um grande número de pequenos despertares e cansaço matinal. Se você estiver sujeito ao ronco, o fato de emagrecer pode ajudá-lo: graças à perda de peso, a base mais gordurosa da língua se torna mais leve e pesa menos na laringe; o assobio que vem da contração da cavidade da laringe, o ronco, tem boas chances de se atenuar ou desaparecer.

Se você sempre acorda cansado, tenho quatro conselhos simples, mas eficazes. Antes de mais nada, vá para a cama cedo: cada hora de sono antes da meia-noite vale por duas. A cada vez que puder, faça uma sesta: 20 minutos são o suficiente. Em seguida, coloque um calço nos pés da cabeceira de sua cama, o sangue circulará melhor em suas mucosas nasais e você vai respirar melhor.

Finalmente, um último conselho: coloque algumas gotas de essência natural de lavanda em seu travesseiro.

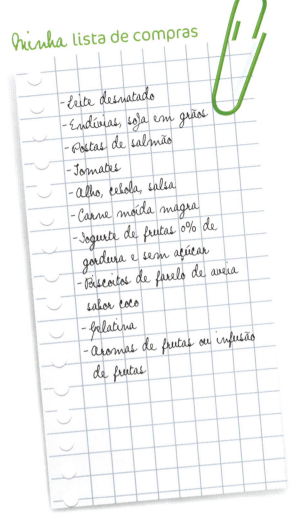

Minha lista de compras
- Leite desnatado
- Endívias, soja em grãos
- Postas de salmão
- Tomates
- Alho, cebola, salsa
- Carne moída magra
- Iogurte de frutas 0% de gordura e sem açúcar
- Biscoitos de farelo de aveia sabor coco
- Gelatina
- Aromas de frutas ou infusão de frutas

Exercício do dia

- **Jovem e ativo:** Hoje passaremos a sessenta abdominais e faremos vinte agachamentos.
- **Mais de 50 anos e sedentário:** Hoje vamos tentar passar a 24 abdominais e a 13 agachamentos.

Fase de cruzeiro • PL • Dia 39

Sua motivação

Como nos aproximamos do fim de nossa viagem e como esta sessão é dedicada à motivação, **gostaria de lhe falar, agora, sobre o que chamo de MME: o Motor de Motivação para Emagrecer.** Você sabe que, entre saber que se deve emagrecer e efetivamente fazê-lo, existem muitas nuances. E, uma vez que decidiu emagrecer e se comprometeu a fazer uma dieta, ainda assim, você atravessa algumas incertezas: dúvidas e lassidão podem atrapalhar seu caminho.

Quando tiver chegado ao seu Peso Ideal, o risco de ganhar peso novamente continuará presente, e vai aumentar com o tempo. Assim, você vai continuar precisando de uma motivação forte e constantemente recarregada.

Por todas essas razões, construí o MME: o Motor de Motivação para Emagrecer.

Na prática, em nossa vida cotidiana, efetuamos atos e tomamos decisões. Sem termos consciência, existe, em nós, um censor instintivo que **gerencia nossas escolhas em função do prazer que se espera e do desprazer que se quer evitar.**

Por exemplo: você está com fome, sua geladeira está vazia e o primeiro ponto de vendas de comida se situa a um quilômetro de sua casa. Se estiver com muita fome e os alimentos que você espera encontrar o estimulam, sua esperança de prazer torna-se grande. Mas fazer um quilômetro a pé é um verdadeiro freio: é uma fonte de desprazer que neutraliza boa parte do prazer que você espera ter. Se estiver fazendo frio, é ainda pior; se estiver chovendo, isso é o suficiente para desencorajá-lo. Mas se um amigo seu passar e lhe propuser levá-lo de carro para que jantem juntos, eis que o prazer surge novamente...

No âmbito de um projeto de emagrecimento, é a mesma coisa! Passar permanentemente do prazer ao desprazer é uma situação complexa: as satisfações que esperamos ter e as dificuldades encontradas no caminho são múltiplas e intrincadas. Elas agem em diferentes níveis: o do instinto e o da fome animal, o das emoções sentidas, o das ligações afetivas que se fazem e se desfazem, o das coisas da mente, da cultura, da estética, da espiritualidade, da valorização de si mesmo, do bem-estar, da sedução...

Nesse contexto, o MME tem por **missão, justamente, ajudá-lo a seguir sua dieta aumentando os prazeres que ela pode lhe trazer e reduzindo seus desprazeres e frustrações.** Desse modo, o MME otimiza o acompanhamento e os resultados, produzindo motivação, ardor e entusiasmo para emagrecer.

Construí o MME em dez tópicos: cinco geradores de prazer e cinco atenuadores de desprazer.

A partir de amanhã vamos começar a falar sobre o primeiro fator positivo, o da rapidez dos resultados. Trata-se da primeira fonte de satisfação ao longo de uma dieta.

Sua atividade física

Algumas pessoas me perguntam se devem fazer exercícios físicos. Em geral, quando perguntam, o motivo fica subentendido: eles não têm muita vontade de fazê-lo. Mas o exercício físico traz tantas satisfações! Fazemos exercícios pelo prazer que nos trazem: o de usar o próprio corpo como um agradável instrumento. Os esportistas são, com frequência, apaixonados pelo esporte que praticam. Se esse for seu caso, é claro que você pode se exercitar! Fico me perguntando, a propósito, como você pôde ganhar peso. Uma pessoa que tem atividade física regular queima muitas calorias e, principalmente, se sente feliz – pela serotonina que se interpõe. Ora, quando estamos felizes, não precisamos compensar com a comida.

Faça exercício físico, se quiser, se puder. O que me importa, no seu caso, não é tanto a intensidade do esforço que você vai fazer, **mas sua regularidade.**

Meu diário pessoal

Espero que você tenha adquirido o hábito e, principalmente, o prazer em escrever. Lembro a você que, caso realmente precise de mim, pode me escrever um e-mail.

Fase de cruzeiro • PP • Dia 40

Dia 40
da minha dieta Dukan

meu peso inicial: ....

meu peso atual: ....

total de kg perdidos: ....

meu peso ideal: ....

Panorama do seu 40º dia

Eis uma data que tem um significado forte: quarenta dias de cruzeiro. É motivo para festejar. Se adicionarmos os dias da fase de ataque, já faz um mês e meio que lutamos juntos. A experiência deste diário de bordo é um conceito inédito, do qual tenho grande expectativa. Tenho curiosidade em saber como as pessoas que levei comigo nesse caminho seguiram tal experiência inédita. **Hoje, você volta a um dia PP.** De acordo com meus conhecimentos, esta é, depois do jejum hídrico (beber apenas água!) e os pós de proteína, a dieta mais eficaz e rápida que existe. A estrada é certamente mais estreita que as estradas das baixas calorias... mas a velocidade é ilimitada. Como é um dia em que se emagrece muito, a pior coisa seria não comer o suficiente. Isso seria contraproducente, pura e simplesmente. Sempre tenha consigo algo que possa comer: uma panqueca, alguns bastões de kani, um iogurte, uma fatia de salmão ou um ovo cozido. Finalmente, guarde este conselho na memória: não espere sentir muita fome, a tentação fica mais aguçada e pode, rapidamente, pegá-lo desprevenido.

"Escapadas" da dieta

Beber um corpo de água em caso de tentação, vontade ou mesmo de fome é a melhor decisão a se tomar no momento. Assim que a água chega no estômago, ela se espalha e ocupa uma parte. Desse modo, ela distende ligeiramente suas paredes. Terminações nervosas transmitem a informação ao cérebro, que se descontrai. Nos minutos que se seguem, sua demanda alimentar vai diminuir um pouco. A água é um verdadeiro aliado ao longo de uma dieta. E é um aliado desconhecido! É um dos melhores **redutores de apetite** que existem, ao qual podemos ter um acesso ilimitado. Tente aumentar seu consumo de água. Os manuais de dieta, a propósito, corroboram o que eu digo (a água é criadora de uma "saciedade mecânica").

Exercício do dia

- **Jovem e ativo:** Hoje faremos sessenta abdominais e vinte agachamentos.
- **Mais de 50 anos e sedentário:** Hoje vamos manter 24 abdominais e 13 agachamentos.

Minha mensagem de apoio para você

> ***Pese-se todos os dias, pela manhã, e esqueça o que dizem os grandes censores de 'coloração psicológica' que veem a obsessão em qualquer parte.*** Pesar-se é um gesto terapêutico. Se seu peso estagna, alguns vão dizer que você pode correr o risco de se desencorajar... Talvez... mas, de qualquer forma, é melhor saber o quanto estamos pesando. Não se pesar também tem suas consequências!
>
> Imaginemos que você tenha consciência de que seu peso parou de diminuir. É importante sabê-lo, pois é uma vantagem que lhe dá a motivação para 'quebrar esse pilar', para fazer o peso voltar a diminuir. E, uma manhã, o ponteiro da balança grita pela vitória! Assim, você tem uma sensação de estar vencendo e volta ao caminho certo.
>
> ***Se você tiver vontade de se pesar diversas vezes por dia, não tenha vergonha:*** é apenas uma informação, como aquela que uma pessoa busca ao olhar seu relógio ou seu contador de velocidade. Mas o peso de referência e comparação é o da manhã, em jejum.

Pierre Dukan

Fase de cruzeiro • PP • Dia 40

Sua atividade física

Recentemente, inúmeros estudos começaram a perturbar o bom funcionamento das coisas. **Tais estudos tenderiam a provar que a atividade física não seria tão essencial para emagrecer quanto se imagina!** A partir de um grupo de pessoas bastante esportivas, esses estudos mostraram que alguns dos sujeitos estudados emagreciam e outros, não... sendo que alguns chegavam a ganhar peso!

Na realidade, não é a própria atividade física que está em causa. É, antes disso, a sensação de fome que vem depois do esforço físico, diante da qual nada podemos fazer: depois de um esforço substancial, certas pessoas se sentem muito famintas e totalmente desarmadas diante de um sinal de alarme que vem do fundo das células; outras nada sentem... e algumas até chegam, paradoxalmente, a perder o apetite.

Mas o que é clássico e reconhecido é que **a caminhada é a atividade com o impacto mais fraco no apetite.** Essa é a razão pela qual a recomendo mais que todas as outras: uma vez adquirido o hábito da caminhada, você vai conservá-lo para o resto da vida.

Sua receita de hoje

Sanduíche de farelo de aveia
grelhado com atum (PP)

 20 min   4

200g de atum ao natural
2 pitadas de pimenta vermelha em pó
8 fatias de ricota light 0%
Suco de 1 limão
4 panquecas de farelo de aveia
4 colheres (café) de azeite (facultativo)
30g de alcaparras
4 pequenos pimentões vermelhos
Pimenta-do-reino moída a gosto

Esta receita contém a dose diária de azeite autorizada.

1. Escorra bem o atum e salpique com pimenta vermelha.
2. Em um recipiente, coloque a ricota com o suco de limão. Tempere ligeiramente com sal e pimenta-do-reino.
3. Grelhe as quatro panquecas de farelo de aveia e passe o azeite com a ajuda de um pincel. Escorra os pimentões, abra-os e retire as sementes.
4. Escorra as alcaparras. Espalhe o preparo com ricota nas quatro panquecas e corte cada uma em duas, adicionando um pimentão sobre cada uma. Coloque o atum escorrido e salpique com as alcaparras. Recubra com a metade de uma panqueca para formar sanduíches.
5. Você também pode substituir a pimenta por limão confitado com sal.

Minha lista de compras

- Cacau sem açúcar
- Ovos
- Requeijão, cottage e queijo fresca 0% de gordura
- Sardinha em lata sem óleo
- Atum ao natural
- Alcaparras
- Ricota light
- Limão
- Iogurte de frutas 0% de gordura e sem açúcar
- Biscoitos de farelo de aveia sabor avelã
- Fígado de galinha
- Peito de frango
- Gelatina
- Aroma de limão

Cesta de compras do dia

Tente não se esquecer de comprar atum em lata e sem gordura (sem óleo). Hoje, para celebrar o 40º dia de cruzeiro, quero lhe dar um pequeno presente. Se você estiver emagrecendo bem e não se encontrar em um momento de diminuição de velocidade da perda de peso ou estagnação, compre uma lata de atum com azeite, e escolha uma de boa marca para a ocasião. Abra-a e, usando a tampa, pressione o óleo que impregna o peixe, deixando escorrer bem, e delicie-se. Cuidado: este pequeno presente é para festejar nosso 40º dia, mas você não pode consumi-lo enquanto ainda estivermos na fase de cruzeiro.

Meu diário pessoal

Hoje, tente se concentrar no que pensa ser **sua primeira qualidade e seu primeiro defeito.** Escreva-os neste diário. É um exercício de lucidez e modéstia.

Guarde um pouco de espaço para o melhor e o pior momento do dia em relação à sua dieta. Até amanhã.

Sua motivação

Ao longo de toda a minha vida profissional **notei que o primeiro pedido dos meus pacientes era EMAGRECER RAPIDAMENTE.** No início da dieta, eles têm vontade de começar rápido para serem projetados em direção ao sucesso!

Entre as dietas disponíveis atualmente, a mais extrema (e a mais rápida) é o **jejum hídrico**, ao longo do qual apenas a água é autorizada e na qual se exclui tudo que é sólido. Essa dieta é extrema, pois o organismo pode apenas se alimentar de suas reservas. Infelizmente, a ausência de proteínas, que são vitais para a saúde, obriga o corpo a buscar energia nos músculos... o que é uma solução muito ruim! Muito felizmente, o jejum hídrico não atrai muita gente.

Uma outra dieta rápida é a que prega **o consumo de proteínas em pó.** Com efeito, é uma dieta muito rápida, mas totalmente inadaptada ao homem, que não é um ser comedor de pó: o ser humano precisa mastigar e se alimentar de verdadeiros alimentos. Além disso, é uma dieta que não cria estabilização ou aprendizado: por esse motivo, leva a efeitos sanfona fulminantes.

Finalmente, a terceira dieta mais rápida é... **esta que recomendo a você!** Você deve gostar da rapidez com que a perda de peso se faz. Meu método propõe proteínas suficientes para que seu corpo não tenha qualquer motivo para buscá-las nos músculos. Ao contrário do que dizem os difamadores, mesmo ao longo dos três a seis dias da fase de ataque, minha dieta não é apenas composta por proteínas.

Ela também traz um pouco de glicídios lentos, como os do farelo de aveia ou dos laticínios (a lactose); a partir da fase de cruzeiro, os legumes autorizados à vontade também contêm glicídios (mas apenas um pouco). Minha dieta também tem lipídios e ácidos graxos, como o ômega 3, obtido através dos peixes, que são repletos deles.

O conjunto propõe uma dieta aberta aos três nutrientes essenciais... mas em proporções que asseguram sua eficácia. No dia em que você entrar nas fases 3 e 4 (consolidação e estabilização), terá todas as chances de nunca mais engordar. Se quiser se beneficiar plenamente da eficácia da minha dieta, coma sem se privar, varie, não espere que a fome apareça, pois ela é uma péssima conselheira. E caminhe.

Seu ambiente de saúde

Hoje vamos falar dos quadris. Essa articulação é a mais sólida do corpo, pois liga o tronco (com a cabeça e os braços) aos membros inferiores. Estes devem suportar cerca de dois terços do seu peso (a parte de cima do corpo). Se você for uma mulher com excedente de peso no busto ou um homem de barriga grande, não são apenas dois terços, mas 80% do corpo que pesam nessas articulações!

A evolução que o fato de sermos bípedes nos trouxe levou em conta essa repartição (mas não seu sobrepeso). A articulação dos quadris é extremamente sólida. Os quadris possuem um cótilo, espécie de fossa na qual a cabeça bem arredondada do fêmur se encaixa perfeitamente.

O peso do corpo é bem dividido entre os quadris. Mas, mesmo aí, uma certa predisposição à artrose, a idade e o sobrepeso acabam sempre por abusar desse belo dispositivo.

Além disso, certas populações têm uma anatomia da articulação e de seu encaixamento que favorece um suporte maldistribuído e um gasto precoce. Os bretões, em especial, costumam ter esse tipo de anatomia.

Em todo caso, não se esqueça que você deve reduzir seu sobrepeso enquanto ainda é tempo. Caso seja muito tarde, não hesite em fazer uma cirurgia (já que tais operações hoje são bem controladas).

Meu diário pessoal

Hoje, tente se concentrar no que pensa ser **sua primeira qualidade e seu primeiro defeito.** Escreva-os neste diário. É um exercício de lucidez e modéstia.

Guarde um pouco de espaço para o melhor e o pior momento do dia em relação à sua dieta. Até amanhã.

Dia 41
da minha dieta Dukan

meu peso inicial: ....

meu peso atual: ....

total de kg perdidos: ....

meu peso ideal: ....

Panorama do seu 41º dia

Ufa! Hoje os legumes voltam e, com eles, suas fibras, sua forte hidratação, seus sais minerais e seu sabor. Aproveite-os em todas as formas, preparos e cozimentos. E VARIE!

Sua motivação

"Estou vendo meu corpo mudar, estou voltando a ser eu mesmo": é o que você vai poder dizer a si mesmo ao se ver emagrecer com prazer.

Ontem descobrimos juntos o primeiro fator gerador de prazer do Motor de Motivação para Emagrecer: o do prazer em perder peso (o início rápido dessa perda em meu método aumenta a motivação).

Hoje quero lhe falar sobre o segundo elemento que aguça a motivação: **o de ver seu corpo e sua imagem melhorarem muito rapidamente.** A dieta que você está fazendo atualmente é rica em proteínas, e essas possuem o que chamamos de "efeito hidrófugo". Isso significa que as proteínas capturam a água e desintoxicam o corpo, o que pode ser rapidamente percebido em suas medidas. Além disso, as proteínas protegem os músculos e os tornam mais firmes. Com o mesmo peso, o corpo fica menos volumoso, e isso é percebido tanto nas sensações do corpo e na autoimagem quanto nas roupas.

As proteínas também protegem a pele e reforçam a tonicidade geral do corpo.

Por fim, homem ou mulher, você se sente melhor com seu corpo... Esse é um excelente efeito de gratificação e de treinamento para o prosseguimento da dieta.

Exercício do dia

- **Jovem e ativo:** Hoje faremos sessenta abdominais e vinte agachamentos.
- **Mais de 50 anos e sedentário:** Hoje vamos manter 24 abdominais e 13 agachamentos.

Minha mensagem de apoio para você

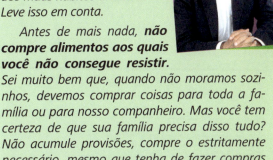

"**Comemos apenas o que possuímos e só terminamos o que começamos.** É uma lei que criei com o tempo, graças ao meu conhecimento dos maus hábitos alimentares. Leve isso em conta.

Antes de mais nada, **não compre alimentos aos quais você não consegue resistir.** Sei muito bem que, quando não moramos sozinhos, devemos comprar coisas para toda a família ou para nosso companheiro. Mas você tem certeza de que sua família precisa disso tudo? Não acumule provisões, compre o estritamente necessário, mesmo que tenha de fazer compras todos os dias. E tome cuidado com os alimentos que vêm em pacote: um pacote aberto é sempre tentador!

Tente comprar pacotes de uma dose ou pacotes contendo sachês individuais com pequenas doses. Se sua família for grande, compartilhe e distribua quando o pacote estiver aberto.

E, finalmente, saiba que um alimento arriscado ou aberto sempre exerce **sua sedução quando está no seu campo de visão.** Sendo assim, coloque-o na despensa, se possível, nos fundos, longe dos olhos! Não tente se fazer de mais heroico do que de fato é: **diante da comida, somos todos crianças.**"

Pierre Dukan

Fase de cruzeiro · PL · Dia 41

Minha lista de compras

- Requeijão e cottage 0% de gordura
- Rúcula, beterraba, funcho
- Limão
- Endívias
- Ovos
- Leite desnatado
- Tomate, abobrinha
- Iogurtes 0% de gordura e sem açúcar
- Vieiras
- Vinho branco para cozimento
- Creme de leite light
- Sorvete de iogurte light

Sua receita de hoje

Salpicão de frango

20 min | 2 h ❄ | 5

1 peito de frango grande temperado, cozido e desfiado*

1 xícara de alho-poró cortado fino e refogado

1 cebola

2 cenouras pequenas raladas bem finas

Salsinha/cebolinha a gosto

1 dente de alho

sal a gosto

pimenta a gosto

1 iogurte desnatado light (sem soro)

2 colheres (sopa) de queijo cottage (sem soro)

1 Polenguinho light

1 colher (sopa) de creme de cottage light ou pasta de ricota light

1 concha de caldo de frango reservado do cozimento

colher (chá) de gengibre em pó (opcional)

1. Para o molho, bata no mixer o iogurte desnatado, o queijo cottage, o Polenguinho light, o creme de cottage, o caldo de frango reservado e o gengibre em pó (se desejar).

2. Ajuste o sal, os temperos e veja se precisa de um pouco mais de caldo. Este molho é espesso e cremoso.

3. Misture ao peito de frango e aos legumes picados e leve à geladeira por duas horas.

* reserve o caldo do cozimento

Sua atividade física

Desperte seus músculos adormecidos. Um músculo adormecido é um músculo que você nunca usa, ou usa de maneira insignificante. Você dispõe de cerca de oitocentos músculos, que pode usar como um rebanho de pequenos servos que dispõem da faculdade de queimar calorias (logo, de ajudá-lo a emagrecer). Desses oitocentos músculos, o homem da cidade utiliza apenas um terço. Os outros se tornaram praticamente, inúteis para ele. Um estudo americano mostrou que **metade das mulheres de 70 anos quando deitadas no chão não consegue mais levantar-se sozinha**, pois esse esforço inabitual sobrecarrega muito os músculos adormecidos! No entanto, todos os músculos são importantes para quem quer emagrecer.

Quando os esportistas praticam sua especialidade, funcionam com um certo número de feixes musculares: esses músculos são treinados para funcionar com um consumo mínimo de energia (para serem resistentes ao cansaço). Entende aonde quero chegar? **Seus músculos adormecidos que, por definição, não são treinados, queimarão muito mais calorias do que os que você usa regularmente.** Em seu rebanho, você tem grandes consumidores, que deveria solicitar com mais frequência.

Você vai me perguntar: **"Quais são os meus músculos adormecidos?"** Isso depende muito de seu modo de vida e de seu tipo de atividade. Quer você seja destro ou canhoto, aplique-se a fazer funcionar **o lado oposto à sua lateralidade dominante.**

Outro grupo de músculos que praticamente nunca usamos **são os das costas, do pescoço e da lombar** (os músculos que envolvem a coluna vertebral). Alongue-se para o alto quando estiver sentado. Os tríceps (parte posterior do braço) também são pouco usados. **Seus ísquio-tibiais** (parte de trás das coxas) também trabalham muito menos que os músculos anteriores das coxas. A mesma coisa acontece com os **adutores das coxas**, que apenas os cavaleiros utilizam, quando apertam as coxas quando montam.

Se quiser saber como usar todos os seus músculos "adormecidos", você encontrará na internet (inclusive em meu site) inúmeros vídeos com exercícios para cada grupo muscular.

Sua cesta de compras do dia

Hoje, um viva às endívias! Escolha endívias bem bonitas e carnudas. Lave-as bem, pois as primeiras folhas podem vir cheias de terra. Você pode prepará-las no forno, com uma bela fatia de peito de peru e um pouco de molho bechamel Dukan (para quatro endívias, dissolva 40g de amido de milho em meio litro de creme de leite, com sal, pimenta-do-reino e noz-moscada, em fogo brando).

Você também pode fazer uma salada com as endívias, usando um molho de queijo. Prepare seu molho com requeijão, um pouco de vinagre e aroma de queijo, que você encontra na internet.

Fase de cruzeiro • PL • Dia 41

"Escapadas" da dieta

Quero chamar sua atenção para o que chamo de **"seus momentos e lugares vulneráveis"**. Se quiser ter êxito em seu projeto de perda de peso, isso é um elemento de primeira importância. Você sabe que ao passar em frente a certas padarias o cheiro do pão quente é uma armadilha na qual pode acabar caindo? **Durante o dia, também existem certos momentos de risco**. Talvez seja o café da manhã... Mas também conheço pacientes que não sentem muita fome de manhã. A partir das 17 horas em contrapartida, podem engolir tudo que veem pela frente.

No seu caso, não sei que lugares ou horários são os mais vulneráveis. **Mas você sabe bem quais são,** e peço que pense neles. Não deve ser muito difícil, pois não variam muito. **Pode ser o meio da manhã, pelas 11 horas,** principalmente para aqueles que têm (ou tinham) o hábito de consumir glicídios rápidos, que são eliminados em alta velocidade pela insulina, deixando o organismo em pane de açúcar, com um apetite de reação violenta uma ou duas horas antes da refeição principal.

Existe, também, **os que sentem muita fome na hora do almoço**, no restaurante ou na cantina. Mas, na minha opinião, o momento mais perigoso é o final da tarde, às 17 horas. É essencial ter o que é preciso nas mãos, para não cair na armadilha da vontade de comer.

Também é importante tomar cuidado com certos hábitos... Atenção, por exemplo, quando **comprar pão** para a família, pois você pode acabar comendo um pedaço no caminho até sua casa... Peça uma embalagem de proteção, para não ver o quanto é crocante e não sentir o cheiro do pão. Quando estiver em casa, **cuidado com a geladeira,** que o espera pacientemente. Tente nunca deixar abertos os pacotes destinados aos seus filhos (queijo, salames, pastas etc.). No jantar, sirva-se na cozinha, para não ter chance de se servir uma segunda vez. Prepare pratos bem-servidos de legumes, caso seja um dia PL.

Aprenda **a valer-se das proteínas, dos legumes e da água como três excelentes quebra-mares de seu apetite:** juntos, eles podem acalmar a fome que você sente no jantar. E, finalmente, desconfie das visitas à despensa depois do jantar (quando, durante um filme ou um programa na televisão, você se levanta sem saber muito bem o que está procurando).

Também é importante levar em conta um comportamento comum a todas as pessoas em sobrepeso: **quando um prato estiver cheio, ele será esvaziado** — os obesos comem sistematicamente tudo que está no prato, não importa a quantidade.

Posso lhe garantir: não é o caso de pensar nesses detalhes todos os dias, basta apenas identificar suas falhas e trazer uma solução para elas, fazendo dessa solução um hábito maior.

Seu ambiente de saúde

Gostaria de lhe fazer uma pergunta importante: **você bebe água suficiente?** Beber água faz com que você elimine mais rapidamente os dejetos e com que desintoxique seus tecidos. Além disso, a água é um excelente moderador de apetite. Não beber durante as refeições faz com que você coma mais **(muitas pessoas "comem porque estão com sede").**

Quando perdemos o hábito de beber (como costuma ser o caso), o corpo procura obter água nos levando a alimentos que a contêm: laticínios, legumes, frutas, sorvete, refrigerante, cerveja ou até mesmo a batata... Às vezes, você pensa que ainda está com fome, mas, inconscientemente, é a água que está procurando. E, além disso, beber água sem gás (juntamente com uma alimentação pouco salgada) facilita a drenagem e tem utilidade contra a retenção de líquidos. Você também pode beber águas aromatizadas sem açúcar, que tornam a água menos "transparente".

Meu diário pessoal

O ato de escrever uma mensagem endereçada a si mesmo proporciona sempre um pequeno momento de verdade. Vou lhe fazer uma confidência: todos os dias também escrevo em um pequeno caderno verde, que é meu jardim secreto. E tenho o hábito de reler a mim mesmo. O que escrevo me interessa e me serve ao mesmo tempo. Realmente acho que, se você adquirir esse hábito, não vai se arrepender. Saint Exupéry dizia que só podemos ser seres humanos se tivermos escrito um livro!

....
....
....
....
....
....
....
....
....
....
....
....
....
....
....
....
....
....
....
....
....
....
....
....
....
....
....
....

Dia 42
da minha dieta Dukan

| meu peso inicial: | meu peso atual: | total de kg perdidos: | meu peso ideal: |

Panorama do seu 42º dia

Dia de proteínas puras. Espero que, ontem, você tenha aproveitado tão bem os legumes que, hoje, esteja saturado! O tempo passa rápido. Hoje, as proteínas puras podem ajudá-lo a perder essas últimas centenas de gramas que, adicionando-se umas às outras, vão fazer com que, muito em breve, você chegue ao seu objetivo.

Seu ambiente de saúde

Anteontem falei sobre o sono. Gostaria de voltar ao assunto, com um pequeno presente, **um pequeno segredo pessoal que me traz muita felicidade.** Pessoalmente, tenho medo de não dormir bem, pois, no dia seguinte, me sinto irritado, vulnerável e menos vivaz. Tenho um pequeno segredo para adormecer rápido. Vou lhe contar: quando você quiser dormir rápido, feche os olhos e **concentre sua atenção mental nas duas sílabas da palavra DOR-MIR.** Diga a palavra mentalmente, inspirando quando disser DOR e expirando quando disser MIR. Quando pronunciar interiormente cada metade da palavra "dormir", **tente não pensar em nada além dessa meia palavra.** Assim, você fecha a porta a todas as outras ideias, imagens ou representações que tentam penetrar no campo da sua consciência.

No dia seguinte você vai acordar sem ter se dado conta de ter adormecido... **O que estou lhe contando aqui é um dos meus melhores segredos. Aproveite seus benefícios e compartilhe com os outros, é uma verdadeira felicidade.**

Minha mensagem de apoio para você

*Se você quiser emagrecer deve se casar com a SFP. O quê? **A SFP: Sua Força Própria.***

Alguns têm a sorte de viver permanentemente com ela, outros a encontram apenas em certos momentos, outros são totalmente desprovidos dela (são as pessoas que sofrem de depressão).

A origem dessa força é mista, pois é metade psíquica e ligada ao seu bem-estar interior, metade física e ligada ao seu modo de vida. Você pode trabalhar nessas duas vertentes.

***Quanto ao bem-estar interior,** já que você está realizando um projeto importante, lance-se o desafio e vença-o: seu sucesso tem por propriedade lhe trazer energia psíquica. **Quanto à vertente física,** é só começar a se mexer: quanto mais você se movimentar, mais vai gerar energia física.*

Quando estiver se exercitando, oxigene-se: respire profundamente. O oxigênio é um tesouro precioso, ao qual não prestamos bastante atenção. Devemos respirar plenamente conscientes, e profundamente, se quisermos queimar e eliminar os dejetos do organismo.

***E, também, proteja-se do cansaço:** não abuse de suas reservas e procure fazer algumas pausas durante o dia. **Aprenda a relaxar:** alongue-se no chão, feche os olhos e, durante alguns minutos, tente expulsar do pensamento todas as ideias que queiram surgir. Você vai ficar surpreso ao constatar que, efetivamente, a todo instante, os pensamentos rondam sua consciência e tentam se implantar nela, se desenvolver.*

*Com o tempo, você vai aprender a esvaziar a mente. Aos poucos, vai conseguir expulsar esses pensamentos, a não deixá-los vir o tempo todo... **Quando conseguir, vai ter aprendido a meditar:** é o termo usado na psicoterapia. Quando aprender a meditar, vai conseguir, por exemplo, adormecer com facilidade em poucos segundos, qualquer que seja seu estado.*

Quando tiver terminado seu relaxamento, você vai se sentir melhor. Depois de alguns minutos de desligamento, a seiva volta a jorrar das raízes.

Pierre Dukan

Fase de cruzeiro • PP • Dia 42

Sua receita de hoje

Ovos mexidos
com ovas de salmão

Cesta de compras do dia

Hoje proponho que você coloque **truta em seu carrinho de compras**. É um peixe que tem uma bela carne branca, firme e flocosa, macia na boca. Além disso, você praticamente não vai encontrar espinhas. Use bastante suco de limão em sua posta de truta, salpique com aipo e deixe marinando alguns minutos, antes de cozinhar na frigideira.

15 min | 10 min | 10 min | 2

3 ovos inteiros
2 colheres (café) de ovas de salmão
2 claras batidas
2 iogurtes 0% de gordura
Sal, pimenta-do-reino a gosto

1. Em uma pequena panela funda, quebre os ovos, adicione o sal e a pimenta-do-reino. Cozinhe em fogo muito brando, sem parar de mexer com uma colher de pau (como se estivesse desenhando "oitos").
2. Quando os ovos estiverem bem mexidos, com a consistência de um creme, coloque-os em pequenos recipientes.
3. Faça um "chantilly" com as claras de ovo batidas em neve, o iogurte, o sal e a pimenta-do-reino.
4. Coloque sobre os ovos e decore com ovas de salmão.
5. Reserve na geladeira até o momento de servir.

Exercício do dia

- **Jovem e ativo:** Hoje faremos sessenta abdominais vinte agachamentos.
- **Mais de 50 anos e sedentário:** Hoje vamos manter 24 abdominais e 13 agachamentos.

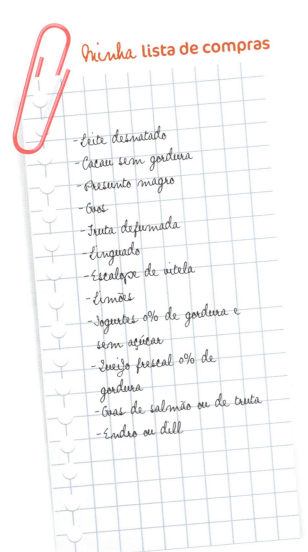

Minha **lista de compras**

- Leite desnatado
- Cacau sem gordura
- Presunto magro
- Ovos
- Truta defumada
- Linguado
- Escalope de vitela
- Limões
- Iogurtes 0% de gordura e sem açúcar
- Queijo frescal 0% de gordura
- Ovas de salmão ou de truta
- Endro ou dill

Sua atividade física

Hoje eu gostaria de lhe ensinar uma coisa. Quando você faz um músculo ou um grupo de músculos funcionar contra certa resistência, ou seja, fazendo-o produzir um esforço consequente, esse músculo começa a consumir energia de forma intensa. O que você talvez não saiba é que, depois de ter parado de produzir esforço, as células musculares solicitadas **continuam a consumir energia** — é verdade, bem menos que durante o esforço... mas o suficiente para que o gasto seja mensurável em um eletromiograma. O que é importante saber é que essa contração mínima vai continuar, tanto durante o dia quanto durante a noite, por até setenta e duas horas. Apenas ao cabo dessas horas tudo vai parar e o músculo vai voltar ao estado anterior.

Para concluir, se você tem uma atividade física, além da caminhada, que solicita vigorosamente sua massa muscular, deve praticá-la **pelo menos duas vezes por semana**. Por atividade física muscular intensa quero dizer subir escadas, quatro, cinco ou até mesmo seis andares, sem parar.

Fase de cruzeiro • PP • Dia 42

Sua motivação

Hoje vamos abrir **a terceira janela** positiva do MME. Depois do prazer em emagrecer rápido e de ter novas percepções sobre seu corpo, eis a terceira fonte de motivação: trata-se do **imenso prazer em sentir orgulho de si mesmo, capaz de conseguir passar ao ato.**

Ser capaz de emagrecer nos torna orgulhosos, pois o sucesso faz com que nos sintamos valorizados e reforça nossa autoestima. Emagrecer e ver, todos os dias, o ponteiro da balança descendo é uma fonte de contentamento. É ainda mais satisfatório por se ter aprendido alguma coisa, se ter entendido profundamente as raízes do problema. Emagrecer e aprender a emagrecer ao mesmo tempo é um projeto difícil: conseguir algo que nem todos conseguem lhe agrega valor.

O fato de ter vivido esse percurso, em companhia dos legumes e das proteínas autorizados, certamente fez com que você entendesse que **esses alimentos são seus amigos.** Essa convicção intuitiva vai permanecer em você por muito tempo: é com esse postulado que você vai construir a estabilização durável do seu peso. Sentir-se bem consigo mesmo e com seu corpo, voltar a ter autoconfiança e poder de sedução, tudo isso cria uma profunda motivação, e essa motivação deve ser cultivada.

"Escapadas" da dieta

Ontem procurei sensibilizá-lo quanto aos momentos e lugares em que você fica mais vulnerável à comida. É importante que você saiba identificar essas zonas de alto risco. Você tem uma enorme vantagem, que é **conhecer as horas e os lugares perigosos.** Você sabe exatamente quando e em que momento eles o atacam... Então, não vai se deixar enganar por eles. Se você fica **faminto na parte da manhã** e cai facilmente em armadilhas, deve tomar um café da manhã rico em proteínas: ovos, iogurtes, panqueca de farelo de aveia... e presunto de peru, se for preciso!

Às 17 horas é a **"hora do crime"**, o momento de todos os perigos: é importante que você sempre tenha consigo alguma coisa para afrontá-lo. O ideal é comer um kani, se você gosta de kani, ou iogurtes, biscoitos e barras de farelo de aveia sem adição de açúcar e gordura.

Depois do jantar, se você é do tipo que ronda a despensa e a geladeira, não se esqueça que você também pode comer um "alimento tolerado". Não se esqueça de que você também pode comer um "alimento tolerado", como, por exemplo, um pouco de cacau sem gordura diluído em algum laticínio. A melhor resposta ao agente tentador é saber se organizar e se prevenir.

Meu diário pessoal

O que você vai escrever sobre o dia de hoje? Como você viveu esse dia e como o classificaria? Foi um dia globalmente satisfatório ou insatisfatório? Tente se concentrar no que fez o dia balançar para o lado bom ou para o lado ruim; o que determina sua escolha?

Fase de cruzeiro • Semana 8

Semana 8
da minha dieta Dukan

Minha foto da semana

Minha "estratégia de felicidade"

Guardei os dois últimos diamantes para o final. As sete primeiras necessidades são comuns a todos os mamíferos. Em contrapartida, a necessidade do sagrado é uma aspiração propriamente humana. Com a consciência, o homem descobre a morte... e a angústia de sua iminência. Assim, a necessidade do sagrado aparece, para nos ajudar a viver com essa horrível espada de Dâmocles sobre nossas cabeças.

Há muitas décadas, a sociedade de consumo prospera com a "morte de Deus" e a rejeição à religião. **Mas o sagrado vai muito além do religioso!**

O sagrado anima tudo que é profundo, nobre e desinteressado em nós. O primeiro gesto sagrado é ajudar alguém e, nesse ato, encontrar prazer, alegria, contentamento, honra... serotonina e felicidade.

Autoavaliação:

☐ Sou muito apegado ao sagrado

☐ Gostaria de me aproximar do sagrado

☐ Não é "a minha praia"

O segredo da semana: transforme suas perdas de tempo em perdas de peso

Você nunca tem tempo suficiente? O exercício o entedia ou cansa, mas, ao mesmo tempo, você gostaria de emagrecer. Você é a pessoa que vai adorar este segredo. Em vez de perder tempo — você, que não o tem —, indo para sua academia de ginástica, inclua o equivalente dessa atividade nos recantos e tempos mortos de seu dia. Ou, melhor ainda, acrescente-a nas tarefas ou atividades que você deve fazer. Por exemplo: você tem de escovar os dentes. Você adoraria escová-los cuidadosamente, mas está apressado e não gosta muito de fazê-lo. Então, enquanto escova seus dentes — o que pode, facilmente, durar 3 minutos —, faça pequenas flexões das pernas de pé, diante do espelho, e cante mentalmente para que tudo se passe da maneira mais agradável. Em vez de esperar o elevador, desça rápido as escadas! Enquanto estiver esperando o ônibus, caminhe. Se estiver no metrô, fique de pé, sem se apoiar. Precisa lavar a louça? Lave com as mãos, não na máquina. Você não vai ter que passar água, colocar tudo na lava-louças e depois retirar. Você tem que pegar alguma coisa que caiu no chão? Não se curve dobrando o tronco para a frente, mas dobre os joelhos. Seu corpo é sua própria metade, a única que pode ajudá-lo a emagrecer e lhe proporcionar bem-estar.

Minhas medidas esta semana

- Circunferência peitoral: ....
- Circunferência da cintura: ....
- Circunferência dos quadris: ....
- Circunferência das duas coxas: ....

Sugestões de cardápios para a semana

		Meu café da manhã	Meu almoço	Meu lanche	Meu jantar
SEGUNDA-FEIRA	PL	Bebida quente / Cottage 0% de gordura / Mingau de farelo de aveia com canela	Dips de legumes (cenoura, couve-flor, tomate-cereja) com requeijão 0% de gordura e ervas finas / Filé de robalo / Funcho no vapor / Creme de caramelo com ágar-ágar ou gelatina sem sabor	1 iogurte de frutas 0% de gordura e sem açúcar / 1 biscoito de farelo de aveia Dukan sabor avelã	Bresaola / **Shiratakis com legumes mediterrâneos grelhados na chapa**
TERÇA-FEIRA	PP	Bebida quente / Rabanada (com base de pão de farelo de aveia caseiro) / Ricota light + aroma de baunilha	Coquetel de camarão / **Mil-folhas de frutos do mar** / Petit gâteau Dukan	Queijo frescal 0% de gordura	Ostras / Camarões VG com ervas ao forno / Merengue
QUARTA-FEIRA	PL	Bebida quente / 30g de pepitas de farelo de aveia sabor frutas vermelhas / Leite desnatado e/ou requeijão 0% de gordura / Iogurte 0% de gordura	Salada de tomates-cereja / Cozido de peixe / Cottage 0% de gordura	Queijo frescal 0% de gordura / 1 muffin de farelo de aveia	Salada de cenoura com cominho / Almôndegas de carne à moda oriental / **Compota de funcho com cúrcuma** / Mousse aerada de pistache
QUINTA-FEIRA	PP	Bebida quente / 1 panqueca de farelo de aveia / **1 omelete de claras de ovos** / Cottage 0% de gordura	Tofu tandoori / Omelete com requeijão 0% de gordura / Ricota light	1 iogurte 0% de gordura e sem açúcar com essência de coco / 2 biscoitos de farelo de aveia Dukan sabor coco	Mexilhões à marinière / Vieiras refogadas com espuma de baunilha / Bavaroise "loucura branca"
SEXTA-FEIRA	PL	Bebida quente / Pão de mel caseiro de farelo de aveia / Queijo frescal 0% de gordura	Salada de endívias e coelho com molho de mostarda / Cenoura grelhada com cebola / 1 iogurte 0% de gordura, sem açúcar	1 iogurte 0% de gordura e sem açúcar sabor morango / 1 biscoito de farelo de aveia Dukan sabor avelã	Salada de tomate e pimentão / **Repolho recheado** / Mousse de tofu cremoso com cottage
SÁBADO	PP	Bebida quente / 1 panqueca de farelo de aveia / 1 ovo frito + bacon light	Bresaola / **Escalope de vitela à milanesa** / Shiratakis com 2 colheres de molho de tomate / 1 iogurte 0% de gordura, sem açúcar	Queijo fresco 0% de gordura / 2 biscoitos de farelo de aveia Dukan sabor coco	Pasta de atum sem óleo com maionese Dukan / Medalhões de linguado com salmão / Sorvete de iogurte Dukan sabor baunilha
DOMINGO	PL	Bebida quente / 30g de pepitas de farelo de aveia sabor caramelo / Leite desnatado e/ou queijo fresco 0% de gordura / Iogurte 0% de gordura	Rabanete negro com sal / Salada do mar fresca, com funcho, kani e camarão / Queijo frescal 0% de gordura	Queijo frescal 0% de gordura	**Salada de pimentões grelhados** / Lasanha de berinjela com tofu / Pudim ou flan zero

Fase de cruzeiro • PL • Dia 43

Dia 43
da minha dieta Dukan

meu peso inicial:

meu peso atual:

total de kg perdidos:

meu peso ideal:

Panorama do seu 43º dia

Hoje, novamente, você pode comer legumes. Não costumo seguir muito minha própria dieta, mas, quando o faço, tenho tanta paixão por legumes e por vinagre balsâmico que sofro um pouco com as proteínas puras. Já os dias de proteínas + legumes não me fazem, de forma alguma, ter a sensação de estar de regime.

"Escapadas" da dieta

Ao longo de uma dieta, **uma a cada três escapadas alimentares acontecem diante da televisão!**

O cérebro tem dificuldade em se concentrar em duas coisas ao mesmo tempo. Isso me faz pensar nas janelas informáticas: abrir uma nova janela costuma mascarar a anterior. Quando você assiste a um filme, principalmente se for de suspense ou drama, acaba comendo sem ter plena consciência do espetáculo sensorial que se produz em sua boca. Assim, você acaba precisando comer mais para ter a mesma sensação de saciedade. É por isso que é tão desaconselhável comer assistindo programas de televisão...

Em vez disso, proponho que você pedale. Coloque uma bicicleta ergométrica na frente da TV: você vai pedalar durante o filme ou o programa que quiser assistir, no seu ritmo, sem qualquer resistência e de maneira automática! Saiba, a propósito, que cada minuto de bicicleta equivale a 1 minuto de caminhada (e se quiser comprar uma bicicleta ergométrica para usar em casa, escolha uma que registre as calorias queimadas).

Sua atividade física

Cante, é algo mágico! Sim, coloquei essa ocupação peculiar no âmbito da sessão "atividade física", pois cantar realmente é algo físico... e mais intenso do que imaginamos, quando realmente nos dedicamos! **Cantar com os pulmões cheios vai ajudá-lo a queimar calorias.**

Além dessa trivial atividade de combustão, o canto é da ordem da arte e, ao mesmo tempo, da expressão corporal. Sim, quando canta, quaisquer que sejam seus dons, você tenta cantar tão bem quanto pode, pois escuta o que sai de sua laringe; inconscientemente, você modula o fluxo para que o que exprime seja tão belo e harmonioso quanto for possível.

Você também tenta respeitar o ritmo, e é seguindo-o que você vai ter boas chances para treinar espontaneamente seu corpo para dançar. Cantar **é seguir ou descobrir um dos objetivos mais gratificantes do homem: produzir o belo.** Experimente. Caso lhe digam que você não tem muito talento para a coisa, cante quando estiver sozinho. Acredite em mim, a prática e o prazer sentido podem rapidamente despertar os seus dons ocultos ou adormecidos.

Minha mensagem de apoio para você

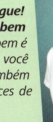

" **Mastigue, mastigue! Você vai emagrecer bem mais rápido!** Mastigar bem é um ótimo hábito, que você deve adquirir. Isso também lhe dará melhores chances de estabilizar seu peso.

Por quê? Como? A resposta se dá em apenas duas palavras: **"saciedade sensorial."** Quando você entra em contato com um alimento, quando o vê, sente, coloca na boca, umidifica, mastiga, fazendo passar pelo palato, pelas bochechas e pela língua, para, em seguida, engolir, todo esse processo produz uma infinidade de sensações que chegam ao seu cérebro.

Essas sensações acumulam-se nele, fazendo com que a capacidade sensorial aumente lentamente, e quando atinge um limite, ative essa famosa e preciosa saciedade sensorial. Além disso, quanto mais você mastiga e tritura um alimento ao salivar, mais libera o sabor contido nele.

É algo que demanda um pouco mais de tempo, mas... **você está com pressa de acabar o prazer que tem quando come algo gostoso?** Faça a seguinte experiência: pegue um grão de café inteiro e engula sem mastigar (zero sensação). Pegue um segundo grão e mastigue-o: você vai presenciar uma explosão de sensações.

Por conseguinte, quanto mais você gostar de uma determinada comida, mais deve mastigá-la, como faria com um chiclete, até que ela libere todo o seu poder sensorial na boca.

Tudo que você ingere sem ter tirado integralmente a mensagem sensorial será contado em calorias... mas uma parte do prazer que poderia ter sido obtido lhe terá escapado. "

Pierre Dukan

Fase de cruzeiro • PL • Dia 43

Cesta de compras do dia

Hoje à noite, prepare na chapa três legumes que são uma delícia juntos: grandes cebolas doces espanholas, abobrinhas e berinjelas. Coloque um pouco de azeite na chapa antes de tirar o excesso com papel-toalha, como de hábito. Depois, corte belas fatias dos legumes e grelhe a superfície, deixando a parte de dentro bem macia. Você vai adorar!

Minha lista de compras

- Requeijão 0% de gordura
- Leite desnatado
- Farelo de trigo e farelo de aveia
- Legumes crus para comer em dip
- Pimentão, abobrinha, cogumelos
- Iogurtes de frutas 0% de gordura e sem açúcar
- Biscoitos de farelo de aveia sabor avelã
- Shiratakis
- Salsa, tomilho, alho
- Aroma de conhaque, baunilha e caramelo
- Adoçante
- Gelatina
- Bresaola
- Rohalo
- Limão
- Funcho
- Ágar-ágar

Sua receita de hoje
Shiratakis com legumes
mediterrâneos grelhados na chapa

Tomilho fresco picado
Salsa fresca picada
4 colheres (café) de azeite
1 colher (café) de aroma de conhaque
4 colheres (café) de vinagrete balsâmico
4 colheres (sopa) de água
1 dente de alho picado
2 pimentões vermelhos cortados em fatias
2 pimentões verdes cortados em fatias
2 abobrinhas cortadas em quatro, no sentido do comprimento
15 cogumelos de Paris cortados em quatro
12 tomates-cereja cortados em dois
400g de shiratakis
Sal, pimenta-do-reino moída na hora a gosto

Esta receita contém a dose de azeite diária autorizada.

1. Em um recipiente, misture as ervas, o azeite, o aroma, a água e o vinagre balsâmico. Mexa tudo e adicione todos os legumes cortados. Deixe descansar por 2 horas. Ligue a chapa, disponha os legumes retirados da marinada sobre ela e cozinhe até que fiquem grelhados, virando de vez em quando. Durante o cozimento, regue com um pouco do resto da marinada, guardando ainda uma parte para os shiratakis.

2. Leve uma panela com água ao fogo alto e espere a água ferver. Escorra e lave os shiratakis com bastante água fria corrente.

3. Adicione os shiratakis à água fervente e cozinhe durante 1 ou 2 minutos. Escorra a água quente e passe rapidamente na água fria, para lavar.

4. Misture os legumes grelhados com os shiratakis e o restante da marinada. Adicione um pouco de vinagre balsâmico, se necessário. Tempere com sal e pimenta-do-reino.

Sua motivação

Há três dias venho falando do Motor de Motivação para Emagrecer, pois tenho certeza de que essa ferramenta pode ajudá-lo, tanto ao longo da dieta quanto depois dela (nas fases de manutenção do peso obtido).

O que é o MME? É um motor de duas faces, munido de dez elementos capazes de reforçar e manter sua motivação. **Por um lado, existem os cinco geradores do prazer de emagrecer e, do outro, os cinco atenuadores do desprazer de emagrecer.** Já lhe apresentei o prazer que vem com a rapidez da perda de peso, com a melhoria da imagem do corpo e a experiência agradável do sucesso. **Hoje, eis o quarto prazer: trata-se do prazer de descobrir e cozinhar receitas novas,** não apenas saborosas, mas que também vão facilitar o emagrecimento.

Inúmeros são aqueles que, quando começam uma dieta para emagrecer, esperam contar calorias, reduzir quantidades e ver desaparecer o prazer de se alimentar. Na minha dieta, isso não existe! **Você não precisa nem contar calorias, nem quantidades e, menos ainda, o prazer.** Reduzir os alimentos muito gordurosos ou açucarados não é sinônimo de perda de prazer. Reduzir a intensidade excessiva de certas sensações na boca não significa reduzir o sabor dos alimentos... e, menos ainda, sua associação.

Pense que, atualmente, existem cerca de **2 mil receitas preparadas a partir dos 100 alimentos autorizados** à vontade em meu método (mais os alimentos complementares, em fase de consolidação). Boa parte dessas receitas é oriunda da comunidade formada por meus leitores e internautas. Elas chegam de todos os países em que meu método é usado. Neste diário de bordo você vai encontrar algumas delas, mas também pode encontrar outras no site www.dietadukan.com.br, assim como em diversos sites, fóruns e blogs de amigos. **Aconselho ardentemente que você cozinhe.** Cozinhar, além de ser algo prazeroso, também lhe permite saber exatamente o que está na sua receita e ter melhor consciência da qualidade dos alimentos.

Além disso, cozinhar é a prova de que você continua na luta, que sua dieta é importante para você.

E, finalmente, se você tiver filhos, eles também podem sentir vontade de cozinhar quando o virem na cozinha.

Fase de cruzeiro • PL • Dia 43

Seu ambiente de saúde

Hoje eu gostaria de falar da gravidez. Se você for uma mulher jovem e sem filhos, provavelmente os terá um dia. Logo, isto vai lhe interessar. Se já tiver passado da idade de ficar grávida, esta sessão vai lhe trazer boas lembranças... ou, talvez, você tenha uma filha ou uma nora. E, finalmente, se você for homem, deve ter filhos (ou vai ter um dia) e poderá ajudar sua mulher.

O que fazer quando ao início de uma gravidez já se está em sobrepeso ou obesa? Antes de mais nada, peça ajuda ao seu obstetra. Em geral, esses especialistas desconfiam tanto das dietas quanto do sobrepeso... No entanto, se seu sobrepeso for ameaçador para você e seu bebê, o especialista vai aceitar enquadrar e melhorar sua alimentação. Em contrapartida, se seu sobrepeso não for ameaçador, você vai ter de se virar sozinha. Algumas mulheres, preocupadas com o primeiro parto ou já advertidas depois de muitos partos, recusam-se, com toda a energia possível, a ganhar MUITO peso durante a gravidez. Elas gostariam de viver e se alimentar sem ganhar mais de 12 ou 13kg ao longo desses nove meses tão peculiares. Na realidade, **aquilo que o corpo de uma futura mãe mais precisa são proteínas,** que compõem o essencial de um embrião e, em seguida, de um feto. Trata-se, então, da carne animal, carnes e peixes + ovos e laticínios.

A mulher grávida também deve consumir legumes, muitos legumes, para que a criança que chega também se apegue a eles. Ela também pode comer uma porção de queijo, duas fatias de pão integral e duas frutas por dia, assim como duas porções de feculentos por semana. Isso compõe uma base satisfatória, tanto para a mãe quanto para a criança que vai chegar.

O resto é apenas prazer... Este último faz parte da vida, mas também é preciso ficar de olho na balança. Em todo caso, a mulher grávida deve consumir o mínimo possível de açúcar branco e farinha branca (assim como tudo que a indústria produz com esses dois ingredientes de altíssima penetração), para não hipertrofiar o pâncreas do bebê. Evidentemente, não se deve beber álcool algum: nem mesmo um copinho.

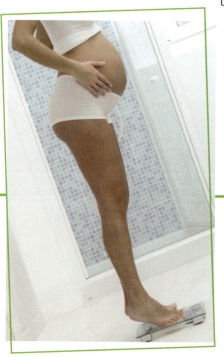

Meu diário pessoal

Você já começou a reler os textos deste diário? Se ainda não o fez, comece agora. Você vai ficar surpreso ao descobrir muitos elementos que vão ajudá-lo a emagrecer.

....
....
....
....
....
....
....
....
....
....
....
....
....
....
....
....
....
....
....
....
....
....
....
....
....
....
....
....
....
....

Exercício do dia

- **Jovem e ativo:** Hoje faremos sessenta abdominais e vinte agachamentos.
- **Mais de 50 anos e sedentário:** Hoje vamos manter 24 abdominais e 13 agachamentos.

Fase de cruzeiro • PP • Dia 44

Dia 44
da minha dieta Dukan

meu peso inicial:

meu peso atual:

total de kg perdidos:

meu peso ideal:

Panorama do seu 44º dia

E eis que começa mais um belo dia de proteínas puras. Hoje você está no campo de batalha. Sua missão é perder um pouco de peso e não estagnar. Escolha as proteínas puras de acordo com seu gosto, entre carne ou peixe, frutos do mar ou aves, ovos ou laticínios; mas não se esqueça do tofu! Nenhum desses alimentos é limitado. E beba bastante água para eliminar bem, você vai ser recompensado.

Sua atividade física

As escadas são sua melhor academia de ginástica. Você sabia que CINCO degraus de escada queimam UMA caloria e que um andar inteiro queima quatro ou cinco calorias (de acordo com o prédio)? No total, subindo cinco andares, você queima 25 calorias (e, ao descer, queima mais sete calorias, em um total de 32 calorias). Se você subir cinco andares apenas duas vezes por dia, todos os dias, vai perder um total de 23 mil calorias ao final de um ano (ou seja, 3kg de gordura eliminados).

Quando você toma a decisão de subir as escadas, o hábito se inscreve em seu cotidiano: subir escadas se torna um estado de espírito.

SUBA ESCADAS e faça disso um compromisso consigo mesmo: "Não vou desanimar diante de alguns andares." Prometo que você não vai se arrepender.

Exercício do dia

- **Jovem e ativo:** Hoje faremos sessenta abdominais e vinte agachamentos.
- **Mais de 50 anos e sedentário:** Hoje vamos manter 24 abdominais e 13 agachamentos.

Seu ambiente de saúde

O alimento mais perigoso do mundo existe, você o encontrou: ele se chama "BATATA CHIPS".

É um alimento feito de batata cozida diversas vezes, com índice glicêmico muito alto e efeito insulínico ainda maior. Além disso, é um alimento frito no óleo: a fatia de batata é cortada de maneira tão fina que o óleo penetra inteiramente e a batata se torna nada mais que uma esponja de gordura.

E, pior ainda: não estamos falando de qualquer óleo, mas de um óleo de fritura requentado diversas vezes. E requentar gordura é algo que nunca se deve fazer, pois é cancerígeno!

Para concluir o quadro, é importante precisar que a batata frita é cheia de sal, cujos perigos para a pressão arterial e o coração já conhecemos. Poderíamos pensar que, por serem tão cheios de óleo, os chips facilmente nos enjoariam... Mas isso seria esquecer que os fabricantes, que pensam em tudo, adicionam vinagre nessas batatas para aguçar seu gosto e nos dar vontade de comer cada vez mais. É fatal!

Minha mensagem de apoio para você

" **Desconfie do tédio! Às vezes, comemos para sairmos dele...** Escolhemos alguns alimentos, sentamo-nos, mastigamos, beliscamos, temperamos, nos servimos de novo, e o tempo passa... de forma agradável, certamente, mas essa é uma atitude muito arriscada para sua dieta!

Saiba identificar os momentos do dia em que você se entendia. E tome cuidado com eles, contorne-os ou tente ocupá-los de uma maneira diferente, sem comer... Caso contrário, você não vai emagrecer. Saiba perceber o momento em que o tempo morto e a sensação de vazio vêm à tona: não fique perto de uma cozinha! Saia, caminhe, corra, dance, nade, trabalhe, leia, ouça música, ligue para um amigo ou um parente, vá fazer compras, mas, eu lhe peço, não ocupe seu tempo comendo. Isso seria desesperador. "

Pierre Dukan

"Escapadas" da dieta

Durante toda a minha vida de médico ouvi pacientes me garantirem que saíam da dieta porque não conseguiam fazer de outro jeito. "Doutor", me disse, um dia, uma de minhas pacientes, **"quando abro minha geladeira e, nela, vejo minha sobremesa preferida, sinto minha mão indo em direção a ela, como se minha mão não me pertencesse!"** A isso, respondi: "Se, ao lado da sobremesa, eu colocasse uma joia de muito valor, pode ter certeza de que você não teria problemas em se controlar: se tivesse de escolher entre os dois, evidentemente, escolheria a joia." Diante da tentação, todos nós, pertinentemente, sabemos que, se realmente quisermos, podemos resistir sem maiores dificuldades. Costumamos acreditar que nos deixamos levar pelo impulso. Mas é uma impressão errônea. A decisão é criada em uma pirâmide de decisões. No topo dessa pirâmide está você, que é o único a ter o poder de DECIDIR.

Por que tanta gente não consegue se privar "das coisas boas que engordam"? Porque escolher é renunciar... e correr o risco da falta.

A próxima etapa, a que vou abordar com você amanhã, é a do conceito-chave do MIMHV. Até amanhã, você não vai se decepcionar.

Fase de cruzeiro • PP • Dia 44

Sua receita de hoje
Mil-folhas de frutos do mar

Sua motivação

Ontem eu lhe apresentei a quarta janela do Motor de Motivação para Emagrecer: o prazer de cozinhar e escolher uma entre as muitas receitas concebidas para a minha dieta. **Hoje quero falar da quinta e última janela: o prazer de se mexer.**

Sei que estou correndo o risco de deixá-lo de "saco cheio", caso você seja sedentário... mas assumo este papel! Emagrecer apenas fazendo dieta é possível... mas demanda muito mais esforço! É mais comum o fracasso se dar quando se faz somente a dieta do que quando se combina dieta + atividade física. Isso se confirma ainda mais a longo prazo, quando queremos estabilizar o peso obtido. Mas talvez você já saiba disso tudo...

O que talvez seja novidade é essa famosa sensação que acompanha o trabalho de um músculo treinado, quando ele é solicitado. **Alguns chamam essa facilidade e prazer de "quicar" no chão a cada passada de atleta de "efeito canguru"** (que se dá, por exemplo, quando corremos). A sensação de rigidez e cansaço pesado e desagradável do sedentário é contrastada com a tonicidade e a elasticidade sentidas.

A caminhada, a corrida de baixa intensidade, a dança e a natação são atividades profundamente naturais. Como todas as atividades naturais inscritas em nossa programação e úteis à nossa sobrevivência, elas são recompensadas pela obtenção de um determinado prazer... Pratique tais atividades com prazer, sempre que quiser.

20 min — 4

2 caixas de carne de caranguejo sem óleo ou kani
8 fatias de salmão defumado
4 chalotas pequenas
8 pedaços de ricota light aromatizados com alho e ervas finas
Suco de 1 limão
1 molho de salsa
1 molho de coentro
1 molho de cebolinha
Pimenta-do-reino a gosto

1. Pegue uma forma vazada de cerca de 8cm de diâmetro ou corte uma pequena lata de conserva (atum ou caranguejo) dos dois lados, para criar uma forma, caso não tenha em casa.

2. Com a ajuda da forma, corte duas rodelas em cada fatia de salmão.

3. Escorra a carne de caranguejo ou pique o kani. Corte o que sobrar das fatias de salmão em pedaços bem pequenos. Descasque as chalotas e corte em pedaços bem pequenos. Pique as ervas finas. Misture tudo com o caranguejo, a ricota e o suco de limão. Tempere.

4. Em seguida, monte o mil-folhas, dispondo uma fatia de salmão no meio dos quatro pratos. Coloque a forma sobre o salmão e preencha com a mistura, alternando com mais outra fatia de salmão e mais um pouco da mistura. Termine com a fatia de salmão no topo. Retire a forma delicadamente. Coloque uma haste de cebolinha sobre o mil-folhas para decorar. Reserve na geladeira e sirva bem fresco.

Cesta de compras do dia

Volto a falar do salmão, pois tenho um fraco por esse magnífico peixe. Sou de uma geração em que a criação desse peixe não existia. Em outras épocas, era um peixe caro: o salmão defumado era um produto de luxo e de festa. Lembro que costumávamos comer salmão apenas em ocasiões especiais. Hoje, você, que está de dieta, tem a sorte de poder consumir esse peixe com muito mais facilidade. Então, aproveite, pois mesmo que ele tenha se popularizado, conserva a aura de produto festivo e luxuoso.

Minha lista de compras

- Pão de forma de farelo de aveia (caseiro)
- Ovos
- Leite
- Cottage e queijo frescal 0% de gordura
- Camarões
- Ostras
- Camarões VG
- Carne de caranguejo ou kani
- Salmão defumado
- Chalotas
- Limão
- Salsa, coentro, cebolinha
- Muffin de farelo de aveia Dr. Dukan sabor cacau
- Merengues

Meu diário pessoal

O diário pessoal mais útil é aquele em que nos queixamos e com o qual nos deleitamos. Na verdade, é aquele em que o que escrevemos tem boas chances de nos afastar de um perigo ou nos aproximar de um proveito. Este é o tipo de coisa importante a ser escrita aqui: "Hoje, na hora do almoço, o garçom do restaurante me serviu Coca-Cola normal e não Coca-Cola zero, que era o que eu tinha pedido. Não ousei pedir para trocar. Mas, hoje à noite, meu chefe me ofereceu carona até em casa, de carro, e eu preferi voltar a pé." Você ousou e fez muito bem.

Fase de cruzeiro • PL • Dia 45

Dia 45
da minha dieta Dukan

| meu peso inicial: | meu peso atual: | total de kg perdidos: | meu peso ideal: |

Panorama do seu 45º dia

E eis que estamos, novamente, diante de um novo dia de dieta. Este dia é diferente do de ontem, pois você pode **contar com os legumes.** Com a alternância, você diz não à uniformidade: cada dia é diferente do anterior. No almoço, você pode comer uma salada composta por camarões, alguns pedaços de salmão defumado, kani ou atum em lata, sem óleo.

Misture verduras diferentes: você pode consumir alface crespa, agrião, rúcula ou endívia. Prepare sua salada no dia anterior e, se quiser levá-la para o trabalho, coloque tudo em uma vasilha e reserve o molho à parte, em um desses pequenos frascos distribuídos em restaurantes de refeições rápidas. Leve também alguns tomates para beliscar, um pouco de chicória...

Exercício do dia

- **Jovem e ativo:** Hoje faremos sessenta abdominais e faremos vinte agachamentos.
- **Mais de 50 anos e sedentário:** Hoje vamos manter 24 abdominais e 13 agachamentos.

"Escapadas" da dieta

Ontem prometi que falaria sobre um conceito-chave que chamo de MIMHV.

Do que se trata? São as iniciais de **O que é o Mais Importante para Mim Hoje em minha Vida.**

Aquele que for capaz de responder a essa pergunta já conseguiu fazer a metade do caminho... o resto é uma questão de sorte e acaso. Mas para responder precisamente você deve realmente se interrogar, utilizando o tempo necessário para fazê-lo.

Meu relacionamento amoroso, meus filhos, minha profissão, dinheiro, minha saúde, minha vida social, minha espiritualidade, a autoestima, a opinião dos outros, o poder, meu corpo, minha casa, meu conforto, a natureza, meu Deus... Como você pode ver, coisas importantes não faltam. Se você observar as pessoas vivendo seu dia a dia, vai constatar que nem sempre são esses grandes valores fundamentais que mais as mobilizam. Não é a tais valores que as pessoas necessariamente dão prioridade.

É importante para você, que está emagrecendo e que, muito em breve, vai chegar ao Peso Ideal, saber o que, por trás do objetivo de emagrecimento, é decisivo e pleno de sentido. Disso também vai depender a estabilização do seu Peso Ideal a longo prazo.

Mais tarde, quando toda essa batalha pertencer ao passado, não se esqueça do MIMHV. Em cada situação difícil da vida, volte ao essencial, volte ao "conceito gergelim". **Só encontramos aquilo que procuramos e só procuramos o que é importante para nós.** E, finalmente, saiba também que o que é importante para você pode evoluir ao longo de sua vida.

Minha mensagem de apoio para você

> *Hoje, venho até você com as mãos vazias. Venho para estar ao seu lado, trazendo minha experiência e meu entusiasmo. Sei que você está no meio de um projeto e de um esforço que não são simples ou cômodos. Por definição, emagrecer é algo contra a natureza e, mais ainda, em uma sociedade que facilita o sobrepeso. Você atravessou a fase de ataque e, há 45 dias, está na fase de cruzeiro. Se ainda estiver no caminho, digo a você: 'Bravo!' Você deu a prova de que sabe navegar em tempo ruim no meio dos recifes. Restam apenas dez dias para atingir o objetivo estabelecido:* **não tenho a menor dúvida quanto à continuidade das operações, você deve e vai conseguir.**
>
> *No 45º dia de cruzeiro você deve estar se sentindo diferente, mais à vontade com seu próprio corpo, em seus movimentos e suas roupas. Se você for um homem, as chances de que tenha começado a dieta para perder barriga são grandes. Hoje, deve ser uma barriga menos preocupante ou — por que não? — inexistente.*
>
> *Se você for uma mulher, deve ter ganhado muito em presença física, em elegância, beleza e sedução. Não quero nem mesmo falar em saúde e expectativa de vida, mas em autoestima:* **é muito bom saber que somos capazes de encarar um terreno em que nos sentimos vulneráveis.** *Se eu tivesse peso para perder, isso seria minha maior fonte de motivação: o fato de ganhar autoestima. Até amanhã, a contagem regressiva começou.*

Pierre Dukan

Fase de cruzeiro • PL • Dia 45

Sua receita de hoje
Compota de funcho
com cúrcuma

Minha lista de compras

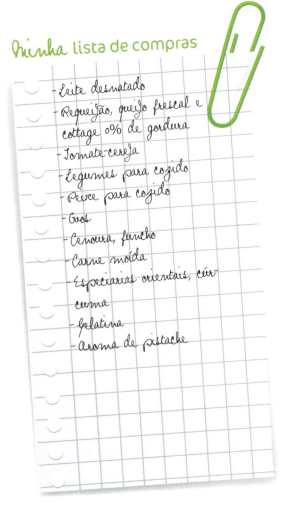

- Leite desnatado
- Requeijão, queijo frescal e cottage 0% de gordura
- Tomate-cereja
- Legumes para cozido
- Peixe para cozido
- Ovos
- Cenoura, funcho
- Carne moída
- Especiarias orientais, cúrcuma
- Gelatina
- Aroma de pistache

10 min • 40 min • 4

2 cebolas
Raspas de 1 laranja
1 dente de alho
6 bulbos de funcho
4 colheres (café) de azeite
Sal, pimenta-do-reino moída na hora a gosto
1 colher (sopa) de cúrcuma
½ copo de água
Esta receita contém a dose de azeite diária autorizada.

1. Descasque e corte as cebolas em pedaços bem pequenos. Lave a casca da laranja, tire raspas bem pequenas.
2. Descasque o dente de alho e pique. Lave e corte os funchos em pedaços bem pequenos.
3. Em uma frigideira, esquente o azeite. Refogue as cebolas e o alho, sem deixar dourar.
4. Adicione o funcho picado, a raspa de laranja e tempere com sal e pimenta-do-reino. Adicione cúrcuma, cubra e deixe cozinhar em fogo brando durante 15 minutos no fogo brando, ou até ficar com consistência de compota.

Seu ambiente de saúde

Falemos de saúde, evoquemos a pressão arterial. Se você fizer parte daqueles que, naturalmente, têm a pressão pouco elevada, essa pressão tem chances de diminuir ao longo da dieta. Assim, quando se levantar um pouco rápido demais da postura sentada ou deitada, você pode sentir uma ofuscação de um ou dois segundos. Nada de extraordinário... Mas, para evitar essa sensação desagradável, coloque um pouco mais de sal em sua comida.

A pressão deve ser sempre vigiada. A pressão alta, de maneira geral, coloca o sistema arterial "sob pressão". No final, isso pode danificar seu coração e seu cérebro. A hipertensão, que costuma ser de origem genética, é atualmente tratada com medicamentos extremamente eficazes. Esses remédios são, talvez, um pouco... eficazes demais e apresentam um grande número de efeitos colaterais indesejáveis (distúrbios sexuais, por exemplo).

Os efeitos mais imediatos do emagrecimento são a diminuição da pressão arterial e da glicemia (logo, do diabetes). Os resultados da minha dieta sobre a pressão arterial e o diabetes são tantos que, ao cabo de 15 ou vinte dias, é indispensável reduzir os tratamentos antidiabéticos e hipotensores. Quando uma perda de peso é grande, os tratamentos podem, muitas vezes, ser totalmente eliminados. Alguns diabéticos moderados ou em estado inicial serão, assim, simplesmente "curados".

Cesta de compras do dia

Hoje eu gostaria de sensibilizá-lo quanto a um legume mágico: o funcho. É um legume de sabor forte, extremamente crocante, repleto de fibras e vitaminas. Sei que existem algumas pessoas que não o apreciam. Se não for o seu caso, talvez não cozinhe funcho com muita frequência. Quando estamos de dieta e podemos consumi-lo sem restrição, vale a pena fazê-lo. Além disso, se você gosta de peixes, o funcho é seu parceiro ideal. Pessoalmente, uso funcho para rechear minhas douradas. Escolha funchos bem-torneados e rechonchudos, corte-os em lamelas transversais e coloque bastante vinagrete Dukan. Caso goste dos funchos sem mais nada, cozidos ou crus, experimente também cozidos no vapor, com um pouquinho de limão.

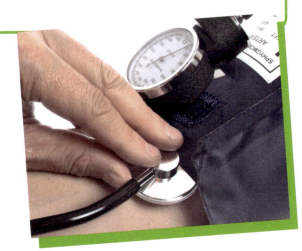

Fase de cruzeiro • PP • Dia 45

Sua motivação

Ontem concluí minha primeira janela do Motor de Motivação para Emagrecer, a que facilita a dieta, acrescentando cinco fontes de prazer. Agora, você já tem cinco maneiras de armar sua dieta de prazer. Já lhe disse diversas vezes e repito: "nada de durável pode ser construído sem prazer."

Hoje vamos passar à segunda janela, com seus cinco atenuadores do desprazer ao emagrecer.

Lembro a você que nada de durável pode ser construído sem prazer. Ontem, propus cinco maneiras de ornamentar sua dieta. Trata-se de cinco maneiras de evitar, contornar ou reduzir o desprazer que uma dieta pode trazer.

O primeiro (e o mais poderoso) dos anestesiadores do sofrimento quando se emagrece é a capacidade de perder peso sem "passar fome". Cuidado, não confunda uma fome real com uma vontade de comer. É possível, quando somos bem-condicionados, resistir à tentação de uma vontade de comer, mas não podemos resistir à fome, pois esta é algo ligado às prioridades biológicas de sobrevivência.

A dieta que você está seguindo atualmente é, de todas as dietas, a que menos dá fome. Por quê?

Por seis bons motivos:

1) Esta dieta utiliza 100 alimentos, 66 ricos em proteínas animais e vegetais e 34 legumes: é confortável.

2) Esses 100 alimentos são acompanhados da palavra de ordem "à vontade", ou seja, você pode comer quando quiser... e, claro, de preferência, quando sentir fome.

3) A digestão dos alimentos ricos em proteínas é mais difícil e demorada; eles produzem uma grande sensação de saciedade, e uma saciedade durável.

4) Os dias de PP produzem cetose (corpos cetônicos produzidos pelo fígado, utilizados como fonte de energia, no lugar da glicose): é o moderador de apetite natural e mais poderoso da criação.

5) Os legumes, alimentos ricos em fibras, também dão uma boa sensação de saciedade, especialmente as berinjelas, abobrinhas, vagens francesas, com alto teor de pectina...

6) O farelo de aveia, alimento em foco na minha dieta, é capaz de absorver até 25 vezes seu volume de água e de inchar no estômago até distendê-lo e, assim, produzir uma saciedade mecânica bastante rápida.

Sua atividade física

Fracione

Em matéria de atividade física, caso você não seja alguém esportivo e naturalmente apaixonado pelo funcionamento do seu corpo, vai ter de se adaptar. Se aceitar se mexer "por obrigação", pois sabe que é importante para sua saúde, sua beleza, seu bem-estar e sua sedução — o que já é muita coisa —, **aprenda a fracionar seus esforços físicos.**

Antes de mais nada, não dê ouvidos àqueles que falam com um discurso muito construído, afirmando que o esforço físico não tem utilidade se você não o fizer com uma duração prolongada. É mentira: o que conta não é a duração do esforço, mas o trabalho cumprido.

Fracionar o esforço faz, principalmente, com que você ocupe os tempos vagos. Você tem 15 minutos livres? Faça alguns alongamentos. Assim, você também escapa dos momentos de tédio que, muitas vezes, são preenchidos pela comida.

Não se esqueça de caminhar. Se preferir caminhar 15 minutos de manhã, 15 minutos à noite, em vez de andar meia hora de uma só vez, também está ótimo.

Meu diário pessoal

Hoje vou deixá-lo sozinho diante do seu diário. Você já deve estar habituado a esse momento precioso, em que pode observar a si mesmo. É tão raro que faz bem, muito bem.

Fase de cruzeiro • PP • Dia 46

Dia 46
da minha dieta Dukan

meu peso inicial: ....

meu peso atual: ....

total de kg perdidos: ....

meu peso ideal: ....

Panorama do seu 46º dia

Voltamos às nossas queridas proteínas PP. Hoje de manhã, experimente uma omelete americana com claras de ovos e salmão defumado (ou com ovas de salmão). É uma delícia que você pode comer com uma panqueca de farelo de aveia. É uma maneira muito segura de começar seu dia, especialmente recomendada a quem tem mania de beliscar e aos comedores compulsivos do meio e do fim da tarde.

Exercício do dia

- **Jovem e ativo:** Hoje vamos fazer sessenta abdominais e vinte agachamentos.
- **Mais de 50 anos e sedentário:** Hoje vamos manter 24 abdominais e 13 agachamentos.

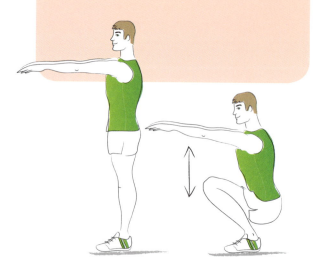

Sua atividade física

Hoje vamos nos mexer um pouco mais que o habitual. Vamos tentar passar a um modo mais acelerado: como estamos nos aproximando do objetivo, melhor fechar com chave de ouro.

Gostaria que você tentasse caminhar durante UMA hora; você pode fragmentá-la em duas ou três partes. Aproveite para respirar e encher seus pulmões de ar, de maneira a se oxigenar e a queimar melhor a energia que vai mobilizar. Beba um pouco mais que o habitual e coma o mínimo de sal possível.

Juntas, todas essas medidas vão exercer uma pequena pressão complementar em sua balança... e fortificar sua moral.

Minha mensagem de apoio para você

" **Nesta manhã gostaria de lhe falar sobre 'força do hábito'**, que tem um papel muito importante nos comportamentos alimentares. Você sabia disso? O hábito tem uma função biológica profunda: quando uma experiência não tem riscos, não mata e nada afeta, é considerada como uma experiência segura; desse modo, pode ser reproduzida sem angústias. Contrariamente a isso, a mudança de hábito é sempre um pouco ansiogênica, pois nos expõe ao desconhecido e a seus potenciais riscos.

Todo hábito é modificável. Saiba, no entanto, que mudar um hábito cria agitações. Evite também mudar mais de um hábito ao mesmo tempo. Por exemplo: 'Exatamente às 9 horas, todos os dias, ao chegar ao trabalho, passo na frente da cesta de pãezinhos e compro um, maquinalmente. Se quero fazer uma dieta, devo dar fim a esse hábito. Vou colocar todo meu peso nessa decisão: ficarei surpreso quando conseguir me furtar do hábito com tanta facilidade. E no dia seguinte... fica ainda mais fácil. Cinco ou seis dias depois, passo na frente da cesta de pães sem nem notar.' Você sabe: todos os que param de fumar acabam ficando incomodados com a fumaça dos outros. Os que passaram do café com açúcar ao café sem açúcar não conseguem mais tomar café doce etc.

Você está vendo que não é tão difícil assim abandonar um hábito, por mais que esse esteja muito estabelecido! Desse modo, se ao longo da dieta você perdeu alguns hábitos ruins, não ouça aqueles que lhe dizem que esses, inevitavelmente, voltarão. Esses maus hábitos só voltarão se você for buscá-los novamente e lhes abrir as portas. "

Pierre Dukan

Fase de cruzeiro • PP • Dia 46

Sua receita de hoje

Omelete de claras de ovos (PP)

Cesta de compras do dia

Em sua cesta de compras de hoje, **pense em adicionar ovos:** propus uma omelete de claras. Se tiver grande apetite, vai precisar de três ou quatro. Compre também cubos de caldo sem gordura, de galinha, de carne, de peixe ou de legumes. E compre picles. Todos esses ingredientes podem ajudá-lo. Sempre tenha em seu congelador alguns bifes de carne de boi, em caso de falta de imaginação.

Versão 1
3 claras
1 pitada de páprica
½ colher (café) de cominho
Ervas finas
Sal, pimenta-do-reino a gosto

Versão 2
3 claras
½ colher (café) de curry
1 colher (sopa) de cebolinha
1 colher (café) de mostarda
Sal, pimenta-do-reino a gosto

Versão 3
3 claras
1 colher (sopa) de cebolinha
1 colher (sopa) de salsa
1 colher (sopa) de chalota picada
Sal, pimenta-do-reino a gosto

1. Em um recipiente grande, quebre os ovos, separando as gemas das claras e descartando as gemas.
2. Adicione os temperos ou ervas finas e misture tudo.
3. Despeje o preparo em uma frigideira antiaderente e cozinhe em fogo médio durante 3 a 5 minutos.

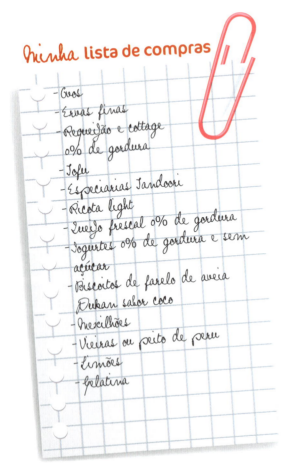

minha lista de compras

- Ovos
- Ervas finas
- Requeijão e cottage 0% de gordura
- Tofu
- Especiarias Tandoori
- Ricota light
- Queijo frescal 0% de gordura
- Iogurtes 0% de gordura e sem açúcar
- Biscoitos de farelo de aveia Dukan sabor coco
- Mexilhões
- Vieiras ou peito de peru
- Limões
- Gelatina

Seu ambiente de saúde

Ontem falei sobre a gravidez, mas me esqueci de mencionar o perigo que o açúcar branco e a farinha branca podem representar ao longo dela. **Grávida, você não está sozinha a bordo: está transportando seu futuro filho, que se alimenta das mesmas refeições que você.** Quando você come legumes, ele também, com um pequeno intervalo de tempo, sente seu cheiro e seu sabor virem à boca. O mesmo acontece com os temperos e especiarias. Seu papel é dar o espetáculo dessas sensações muito cedo ao futuro bebê em seu ventre, para que elas se tornem naturais para ele, uma vez que vêm de você. Uma criança que gosta de legumes, temperos e especiarias tem muito mais chances de evitar problemas de sobrepeso. **Mas é principalmente do açúcar que você deve proteger seu bebê quando estiver grávida.** Se você não for diabética, seu sangue contém 1g de açúcar (glicose) por litro, o que resulta em 5g para o total de sua circulação sanguínea (5l de sangue), ou seja, uma pequena colherada de café de açúcar branco.

Quando você consome meio pacote de biscoito ou uma lata de refrigerante, absorve em muito pouco tempo dez vezes o que seu corpo e seu sangue são capazes de tolerar. Sem o pâncreas, sua glicemia passaria de 1 a 10g de glicose por litro, levando a um coma diabético imediato!

Você sabe, o pâncreas secreta a insulina necessária para expulsar o açúcar do sangue e manter uma glicemia tolerável. Expulsa do sangue, a glicose é, em seguida, recusada pelo fígado e pelos músculos, já saturados de açúcares. A glicose tem apenas um lugar para ser estocada, e de maneira ilimitada: o tecido adiposo.

A criança dentro de você também tem um pâncreas: se você consumir açúcar em excesso ao longo de sua gravidez, esse pequeno pâncreas se tornará gordo e fará com que ela corra o risco de, um dia, ficar em sobrepeso e ser diabética. O grande aumento do consumo de produtos doces há duas gerações é responsável pelo aumento do peso de nascimento dos recém-nascidos.

Em 1970, 3kg eram o máximo de peso de nascimento para um recém-nascido. Hoje, 3kg são o peso de base. Pense nisso: se você tem dificuldade em resistir ao açúcar, faça-o por seu filho.

Fase de cruzeiro • PP • Dia 46

"Escapadas" da dieta

As escapadas da dieta são acidentes de percurso. Elas trilham um caminho até você em três tipos de circunstâncias. Vamos listá-las aqui, o que vai ajudá-lo a se tornar mais forte, driblar e contornar as escapadas.

A primeira circunstância é a relação com os outros (em sociedade ou em um restaurante, por exemplo). Ligado a um projeto de grande sentido, você deve preservar seu engajamento pensando, antes, em si mesmo, na linha de resistência e no objetivo que ficou para si: você está de dieta durante 60 dias e cada um desses dias tem seu papel e sua missão. Você está perto do objetivo, alguns dias o separam da linha de chegada, então, segure firme. Para isso, AN-TE-CI-PE! Quando entrar em um restaurante para o qual o convidaram, você deve saber, de antemão, que haverá pão e, certamente, manteiga à mesa. Prepare-se para considerar esse pão e essa manteiga como uma armadilha posicionada durante a espera do prato: evite-a.

No que esses donos de restaurante inconsequentes pensam? Eles o alimentam gratuitamente com o que você nunca pediu: isso faz com que você corra o risco de restringir seu pedido, pois **o mais aguçado dos apetites fica enfraquecido quando se abre ao pão com manteiga! Além disso, quando estamos de dieta, não podemos beber vinho: e eu diria que nunca deveríamos beber**, pois, para além das calorias açucaradas (uva e álcool), o vinho produz um efeito euforizante que pode enganar sua vigilância.

Pense, também, em sempre pedir seu molho à parte, que seja para a vinagrete ou molho béarnaise do seu contrafilé.

Na hora da sobremesa, não hesite em pedir um café salvador, para ocupar o terreno da necessidade de terminar com um doce.

E, caso perguntem se você está de dieta, não hesite em dizer: "Sim, estou de dieta." Não há nada de vergonhoso em se impor um esforço para ter uma vida melhor. **Caso seja um almoço de negócios,** você tem grandes chances de deparar com um colega que também está de olho na própria linha (ainda mais se for magro ou se for mulher). Amanhã vou falar sobre os outros dois tipos de circunstâncias em que as escapadas podem acontecer...

Sua motivação

Hoje todas as atenções ao segundo "atenuador de desprazer" ao longo da dieta. Ontem falei sobre a ausência de fome. Hoje proponho **o enquadramento e o seguimento da dieta.** A diferença entre os que engordam e os que não engordam tem a ver com a relação afetiva e emocional que estabelecem com a comida. Os que engordam são aqueles que comem mais (ou coisas mais doces e gordurosas) quando estão em situação de estresse e adversidade. Na verdade, muitas vezes, comem para se acalmar. Logo, quando começam uma dieta, passam a ter uma real necessidade de atenuadores de desprazer. A configuração da dieta e seu modo de funcionamento são uma verdadeira ajuda, imaterial, mas bastante real. Como isso acontece?

Construí minha dieta para que ela tenha **uma estrutura interna forte,** com **suas quatro fases**: da mais curta e fulminante à mais aberta e que se prolonga para o resto da vida. Cada uma dessas quatro fases tem uma duração e uma missão particulares.

O conjunto da dieta é repleto de marcos, marcado por referências, percorrido por alternâncias. Ele funciona como um diário de bordo bastante diretivo, que reduz as possibilidades de erros e escapamento. Na minha opinião, é essa estrutura poderosa que tornou possível o sucesso do meu método. Com ela os leitores se sentem acompanhados, enquadrados, ajudados e, principalmente, não se sentem sozinhos.

No que lhe diz respeito, por enquanto, você está navegando na fase de cruzeiro. Quando tiver chegado ao seu Peso Ideal, a corrente continuará a levá-lo, sem transição, para a fase de consolidação e, em seguida, a de estabilização. Deixe-se levar.

Meu diário pessoal

O 46º dia de cruzeiro **deve ser celebrado em seu diário.** Hoje falei sobre o mecanismo do hábito e seu papel biológico profundo nos seres vivos. Isso pode lhe valer uma reflexão... a vida não é recheada de hábitos?

Fase de cruzeiro • PL • Dia 47

Dia 47
da minha dieta Dukan

meu peso inicial: ....

meu peso atual: ....

total de kg perdidos: ....

meu peso ideal: ....

Panorama do seu 47º dia

Dia de relaxar, passamos ao PL: um viva aos legumes! Não se esqueça de que essa alternância, além de acabar com a monotonia, cria um minichoque de eficácia dia sim, dia não. Com os legumes, o corpo descansa um pouco, se restaura com o frescor, as fibras e as vitaminas. É claro que os legumes contêm um pouco de glicídios, mas trata-se dos que estão entre os que penetram mais lentamente no seu sangue. Amanhã o gladiador da nutrição vai entrar novamente em jogo: o PP, que é, na minha opinião, o mais eficaz de todos os regimes saudáveis.

Minha mensagem de apoio para você

"**Hoje vamos esclarecer um conceito muito importante: a autoimagem.** Trata-se da percepção mental do valor que damos a nós mesmos. Mas esse valor que nos damos se constrói em função de elementos muito subjetivos. Os parâmetros de avaliação advêm de crenças transmitidas ao longo de nossa primeira infância (antes, pela família e, em seguida, pelo ambiente social que nos é próximo).

Essa autoimagem é, ao mesmo tempo, um motor e um leme: ela tem uma importância considerável na qualidade de sua vida.

O que acontece é que sua aparência física tem, em nosso mundo tão centrado na imagem, um papel essencial nessa autoavaliação.

A boa notícia é que seu cérebro pode lhe dar o poder de modificar a imagem que tem de si mesmo. Nessa matéria existem técnicas de pensamento positivo que se revelam extremamente eficazes. Se isso lhe interessar, inscreva-se no curso do professor Tal Ben-Shahar."

Pierre Dukan

Sua motivação

Há alguns dias venho lhe mostrando as diferentes facetas do meu conceito de Motor de Motivação para Emagrecer. Acredito que essa ferramenta tenha grande utilidade. Não o conheço pessoalmente, mas sei de uma coisa: você começou a sentir necessidade de emagrecer e, logo, comprou este diário de bordo para acompanhá-lo no projeto. Você tinha peso a perder, um peso que ganhou graças a um certo número de motivos ligados à sua história.

Essas razões, não tenho como conhecer, mas estou certo de uma coisa: elas vêm de uma demanda de equilíbrio. O comando instintivo que gerencia sua sobrevivência e seu equilíbrio biológico fez com que você precisasse comer mais (e coisas mais doces e gordurosas) para fabricar um prazer que lhe faltava.

Espero que, atualmente, você já esteja emagrecendo. É bom que seja assim, MAS minha longa experiência me diz que, quando você tiver chegado ao seu Peso Ideal, vai pensar que a missão foi cumprida. Não é verdade! Na realidade, é aí que tudo começa: ao contrário do que muita gente pensa, **o peso adquirido não tem a menor razão de continuar ali.** Você terá de ser extremamente vigilante e fazer de tudo para protegê-lo e conservá-lo. Eu não estaria sendo honesto com você se lhe dissesse que é fácil. Por quê? Como você já engordou antes, **deu prova de que é capaz de comer além de suas necessidades nutricionais, buscando, no alimento, alguma coisa que não é da ordem do nutritivo.** O que você buscou e encontrou vem de algo imaterial, que é difícil de definir, mas, digamos, que é "uma coisa que lhe fazia bem".

Hoje imagino que você deva estar sentindo a alegria de ter emagrecido, de ter voltado a acreditar em si mesmo e estimulado sua autoestima. Tudo bem... mas o que vai acontecer "quando o vento começar a soprar"? **O que vai acontecer quando você tirar os óculos cor-de-rosa de hoje e trocar pelos óculos cinza do mal-estar, da insatisfação, dos problemas, da insuficiência de amor (ou de tantas outras coisas que podem alterar sua qualidade de vida)?** Quando as coisas não vão bem, você já teve tendência a se voltar para os alimentos consoladores. Estranhamente, a natureza fez as coisas de forma que os alimentos que mais nos consolam sejam também os mais calóricos...

Não tenho o poder de interferir nas dificuldades de sua vida. Em vez disso, proponho uma pequena máquina de guerra, que vai ajudá-lo a fabricar motivação, a única capaz de neutralizar seu escapismo para a comida (mecanismo de sobrevivência que se instala logo no início da infância e é capaz de neutralizar a ansiedade). Amanhã vou lhe apresentar a terceira janela desse motor de motivação: **a relação personalizada.**

Fase de cruzeiro • PL • Dia 47

minha lista de compras

- Leite em pó desnatado
- Requeijão e queijo frescal 0% de gordura
- Iogurtes 0% de gordura e sem açúcar
- Ovos
- Fermento em pó químico
- Aroma de mel ou mistura de especiarias
- Endívias, cenouras, cebolas
- Biscoitos de farelo de aveia Dukan sabor avelã
- Tomate, pimentão, cebola, chalota
- Repolho
- Coelho
- Fígado de galinha
- Carne moída magra
- Salsa, cerefólio, tomilho
- Tofu cremoso
- Cottage 0% de gordura

Sua receita de hoje
Repolho recheado

20 min | 1h 50 | 4

1 repolho
2 cebolas picadas
2 chalotas picadas
1 dente de alho
200g de fígado de galinha
400g de carne moída magra
6 fatias de vitela ou
peito de peru picadas
2 ovos
¼ de molho de salsa
Algumas folhas de cerefólio, tomilho
1l de caldo de carne ou de galinha sem gordura
Sal, pimenta-do-reino a gosto

1. Retire as folhas exteriores do repolho e cozinhe-as em uma panela grande com água fervente durante 20 minutos. Em seguida, passe as folhas na água fria, escorra-as e enxugue-as.

2. Descasque a cebola, as chalotas e o dente de alho. Corte e coloque tudo no liquidificador. Adicione o fígado de galinha, a carne moída e a vitela, os ovos, a salsa, o cerefólio e o tomilho. Bata tudo até a textura de creme, ou pedaços pequenos e tempere.

3. Abra o repolho, começando pelas folhas externas, virando-as delicadamente, para destacá-las.

4. Coloque uma bolota de recheio em cada folha (ou em duas folhas) e feche-as com a ajuda de um barbante culinário e palitinhos de madeira, como se fosse um papel para presente. Continue o procedimento até chegar ao fim do recheio.

5. Coloque os pacotinhos em uma panela, na qual você terá despejado o caldo sem gordura. Cozinhe com a tampa, em fogo médio, durante 1h30.

Cesta de compras do dia

Honra ao mérito para as couves! Esse alimento é vítima de preconceito: seu teor de enxofre lhe dá um cheirinho resistente que pode repugnar certas pessoas. Quando se gosta ou se tolera seu cheiro, descobre-se um alimento quase farmacêutico. Um exemplo: 200g de couve-flor trazem TRÊS vezes mais vitamina C que uma laranja de 100g. E essa porção cobre quase que totalmente — 95% — as necessidades de vitamina B9 e ácido fólico, que são cruciais para a mulher grávida. A couve satisfaz 100% da necessidade de betacaroteno, precursor da vitamina A. É um alimento rico em cálcio, magnésio e ferro.

Mas o mais interessante da couve (e, principalmente, do brócolis) é sua ação de prevenção do câncer. Inúmeros estudos epidemiológicos mostram que os amantes de couves, em suas diversas variedades, são, pura e simplesmente, mais bem-preservados contra o câncer. O que lhe digo aqui pode parecer teórico... Saiba, no entanto, que, consumindo couves regularmente, você poderá reduzir moderadamente o risco de morrer dessa doença, nem mais, nem menos! Ao escrever isso, eu mesmo vou pedir para a minha mulher comprar mais couves e prepará-las de diversas formas...

Seu ambiente de saúde

Falemos sobre a menopausa, indubitável fator de ganho de peso. Se você for homem, queira me desculpar: evocarei a andropausa, mas depois!

Você, mulher, se ainda for jovem e ainda não afetada por esses problemas, leia essas poucas linhas, que vão lhe interessar um dia, especialmente se tiver mais de 35 anos. Paradoxalmente, é a pré-menopausa que é o período mais ameaçador para o peso da mulher.

A partir dos 42-45 anos, o ovário começa a diminuir sua produção de progesterona. Como seu próprio nome indica — pro-gestação —, a progesterona é o hormônio maternal que acalma e descongestiona. Sua extinção deixa os estrógenos sozinhos em campo, que são os hormônios femininos excitantes e congestionantes. A menstruação se torna irregular, a retenção de líquidos se instala e, assim, o ganho de peso se agrava. A pré-menopausa chega ao fim quando, por sua vez, os estrógenos se esgotam.

E essa é a confirmação da entrada na menopausa. Ao longo de cinco a sete anos a mulher vê seu peso aumentar de 4 a 10kg.

Para falar de maneira simples, concreta e eficaz, a única maneira de evitar o ganho de peso é recorrer a um tratamento hormonal: progesterona natural e, depois, um tratamento de substituição completa em seguida, mas em doses BEM fracas (ou sob forma de hormônios vegetais). Sem essa substituição hormonal, deve-se tomar ainda mais cuidado com o peso.

A andropausa é o equivalente da menopausa para o homem. Aqui existe apenas um hormônio masculino: a testosterona, que se esgota de maneira bastante progressiva entre os 45 e 70 anos. No homem, a andropausa é acompanhada de um ganho de peso concentrado no abdômen e medido pela circunferência da cintura.

De maneira mais frequente que na mulher, esse sobrepeso é associado a distúrbios metabólicos, como o diabetes e as doenças cardiovasculares. Para o homem, o tratamento de substituição existe, mas demanda uma observação muito estrita da próstata. Em contrapartida, a atividade física costuma dar excelentes resultados (muito mais que para a mulher).

Fase de cruzeiro • PL • Dia 47

"Escapadas" da dieta

Ontem eu falei sobre os restaurantes e suas tentações: sentado à mesa em algum estabelecimento, em boa companhia, você está com os pés e as mãos atados diante da tentação de sair da dieta. Hoje vou falar de algo pior! **Quero falar dos convites para jantar na casa de amigos ou pessoas conhecidas.**

Você chega e tudo começa com um aperitivo, um interminável aperitivo com amendoins e biscoitinhos salgados. Perguntam-lhe: "O que você quer beber?" Se tudo que seu anfitrião tem é vinho ou champanhe, você fica sem escolhas. Ah, não! Você tem escolhas, sim: uma água, uma Coca zero ou suco de tomate.

Se você estiver em um dia PP, talvez seja preciso trocar e passar para um dia PL, com mais opções disponíveis. Bem, o que fazer, caso não haja Perrier, Coca zero ou suco de tomate? Peça água sem gás "bem fresca", a sede tudo perdoa.

Em seguida, à mesa, o que acontece? Diferente do restaurante, aqui não podemos escolher. **O pão, branco ou integral, continua a ser um inimigo** que deve ser imperativamente evitado. De qualquer forma, ninguém vai ficar chateado se você não quiser comer pão.

Na hora das entradas, a não ser que sejam compostas apenas de salames e linguiças, você deve poder encontrar legumes, salada, verduras... que serão como uma boia na qual você vai se agarrar. **Quando chegar o prato principal,** pense bem: você vai ter carne ou peixe e os legumes autorizados... ou feculentos, arroz ou massa. Não diga nada: sirva-se novamente de proteínas e desse "belo pedaço de peixe ou dessa bela fatia de pernil". Sim, o pernil não faz parte dos alimentos autorizados na minha dieta, mas, se você for convidado, não hesite em comer: você vai ter de se adaptar ao ambiente! De qualquer forma, o pernil é melhor que uma concha de purê que vão querer colocar no seu prato. **Quanto ao vinho,** você pode, pura e simplesmente, dizer que não quer, sem necessidade de explicar. Nem todo mundo gosta de beber.

Quando chegar a sobremesa, você pode pegar uma panqueca doce de farelo de aveia... o único risco que você corre é passar por alguém muito original! Ou, então, diga que não quer sobremesa, que prefere um café...

Exercício do dia

- **Jovem e ativo:** Hoje vamos fazer sessenta abdominais e vinte agachamentos.
- **Mais de 50 anos e sedentário:** Hoje vamos manter 24 abdominais e 13 agachamentos.

Sua atividade física

Ontem eu lhe pedi para me dar um pouco de seu tempo: queria que você caminhasse por uma hora, em vez de meia hora. Espero que tenha feito o que lhe pedi e que a caminhada lhe tenha feito bem. Com a ajuda das proteínas puras, você deve ter visto que, hoje de manhã, a balança sorriu para você.

Se você for daqueles que não gostam muito de se mexer, TENTE entender que só tem possibilidade de ficar inativo porque as máquinas e os economizadores de energia facilitam as tarefas (sem, por isso, lhe fazerem um favor!). Sim, atualmente, existem elevadores em todos os lugares, para-brisas, escovas de dente elétricas e tantas outras máquinas que evitam que nossos músculos, tendões, ligamentos e articulações funcionem. MAS será que isso é bom? Não, é algo ruim, bastante ruim.

Quando eu era criança, via as pessoas moerem os grãos de café em um pilão de cobre! Depois, chegou o moedor de café, que eu gostava tanto de usar para ajudar minha mãe de manhã, na cozinha. Depois, o moedor elétrico me fez perder esse prazer. Finalmente, o café moído em pacote deu fim definitivo a esse trabalho lento, de cheiro tão agradável. Hoje, milhares de dólares recompensam a criatividade dos que inventaram a cápsula de café. Posso apostar que vão acabar inventando uma máquina para tomar café no nosso lugar!

Para concluir este capítulo, **não considere o esforço como uma punição a ser evitada, mas como uma recompensa que você está dando ao seu corpo que, afinal, foi feito para isso...**

Meu diário pessoal

É sua vez de jogar. Escreva o que, hoje, lhe pareceu digno de ser conservado e relido.

Fase de cruzeiro • PP • Dia 48

Dia 48
da minha dieta Dukan

meu peso inicial:

meu peso atual:

total de kg perdidos:

meu peso ideal:

Panorama do seu 48º dia

Estamos chegando perto do dia número 50 da fase de cruzeiro. **Hoje, mais uma vez, peço que você volte à máquina de guerra que é o dia PP.** Sim, de guerra... pois ela ajuda a vencer as linhas inimigas. Pense nas portas dos castelos fortes que se costumava forçar com enormes troncos de árvores transformados em batentes, esses aríetes que venciam todas as defesas... Isso é um dia de proteínas puras. Use e abuse delas hoje. E, acima de tudo, coma até satisfazer sua fome, e varie!

Na hora do almoço, se tiver de fazer uma refeição rápida, você pode comer kanis, uma lata de atum com um ovo cozido, um ou dois iogurtes. Se quiser um pouco mais de sofisticação, também pode comer uma ou duas belas fatias de salmão defumado com uma panqueca de farelo de aveia previamente recoberta de queijo fresco (ou a mesma panqueca com vitela ou peito de peru e queijo). Ou ainda melhor: filé mignon, contrafilé, posta de bacalhau fresco, almôndegas de carne moída ou um almoço em uma churrascaria... Pense nos "aríetes", nos "batentes", pois o sobrepeso não perdoa.

"Escapadas" da dieta

Gostaria de falar de mais um segredo para encarar de frente as constantes tentações de sair da dieta. Este é um segredo que devo a um americano de origem japonesa, que conheci em Los Angeles. Pertencente à segunda geração de japoneses que se instalaram na Costa Oeste dos Estados Unidos, ele começou a engordar comendo um pouco de qualquer jeito, como os americanos. Diante do ganho de peso, ele reagiu de maneira extremamente original, inspirando-se na violência do código dos samurais!

Eis o seu segredo: "Inspire profundamente e, depois, deixe de respirar o máximo de tempo que conseguir. Em um determinado momento, a falta de oxigênio se manifesta sob a forma de uma sensação desagradável, estafante e, no final, dolorosa. O objetivo do exercício é não ceder muito rápido e resistir à tentação de respirar. Quanto mais você conseguir ficar sem respirar, mais vai descobrir que tem o poder de resistir quando decidir. E foi assim que consegui parar de engordar."

Eu mesmo pratiquei esse exercício: acredito que é útil. Em todo caso, aconselho que o experimente! Se a experiência lhe interessar, você agora dispõe de um modo simples de aguçar sua força de vontade. Você poderá aplicar essa estranha técnica de resistência à vontade de sair da dieta e de beliscar. **Adoro esse segredo: ele se opõe ao atual culto da facilidade e do abandono de objetivos.** Original, revigorante, tem forte valor simbólico. Pratique-o sempre que possível. E, a cada vez que a tentação de sair da dieta se fizer sentir, inspire muito profundamente...

Minha mensagem de apoio para você

"*Muitas vezes ouço (e você também, imagino) que carne vermelha em excesso é cancerígena. É mentira!* **O que pode ser cancerígeno na carne vermelha não é a carne em si, mas seu modo de cozimento** *(especialmente a gordura, quando escurece). Se você carbonizar sua carne (vermelha ou branca), a parte que se torna escura ou preta, principalmente, é o que é cancerígeno.* **No entanto, se você cozinhar a carne normalmente, ela não vai ser mais cancerígena que uma abobrinha ou um belo prato de alface!** *No final das contas, isso não diz respeito apenas à carne. A parte queimada do pão grelhado também é cancerígena. O que é mais cancerígeno nas altas temperaturas de cozimento é a gordura. Há já muito tempo os restaurantes não têm mais o direito de servir pratos com manteiga escurecida (o da célebre raia com manteiga preta).*

Em um churrasco, são principalmente as carnes mais gordurosas que não devem ser carbonizadas (entrecosto ou costela de boi, cordeiro, porco e pele de frango grelhado)."

Pierre Dukan

Fase de cruzeiro • PP • Dia 48

Sua receita de hoje

Escalope de vitela à milanesa

Minha lista de compras

- Ovos
- Bresaola
- Escalope de vitela
- Shiratakis
- Iogurtes 0% de gordura e sem açúcar
- Cottage 0% de gordura
- Biscoitos de farelo de aveia
- Dukan sabor coco
- Atum em lata sem óleo
- Linguado, salmão
- Sorvete de iogurte light

 10 min 6 min 2

2 fatias de escalope de vitela bem finas
2 ovos
2 colheres (sopa) de farelo de aveia
2 colheres (sopa) de farelo de trigo
2 limões
Sal, pimenta-do-reino a gosto

1. Amacie bem os escalopes, para poder achatá-los.
2. Em um prato, quebre os ovos, tempere e embeba os escalopes no ovo. Em seguida, passe-os em um segundo prato, no qual você terá misturado o farelo de aveia e o farelo de trigo.
3. Mergulhe mais uma vez (rapidamente) nos ovos e na mistura dos farelos, para empanar bem.
4. Em uma frigideira ligeiramente untada com algumas gotas de óleo (retirando o excesso com papel-toalha) cozinhe durante 3 minutos cada lado do escalope.
5. Sirva cada escalope com meio limão.

Cesta de compras do dia

Para esta noite, peça ao seu açougueiro que prepare um belo **escalope de vitela** (ou, caso esteja muito afetado pela crise econômica, de peru ou de frango). Prepare-o à milanesa, ou seja, empanado. Para a empanada, use farelo de aveia com um ovo inteiro (ou apenas com a clara, de acordo com sua sensibilidade ao colesterol). Saboroso e saciável, crocante na superfície e macio por dentro, você vai adorar saborear essa receita.

Exercício do dia

- **Jovem e ativo:** Hoje faremos sessenta abdominais e vinte agachamentos.
- **Mais de 50 anos e sedentário:** Hoje vamos fazer 24 abdominais e 13 agachamentos.

Seu ambiente de saúde

Se você for fumante, qual é a atitude a ser adotada? A maioria dos fumantes que decide fazer dieta estima que esse certamente não é o momento de parar de fumar. Quando um fumante decide emagrecer, às vezes, se pergunta se não deveria parar de fumar ao mesmo tempo. Mas a maioria não consegue. Em teoria, lógica e taticamente, eles têm razão. Mas, para mim, nunca é bom diferenciar uma coisa da outra. O que posso garantir a você é que, por ter visto isso acontecer muitas vezes, é possível parar de fumar e começar uma dieta para emagrecer ao mesmo tempo. Eu chegaria a dizer que os que tentaram e conseguiram encontraram nisso uma motivação complementar à dimensão do desafio proposto.

É claro, cada um deve ser livre para fazer suas próprias escolhas. O que você deveria saber é o seguinte: parar de fumar engorda (entre 3 e 10kg, de acordo com o número de cigarros fumados, o tempo que se fumou, a tendência ao sobrepeso, o ambiente social e a necessidade de açúcar).

Em todo caso, se você quiser fazer parte do grupo de bravas e corajosas pessoas que querem matar dois coelhos com uma só cajadada e emagrecer e parar de fumar ao mesmo tempo, **deve seguir a dieta sem falhas e, principalmente, se ativar mais que os outros** (45 minutos em vez de trinta na fase de cruzeiro). Experimente também a acupuntura, que pode ajudar muitas pessoas. Você também pode optar pela homeopatia.

Sua motivação

Após o fato de se poder evitar a fome graças à liberdade de consumir 100 alimentos à vontade, seguido da estrutura de enquadramento da dieta, chego ao **terceiro atenuador de desprazer: o papel facilitador da relação personalizada entre quem dá e quem recebe as palavras de ordem.** Neste diário de bordo existe uma relação cotidiana e quase personalizada entre você e eu. Você me conhece. Eu posso apenas imaginá-lo e contar com minha antiga experiência de luta contra o sobrepeso.

Mas, mesmo à distância, é possível agir... **Na internet (www.dietadukan.com.br), elaborei uma ferramenta de *acompanha mento on-line*.** Esse acompanhamento é feito através de oitenta perguntas ao usuário. Elas me ajudam a entender melhor as razões do sobrepeso de uma pessoa e adaptar minha dieta a cada situação. Todas as manhãs, para cada caso, dou três tipos de instrução:

1) instruções alimentares, com três menus à escolha, para o almoço e o jantar;

2) um plano de atividade do dia (evolutivo);

3) elementos de suporte e motivação.

O segredo desse programa é o feedback (ou a retroação, elemento essencial em biologia). Na prática, aquele que recebe as instruções de manhã volta à noite para fazer o balanço do seguimento das instruções e dos resultados obtidos. Peso do dia, eventuais escapadas da dieta, atividade física realizada, nível de motivação e/ou frustração, alimento marcante durante o dia... tudo isto é dito pelo paciente em sete cliques. No dia seguinte, de manhã, em função do balanço do dia, novas instruções são enviadas, adaptadas aos eventos do dia anterior. Você não saiu da dieta, fez exercícios, sua motivação está lá no alto? Pode esperar que eu lhe dê os parabéns... e o encoraje a perseverar.

Mas, ao contrário disso, se seu balanço do dia indica que você não resistiu a uma tentação, foi preguiçoso e está se sentindo culpado... meu trabalho é colocá-lo de volta no lugar e, ao mesmo tempo, lhe dar um "puxão de orelha". Isto é um verdadeiro acompanhamento. Existe, pelo mundo, um grande número de sites de acompanhamento dedicados ao sobrepeso: alguns chegam a ser cotados na Bolsa de Nova York... mas nenhum propõe um feedback como o meu. Nesses sites são dadas instruções cotidianas, é claro, mas que não evoluem em função do retorno do paciente. Não existe um diálogo real e, no fim das contas, essas instruções acabam sendo muito gerais.

Para que o programa atenue as dificuldades da dieta, ele deve ser concebido para você (é o objetivo das oitenta perguntas preliminares). E, mais ainda, ele deve levar em conta o que você vive ao longo da dieta... e lhe dar **a possibilidade de dar um retorno sobre isso, dia após dia,** durante e depois do emagrecimento.

Sua atividade física

Existe um abismo entre fazer um pouco e não fazer nada.

Alguns se dizem que, para fazer uma atividade física, é preciso iniciar uma verdadeira organização, fazê-la muito tempo e muitas vezes por semana, comprar roupas adaptadas etc. Se você pensa assim, vai começar a fazer exercícios físicos... e parar rapidamente.

A mensagem que quero lhe passar é completamente outra. Certamente, não quero destruir seu ardor: você talvez esteja cheio de vontade de começar a fazer exercícios em doses altas e de maneira bem organizada. Gostaria, simplesmente, de lhe dizer uma coisa: em matéria de atividade física, existe um mundo entre fazer pouco e não fazer nada.

Estudos recentes mostraram que pouco importa a duração e a intensidade do exercício físico que você pratica: é sempre mil vezes melhor que não ter atividade física alguma. Além da caminhada, que é parte integrante do meu método, cada gesto, cada movimento é seu aliado. Ainda mais se esses gestos ou esses movimentos forem geradores de prazer.

Meu diário pessoal

Hoje eu gostaria de verdadeiramente insistir no excelente papel do seu diário. Tudo que você escreve tem importância. Quanto mais coisas disser, melhor será... principalmente se você descobrir um novo ângulo para atirar, novas habilidades, segredos ou modos de funcionamento que lhe são próprios. Por exemplo: "Ontem, descobri que a cebola grelhada carameliza e desenve um sabor açucarado durante o cozimento." Cozinhando mais, você pode quase fazer uma geleia de cebola, com a qual poderá acompanhar sua panqueca de farelo de aveia pelas manhãs.

....
....
....
....
....
....
....
....
....
....
....
....
....
....
....
....
....
....
....
....

Dia 49
da minha dieta Dukan

meu peso inicial:

meu peso atual:

total de kg perdidos:

meu peso ideal:

Panorama do seu 49º dia

Último dia dos "quarenta". Espero que você tenha conseguido chegar bem perto do seu objetivo. **Hoje, aproveite plenamente do fato de poder comer legumes.** Diga a si mesmo que, em minha dieta, os legumes **têm uma vantagem tão grande quanto as proteínas.** Se são sempre associados às proteínas, é porque é muito difícil, em um dia inteiro, consumir apenas legumes.

Você é um daqueles que adoram comer legumes crus? Uma endívia degustada folha por folha, tomates-cereja, pequenos rabanetes, couve-flor, cenouras inteiras... existem diversas possibilidades. Se os legumes crus o agradam, leve sempre um ou dois consigo: é o que costumo fazer quando tenho que pegar um avião. Caso contrário, sou obrigado a comer uma refeição imposta, que costuma ser gordurosa. É ainda pior nos voos de baixo custo! Neles, você tem a escolha entre a peste e a cólera...

"Escapadas" da dieta

Se você sair da dieta, não deve, de forma alguma, agravar o fato se sentindo culpado. Por quê? Você sabe que é seu cérebro mamífero primitivo (ou sistema límbico) que gera as noções de prazer e de desprazer (a recompensa e a punição, os hábitos, a adaptação à droga etc.). Quando você está em falta de prazer, esse cérebro primitivo o impele a sair da dieta para sentir prazer novamente. Opa! Uma escapadinha da dieta! Isso lhe faz bem. Mas se, nesse momento, você se sentir culpado, vai criar um desprazer que acaba aniquilando o prazer de sair da dieta. E, assim, você só vai ter adicionado as calorias da comida... e vai continuar frustrado. Desse modo, corre o risco de sair da dieta novamente!

Se tiver de ceder à tentação, ceda. Tenho cedido, é inútil se lamentar e se sentir culpado. Goze desse bom momento e, depois, **recomece, com o pé direito.**

Minha mensagem de apoio para você

"Como todas as pessoas que sofrem de sobrepeso, **você, certamente, ouviu falar do efeito ioiô.** Assim como o brinquedo de criança que desce e sobe, você pode estar se dizendo que o peso que perde no momento... vai ser recuperado tão rápido quanto foi perdido. Isso é possível e, até mesmo, bastante frequente. Existem muitas e muitas pessoas que ganham peso novamente depois de terem emagrecido, o que varia de acordo com a dieta que fizeram. E, também, principalmente em função do dispositivo que usaram para não engordar novamente. Isso significa que o efeito ioiô não é algo inevitável. Vamos ver isso mais de perto; você quer me acompanhar?

Ao longo de uma dieta você obriga seu corpo a emagrecer. Ora, seu corpo foi programado para não aceitar o emagrecimento. Vivemos em uma época de abundância, mas nosso corpo continua a ser programado para a miséria, como há milhares e milhares de anos. Quando você começa uma dieta, o corpo reage como se, de repente, você tivesse sido catapultado a uma época (ou uma região) em que não existe mais acesso à comida: desse modo, seu organismo considera que sua sobrevivência está ameaçada. **Ele tenta resistir à sua dieta de todas as maneiras possíveis.** Reduz seus gastos físicos, tornando-os cansativos, incitao a comer mais, desenvolvendo seu apetite e assim por diante. Enquanto a dieta continuar, você estará concentrado no objetivo e não vai engordar. Mas, quano a dieta acabar, o risco de engordar imediatamente é imenso! O corpo está esperando por isso... E essa é a razão pela qual construí a fase de consolidação, que abre suficientemente o leque alimentar: desse modo, não se emagrece mais, mas também não se engorda. E foi também por esse motivo que decidi que a fase de consolidação deveria durar dez dias para cada quilo perdido (por exemplo, cem dias — ou seja, três meses e dez dias — para uma perda de peso de 10kg). Essa duração é suficiente para que seu corpo entenda que o 'perigo de morte' passou: ele vai baixar a guarda e aceitar o peso perdido como seu novo estado de equilíbrio.

Esses são os determinantes corporais e metabólicos do famoso efeito ioiô (ou sanfona). Amanhã falarei sobre **os fundamentos psíquicos e afetivos, ainda mais perigosos para fazer com que você ganhe peso novamente.** Contrariamente aos fatores metabólicos, esses fundamentos nunca se acalmam... E produzem tentações permanentemente, para o resto de sua vida."

Pierre Dukan

Fase de cruzeiro • PL • Dia 49

Cesta de compras do dia

Já que estamos em um dia PL, **gostaria de chamar sua atenção para um legume que pode ajudá-lo: o pimentão.** Juntamente com a couve, é o legume mais rico em vitamina C biodisponível (ou seja, perfeitamente assimilada pelo corpo, ao contrário da vitamina C sintética). Podemos escolher a cor do pimentão em função de nossos gostos. O pimentão pode ser consumido cru, principalmente o vermelho, que é o mais açucarado de todos. Pessoalmente, tenho o hábito de levar comigo quando viajo de avião, por exemplo: é tônico, fresco, fácil.

Além disso, o pimentão grelhado é um prato delicioso. Cozinhe no forno sobre a grelha e deixe esfriar em um papel-alumínio ou papel absorvente. Em seguida, corte em fatias e disponha em um pequeno pote. Rapidamente, o pimentão vai soltar um líquido untuoso, que se parece muito com o óleo... só que sem calorias! Para concluir, experimente o pimentão recheado com carne moída: com cebola e temperos (coentro, por exemplo) é fabuloso!

Sua receita de hoje

Salada de pimentões grelhados

 30 min   25 min   4

2 pimentões vermelhos
2 dentes de alho grandes ralados
4 colheres (café) de azeite
Sal

Esta receita contém a dose diária de azeite autorizada.

1. Preaqueça seu forno na função "grill" durante 10 minutos. Lave os pimentões e disponha-os na grelha do forno, no nível mais alto. Sempre verifique o cozimento, para que os pimentões não queimem. Quando pontinhos pretos começarem a surgir, vire os pimentões.

2. Em seguida, retire os pimentões do forno e espere esfriar durante 15 minutos, embalados em uma folha de papel-alumínio bem-fechada, para que o vapor faça com que a pele saia facilmente.

3. Depois de 15 a 20 minutos, retire o cabinho de cada pimentão, assim como as sementes e a pele, que deve sair sozinha.

4. Disponha as fatias de pimentão no fundo de um prato e recubra com alho ralado, sal e azeite. Reserve o prato na geladeira.

Minha lista de compras

- Leite desnatado
- Requeijão e queijo fresscal 0% de gordura
- Rabanete, funcho
- Kani, camarão
- Cottage 0% de gordura
- Pimentões vermelhos
- Berinjela, abobrinha, cebola, alho
- Tofu com ervas finas
- Queijo ralado com 7% de gordura
- Pudim ou flan zero

Sua motivação

Hoje eu lhe apresento **a quarta faceta antidesprazer do meu motor de motivação.** Ela serve para lutar contra uma das causas mais frequentes de fracasso de uma dieta: **a estagnação do peso.** Trata-se de um fenômeno normal e inerente a qualquer dieta: é quando você não emagrece mais, apesar de ter seguido bem o regime. Esse período de estagnação é incômodo, injusto e incompreensível para quem o vive. Sendo assim, é importante que você entenda seus motivos.

Quando seu peso estagna, saiba, antes de mais nada, que isso não vai durar! Trata-se de uma tentativa desesperada por parte do seu corpo de resistir ao desvio de suas reservas colocando todas as suas forças na batalha. Continuar uma dieta sem recolher os frutos mina a resistência de quem a segue. Mas cuidado: a pior das respostas nessa queda de braço seria deixar acontecer uma ou diversas escapadas, o que prolongaria ainda mais a resistência do corpo.

Caso você esteja nessa situação, comece o que eu chamo de **"operação de soco"**. Durante quatro dias consecutivos passe ao modo PP. Coma o mínimo de sal possível, beba 2l de água e caminhe durante uma hora inteira por dia, durante esses quatro dias. Se sentir que seu corpo está retendo líquido, peça ao médico um drenador vegetal de qualidade. É a melhor maneira de "quebrar" um período de estagnação. Esta é a quarta janela antidesprazer: quatro dias de PP para não mais ter a impressão de estagnar.

Fase de cruzeiro • PL • Dia 49

Sua atividade física

Involuntariamente, você deixa um objeto cair no chão. Não faça cara feia e pegue-o, como se você mesmo o tivesse colocado lá, com o objetivo de pegá-lo de volta! Não considere mais cada atividade necessária como uma tarefa ou um trabalho entediante, mas como uma **bênção.** Busque esses pequenos esforços que aguçam sua força de vontade e tente criar muitos deles durante o dia.

O primeiro deles é **a escada**, sobre a qual já falei: é um elemento-chave da minha estabilização a longo prazo. Eu mesmo, frequentemente, subo escadas. Quando estou em forma e os músculos das minhas coxas não chegaram ao seu calor máximo, pode me acontecer, quando chego ao meu escritório no quarto andar, de descer para subir as escadas uma segunda vez!

E, agora, vamos falar sobre o carro.

Quando você for a algum lugar, em vez de procurar uma vaga mais próxima do seu destino, pare na primeira que encontrar... mesmo que – e ainda mais se – ela o obrigar a **andar um pouco mais!**

Quando puder escolher entre ficar em pé ou sentado, levante-se. Quando puder escolher entre esperar imóvel ou caminhar (no ponto de ônibus, por exemplo, ou na estação de metrô), caminhe, perambule.

Sentado, em vez de se posicionar de qualquer jeito na cadeira, mantenha a postura e finja empurrar para o alto a parte de cima de sua cabeça.

Quando estiver de pé, saiba que, se você se encostar em uma parede ou se apoiar em uma única perna, está colocando o peso do seu corpo nos ligamentos e tendões de suas articulações. Todavia, se você se posicionar de forma a se apoiar sobre as duas pernas ligeiramente afastadas, passa do modo passivo ao **modo ativo,** colocando todo o esforço nos seus músculos (e não mais nos ligamentos). Não hesite em fazê-lo: os músculos solicitados quando estamos de pé são os mais poderosos do corpo... e, também, os que mais queimam calorias.

Manter-se ereto, sem se apoiar em um único lado do corpo, lhe confere elegância. E, assim, você terá diversas oportunidades de dar ao seu corpo a possibilidade de assegurar sua finalidade de "funcionar" de maneira conveniente.

Exercício do dia

■ **Jovem e ativo:** Hoje vamos fazer sessenta abdominais e vinte agachamentos.

Mais de 50 anos e sedentário: Hoje vamos manter 24 abdominais e 13 agachamentos.

Seu ambiente de saúde

A homeopatia tem um papel importante na guerra contra o sobrepeso. Existem fãs da homeopatia e outros que não acreditam muito. Na minha opinião, por sempre ter usado homeopatia, se soubermos definir bem suas indicações, ela pode trazer uma ajuda certeira, sem riscos e barata.

Peça ajuda ao seu farmacêutico: talvez você faça parte do grupo de pessoas para quem a homeopatia funciona bem.

Meu diário pessoal

Hoje vou deixar você sozinho com sua folha em branco. Nesses dias, tive a oportunidade de ler o diário de bordo de Darwin, que tinha no *Beagle*, nas ilhas Galápagos. Foi nesse diário de bordo que ele parece ter tido sua premonição de gênio, que revolucionou a visão biológica do homem. E você? Escrever, às vezes, faz com que surjam novas ideias... revolucionárias.

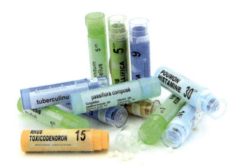

Fase de cruzeiro • Semana 9

Semana 9
da minha dieta Dukan

Minha "estratégia de felicidade"

Da necessidade do belo

Com a aparição da consciência e a fatalidade da morte, os totens, o animismo e os deuses surgiram. Nesse momento, o homem passou a precisar de uma linguagem para se comunicar com o divino. Foi assim que se implantou a necessidade do belo: uma necessidade de criar a beleza e de gozar dela, onde quer que esteja presente. Quer se trate de uma obra de Michelangelo, quer de Mozart, do rosto de uma mulher, da harmonia de uma concha, do cheiro agradável de um perfume, da beleza de um sentimento, de um canto ou de um balé... **tudo que é belo encanta, alegra e nos alimenta de uma emoção estética, que nada tem a ver com chocolates ou salames!** Se você estiver buscando serotonina, eis o que pode saciar sua fome.

Autoavaliação:

☐ Gosto do belo e sou apegado a ele
☐ Gostaria de ser mais sensível ao belo
☐ Não é "a minha praia"

O segredo da semana: mude sua visão sobre o esforço

Hoje, ao fim de uma evolução de 10 mil anos de civilização, em progresso constante, tudo nos leva a considerar o esforço como um inimigo do gênero humano, uma poluição, uma carga, um labor, uma penalidade a ser evitada a qualquer preço. **Faça a aposta contrária a essa.** Considere cada movimento não como um peso ou uma perda de tempo, mas como uma sorte, uma oportunidade e um benefício para controlar seu peso, proteger sua saúde e aumentar seu bem-estar. Se um vizinho está com dificuldades em carregar uma bolsa ou uma mala, corra para ajudá-lo, em vez de evitar seu olhar. Você esqueceu suas chaves no primeiro andar? Não pragueje. Dê ao seu corpo sua razão de ser: fazer funcionarem seus 723 músculos. Um objeto caiu no chão? Seja o primeiro a pegá-lo. Seu elevador não está funcionando? Não adicione lamentações às dos demais condôminos do seu prédio. Suba a pé e lembre-se de que muitas pessoas pagam para fazer o mesmo em uma academia. E não se esqueça de uma coisa... não se engane quanto ao inimigo. É a imobilidade, não o contrário, que lhe faz mal.

minhas medidas esta semana

- Circunferência peitoral: ....
- Circunferência da cintura: ....
- Circunferência dos quadris: ....
- Circunferência das duas coxas: ....

Sugestões de cardápios para a semana

		meu café da manhã	meu almoço	meu lanche	meu jantar
SEGUNDA-FEIRA	PP	Bebida quente Brioches de farelos de aveia e de trigo com flor de laranjeira Fatias de peito de peru ou de presunto magro Cottage 0% de gordura	Almôndegas de caranguejo Dourada em crosta de sal vermelho Iogurte 0% de gordura e sem açúcar com essência de limão	Iogurte 0% de gordura e sem açúcar com essência de pêssego	Carpaccio de branco **Bolinhos de bacalhau à moda Dukan** Mousse de chocolate com menta Dukan
TERÇA-FEIRA	PL	Bebida quente 1 panqueca de farelo de aveia com cacau sem açúcar Requeijão 0% de gordura	Legumes crus sortidos Chucrute com frutos do mar	Ricota light	**Sopa de abóbora** Gratinado de lagostim e funcho Sorvete de iogurte light
QUARTA-FEIRA	PP	Bebida quente 1 panqueca de farelo de aveia Requeijão 0% de gordura	Enroladinho de bresaola com cottage 0% de gordura Almôndega de carne com ervas finas	1 iogurte 0% de gordura e sem açúcar 1 biscoito de farelo de aveia Dukan sabor coco	Coquetel de camarões com molho Dukan **Ovos mexidos com ovas de peixe** Pudim ou flan zero
QUINTA-FEIRA	PL	Bebida quente 30g de pepitas de farelo de aveia sabor caramelo Leite desnatado Iogurte 0% de gordura	Repolho roxo ralada Picadinho de fígado à moda veneziana Tomates à moda provençal Iogurte 0% de gordura e sem açúcar com essência de limão	1 panqueca de farelo de aveia Queijo frescal 0% de gordura	Atum "Tataki" Posta de salmão com espinafre **Pudim de chocolate amargo**
SEXTA-FEIRA	PP	Bebida quente 1 panqueca de farelo de aveia com cacau sem açúcar 1 omelete de claras com ervas finas Queijo frescal 0% de gordura	Gelatina de ovo mole com presunto Galeto assado Queijo frescal 0% de gordura Cottage 0% de gordura	Cottage 0% de gordura	Requeijão com páprica à moda húngara **Minibocadas de salmão defumado** Muhallebi de Istambul Dukan
SÁBADO	PL	Bebida quente 1 panqueca de farelo de aveia Requeijão 0% de gordura Iogurte 0% de gordura	Salada de algas com camarão e/ou caranguejo Sashimis sortidos e salada de repolho Iogurte 0% de gordura e sem açúcar com essência de coco	Barra de farelo de aveia Dukan sabor chocolate 1 iogurte 0% de gordura e sem açúcar com essência de baunilha	Caviar de beringela **Shiratakis à bolonhesa** Panna Cotta de cerejas e amêndoas
DOMINGO	PP	Bebida quente 30g de pepitas de farelo de aveia sabor frutas vermelhas Leite desnatado e/ou requeijão 0% de gordura	Miniespetinhos de frango com molho de iogurte Fígado de boi ou frango com vinagre de vinho tinto Cottage 0% de gordura com baunilha e canela	Lassi de rosas	Ovo cocotte com presunto **Torta de frango** Mousse de castanha suíça Dukan

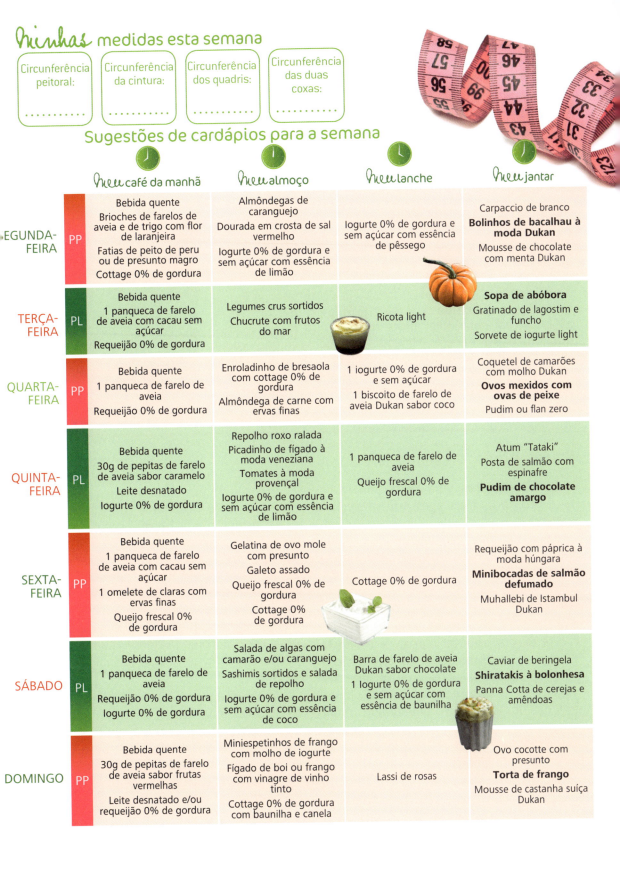

331

Fase de cruzeiro • PP • Dia 50

Dia 50
da minha dieta Dukan

meu peso inicial: ....

meu peso atual: ....

total de kg perdidos: ....

meu ....

Panorama do seu 50º dia

Aqui estamos, chegamos ao 50º dia. Para você e para mim, é um momento-chave, que significa que você está no último segmento da linha. Este dia cai como uma luva, pois é um dia de proteínas puras, que vai adicionar um último impulso ao seu regime. **Não esqueça de que, quanto mais comer proteínas, MELHOR vai emagrecer (note que eu não disse "MAIS", mas MELHOR).** Varie os alimentos, cozinhe: você pode comer laticínios magros, ovos cozidos, vitela ou peito de peru, atum em lata, sem óleo, presunto magro, kani e panquecas de farelo de aveia. Como você pode notar, não está desarmado para esse dia.

Seu ambiente de saúde

De acordo com uma sondagem recente, **a cada dois franceses, um se declara cansado** — especialmente os jovens, os ativos e, ainda mais, as mulheres. Os problemas afetivos e profissionais cansam. É possível distinguir o cansaço do início da semana, que é ligado ao humor, à vida a dois... do cansaço do final da semana, mais ligado ao esgotamento profissional.

As dietas podem cansar, é verdade. Mas esse costuma ser o caso, principalmente, das dietas que limitam as calorias (dietas abertas aos glicídios, feculentos e leguminosas, mas em quantidades muito pequenas). As dietas ricas em proteínas, como esta que você está fazendo, costumam ser mais estimulantes.

A falta de sono (ou um sono de má qualidade, que não ajuda a recuperar as energias) é uma das principais causas de cansaço. Cuidado, também, com as apneias do sono, que ecoam de maneira muito forte na concentração durante o dia.

A carência em vitaminas e sais minerais também é importante causa de cansaço. Consuma peixes gordurosos e ricos em ômega 3 em quantidade suficiente. A insuficiência em ômega 3 costuma causar muito cansaço e um sono de má qualidade. **Não consuma café em excesso**, pois esse é um verdadeiro estimulante contra o cansaço, mas pode criar ansiedade e distúrbios do ritmo cardíaco. Tome bastante vitamina C de manhã, durante um mês, principalmente no inverno.

Se o cansaço persistir, consulte um médico: isso talvez se deva a um mau funcionamento da tireoide, principalmente se você for friorento e estiver ganhando peso. Ah, já ia me esquecendo: **a atividade física é um verdadeiro fortificante, tanto no plano do humor quanto no do cansaço muscular e do sono.**

Minha mensagem de apoio para você

"Ontem falei sobre o efeito ioiô. Existem razões metabólicas para tal efeito, como já disse ontem: seu corpo foi programado para proteger as reservas que você o obriga a queimar. Ele reage freando seus gastos físicos e elevando o proveito que você extrai dos alimentos, o que freia sua perda de peso e, às vezes, chega a estagná-la durante muito tempo. Quando você chega ao seu Peso Ideal, essa resistência do corpo não se apaga imediatamente, mas persiste durante um tempo proporcional ao peso que você perdeu.

Esse tempo foi calculado por mim, estatisticamente, com base em um grande número de meus pacientes: **ele se situa nos arredores de dez dias por quilo perdido. Foi baseado nessa duração que construí minha fase de consolidação,** que você vai começar em breve. Se, ao final de nossa experiência, você tiver perdido 10kg, deve permanecer nessa terceira fase enquanto seu corpo tenta, de todas as maneiras possíveis, recuperar suas reservas perdidas (logo, fazer você engordar novamente).

Em função da regra dos dez dias por quilo perdido, você deve fazer a fase de consolidação durante cem dias. Ao final dessa duração, seu corpo terá se acostumado ao seu novo peso e terá perdido a vontade indomável de fazer com que você engorde de novo. Esse será o momento de ampliar sua alimentação. **Em suma: o efeito ioiô só existe quando você não respeita o tempo de adaptação do seu corpo.**

Pense nos mergulhadores com seu tubo de ar nas costas. Quando descem até 50 metros no mar, não podem mais voltar de uma só vez para a superfície: eles devem, imperativamente, observar **um patamar na metade do caminho para descompressão.** O mesmo acontece com a fase de consolidação. Se você não respeitar a duração requerida, corre um grande risco de engordar novamente. Mas, uma vez que chegue ao fim dessa fase de transição (o tempo de compressão respeitado), não haverá mais efeito ioiô: o metabolismo terá encontrado seu equilíbrio.

Mais uma vez falei um pouco além da conta. Deixarei para amanhã o prazer de lhe falar sobre a segunda aba do efeito ioiô: a parte psicoafetiva que, uma vez que o emagrecimento seja estabelecido, faz com que entre em cena a famosa necessidade de compensar as dificuldades da vida comendo."

Pierre Dukan

Fase de cruzeiro • PP • Dia 50

Cesta de compras do dia

Hoje, vá na direção do bacalhau fresco e do seco, conservado no sal. O bacalhau na salmoura, à moda portuguesa, é um excelente alimento magro. Mas sua grande quantidade de sal nos obriga a dessalgar pelo menos dois dias na água fresca, que deve ser constantemente renovada (para melhorar seu sabor, você pode mergulhar no leite durante duas ou três horas e reservar na geladeira).

Compre bacalhau fresco em filés e corte em pequenos bastões. Enrole-os no farelo de aveia e passe na frigideira, previamente untada com óleo (sempre retire o excesso com papel-toalha).

Em Portugal existem 365 receitas de bacalhau, ou seja, uma para cada dia do ano: com tomate, em forma de almôndegas ou rissole, com alho e óleo, na caldeirada provençal... Experimente, mas cuidado com o sal... Não se esqueça de dessalgar bem!

Exercício do dia

- **Jovem e ativo:** Hoje passaremos a 65 abdominais e faremos 22 agachamentos.
- **Mais de 50 anos e sedentário:** Hoje vamos tentar passar a 26 abdominais e a 15 agachamentos.

Sua receita de hoje

Bolinhos de bacalhau
à moda Dukan

15 min*   30 min   4

* + 24h de dessalgação

500g de bacalhau (retirar bem o sal)
1 cebola picada
3 ovos
4 colheres (sopa) de farelo de aveia
Salsa picada
Suco de 1 limão

1. Dessalgue o bacalhau deixando-o dentro de uma grande tigela de água fria durante muitas horas (de preferência por 24 horas, trocando a água regularmente).
2. Quando o bacalhau estiver dessalgado, ferva água em uma panela e cozinhe o peixe durante cerca de 20 minutos.
3. Quando o bacalhau estiver cozido, escorra a água e desfie com um garfo.
4. Adicione a cebola picada, os 3 ovos, as 4 colheres de farelo de aveia e a salsa picada. Misture bem.
5. Esquente uma frigideira antiaderente, e quando estiver bem quente, forme pequenas bolinhas ligeiramente achatadas e doure dos dois lados, durante cerca de 3 minutos para cada lado.

Tempere com suco de limão.

Minha lista de compras

- Farelo de aveia e farelo de trigo
- Amido de milho
- Fermento químico
- Ovos
- Requeijão 0% de gordura
- Aroma de manteiga
- Água de flor de laranjeira
- Fatias de peito de peru ou presunto magro
- Caranguejo
- Dourado, peixe branco (como garoupa, cherne e robalo) para carpaccio
- Bacalhau salgado
- Cebola, salsa
- Iogurtes 0% de gordura e sem açúcar
- Limão
- Cacau em pó sem açúcar
- Leite desnatado em pó

"Escapadas" da dieta

Caro leitor, vou lhe pedir um favor: não saia da dieta hoje, nem por uma pequena escapada. Estamos tão perto do objetivo que gostaria que você chegasse na linha de chegada da melhor maneira possível. Para isso, dê-me alguns momentos para organizar e preparar seu dia. Nesta manhã, não se esqueça de fazer sua panqueca de farelo de aveia com um ovo (ou três claras ou uma gema e duas claras). Hoje, correr o risco de passar fome está fora de questão.

Como você está em um dia PP, na hora do almoço, pense em comprar vitela ou peito de peru, laticínios 0% de gordura de todos os tipos... Compre cottage. Se preferir iogurte, está livre para consumir, mas não se esqueça de que só a versão aromatizada está autorizada. Você também pode comer uma bela fatia de salmão defumado (ou duas, você sabe que as quantidades não são limitadas). E, por que não, um belo bife, carne moída, um contrafilé, um escalope, uma costela de vitela...? Como você pode ver, as opções são muitas. E isso porque não mencionei o peixe, que você pode guardar para hoje à noite. Não se esqueça dos camarões de todos os tipos, os crustáceos, os mexilhões...

Para terminar, prepare pudins, mousses, uma ilha flutuante ou merengues, que você vai poder comer na paz do lar, à noite. É possível emagrecer e comer com prazer. Não se esqueça de que, "quanto mais você comer o que for autorizado, melhor vai emagrecer". Preste atenção, vou repetir: não disse "emagrecer mais", mas, melhor: sem frustrações, sem fome e sem culpa.

Fase de cruzeiro • PP • Dia 50

Sua motivação

Hoje vou lhe apresentar **o quinto e último atenuador de desprazer do meu motor de motivação.** Espero que tenha entendido a importância que essa ferramenta pode ter para você. **O quinto elemento é a energia.**

Em geral, perante a dieta, o que falta não é a compreensão, nem o desejo: é A FORÇA, que está em você e o leva para a frente, destruindo todas as resistências encontradas pelo caminho. Essa força que vem das camadas profundas do seu cérebro primitivo tem por missão proteger sua existência sem que você se dê conta, um pouco como fazem seus glóbulos brancos diante dos agressores de infecção...

Se você está fazendo uma dieta, é porque, neste momento preciso, dispõe dessa força: ela o acompanha para atenuar o sofrimento de emagrecer. Mas cuidado! Considere essa determinação como um combustível limitado, que deve ser sempre renovado, para não se esgotar. Não existe pílula mágica para a força de vontade ou para a motivação.

Vamos, agora, recapitular todas as janelas "geradoras de prazer e atenuadoras de desprazer" propostas pelo MME:

Do lado do prazer:
1) sensação de se ver emagrecendo rápido, especialmente no início da dieta;
2) alegria de ver seu corpo mudando e, enfim, ficando mais fino;
3) alegria de se sentir valorizado pelo sucesso de uma operação difícil;
4) prazer de cozinhar receitas de combate, simples, com bastante sabor e sem gorduras ou açúcar;
5) descoberta do prazer em se mexer... especialmente para um sedentário, que não esperava que o contentamento com o exercício pudesse existir!

No lado dos "atenuadores do desprazer":
1) ausência de fome, graças aos 100 alimentos autorizados à vontade: trata-se de uma das bases da minha dieta;
2) o enquadramento e o seguimento muito estrito, que dão segurança a quem segue a dieta;
3) a relação pessoal baseada na empatia;
4) a gestão crucial dos períodos de estagnação, em que se precisa de duas vezes mais energia e motivação para não recuar;
5) ...ah! Eu queria apresentar a quinta janela atenuadora de desprazer com mais detalhes hoje, mas não tenho mais espaço. Então, falarei a respeito amanhã.

Sua atividade física

Assim como acabei de lhe pedir, na coluna das escapadas, para não sair da dieta hoje, vou continuar lhe pedindo para fazer o possível para caminhar mais que o habitual. **Hoje é um dia de combate, já que a fase de cruzeiro está chegando ao fim.** Tudo que você vai conquistar vai lhe servir como couraça e proteção. Vamos lá, faça um esforço: hoje, podemos chegar até 61 minutos de caminhada. Por que 61? Porque já pedi a você para fazer sessenta antes...

Não perca todas as oportunidades que tiver de usar as escadas para descer e para subir: em sua casa, na casa dos amigos, no trabalho, em qualquer lugar. E não se esqueça dos exercícios de tonificação, pois, para cada quilo perdido na cintura, nos quadris ou nos glúteos, você passa a ter 1cm a mais de pele. É verdade, a pele tem tendência a se contrair novamente, mas um pouco de exercício vai tonificar sua massa muscular... o que vai ajudar a pele a ficar mais firme.

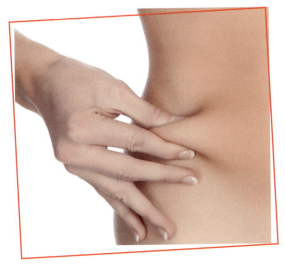

Meu diário pessoal

Tente se concentrar no desenrolar do dia que acaba de terminar. Houve, necessariamente, algum elemento (incidente ou qualquer outra coisa) que chamou sua atenção. Isso tem importância: escreva. Caso contrário, amanhã já vai ter esquecido...

Fase de cruzeiro • PL • Dia 51

Dia 51
da minha dieta Dukan

meu ....

meu peso atual: ....

total de kg perdidos: ....

meu ....

Panorama do seu 51º dia

Adicione legumes, hoje é um dia verde e vermelho: verde de vagens francesas e vermelho de tomate. Experimente o gaspacho caseiro, muito fácil de preparar: adicione alguns pequenos cubos de pepino ou de picles, um pouco de farelo de aveia, para lhe dar um pouco mais de consistência e, por que não, um pouco de atum em conserva sem óleo. Em todo caso, aguente firme, você está quase chegando lá: é importante chegar na fase de consolidação como um campeão.

Exercício do dia

- **Jovem e ativo:** Hoje vamos fazer 65 abdominais e 22 agachamentos.
- **Mais de 50 anos e sedentário:** Hoje vamos manter 26 abdominais e 15 agachamentos.

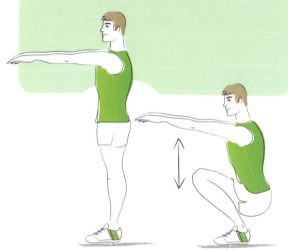

Minha mensagem de apoio para você

"**O famoso efeito ioiô** (perda de peso seguida de um ganho de peso imediato) foi inventado por pessoas que querem tirar o crédito das dietas. Por trás disso existe a ideia de que o sobrepeso é uma fatalidade, qualquer que seja a dieta ou o método utilizado.

Essa leitura da realidade é errônea e nada tem de inocente. **Todo mundo sabe engordar. Emagrecer é mais difícil.** No entanto, se fizermos nosso máximo, é possível.

Em contrapartida, estabilizar o peso é infinitamente mais complicado. No fundo, a estabilização demanda mais conhecimento, mais experiência e psicologia. É o que chamo de 'para o resto da vida' (depois do fim da dieta) e que deve ser vivido sem enquadramento (você deve conseguir estabilizar seu peso sozinho).

Então, a que se deve essa dificuldade em estabilizar um peso perdido? Antes de mais nada, devemos considerar que, se você engordou, é porque foi obrigado a usar a alimentação como um reflexo, para ajudá-lo a viver melhor. **Emagrecer significa abandonar essa ajuda... e fazer exatamente o oposto, passar a um modo restritivo.** Por outro lado, se o prazer de emagrecer compensa o prazer que você tem ao comer coisas gordurosas e doces (ou seja, gratificantes), este é apenas um equilíbrio precário, que não pode resistir às **"dificuldades da vida"** que cada um encontra pelo caminho, mais cedo ou mais tarde. E, no entanto, apesar de tudo que se ouve, existem pessoas que conseguem se manter definitivamente em seu Peso Ideal. Depois de terem perdido peso — e, às vezes, muito peso —, **algumas pessoas nunca mais engordam.** Logo, isso significa que é possível... E se é possível para uma pessoa, pode ser possível para duas, cinco, dez... Meu método é difundido por meus livros e pelo meu site de acompanhamento on-line. Graças aos livros, 50% dos meus leitores mantiveram seu peso por dois anos (e 25% deles mantiveram por cinco anos). Com o acompanhamento on-line, a porcentagem aumentou ainda mais e chega a 40% (ou seja, DEZ vezes melhor que as dietas acadêmicas, que têm uma porcentagem de êxito de 3% em cinco anos). Atualmente, o establishment continua estranhamente apegado ao dogma das calorias e das dietas clássicas... mesmo que continuem não dando certo. Por que esse apego a um fracasso flagrante? **Porque nenhum dos atores econômicos tem interesse em lutar contra o sobrepeso.** Engordar é o símbolo da abundância induzida pela sociedade de consumo. Permitir que todas as pessoas em sobrepeso emagreçam minaria os recursos da vida econômica e seu crescimento. **Se você quiser emagrecer, não conte com mais ninguém, a não ser consigo mesmo.**

Quando um jornalista quer me deixar em maus lençóis, diz que conhece pessoas que seguiram meu método e engordaram novamente. Eu também conheço... mas o que isso prova? Você conhece algum médico que cuida de uma bronquite e garante que você nunca mais vai ter crises? Não, claro que não. Quem garante um compromisso perene, quem se casa tendo certeza de que vai ser 'para o resto da vida'? Ninguém (ou cada vez menos gente)."

Pierre Dukan

Fase de cruzeiro • PL • Dia 51

"Escapadas" da dieta

Ontem eu pedi a você que fizesse seu máximo para tentar não sair da dieta. Hoje, vou lhe pedir a mesma coisa. Mas, a essa recomendação, adicionarei um pequeno trunfo incitativo, **um dos meus segredos pessoais.** Como você conhece as horas e os lugares em que é mais vulnerável, pense, quando estiver nessas zonas de risco, em colocar na boca um... **cravo! Por quê? Magia? De forma alguma!**

O cravo é dotado de propriedades anestesiantes que os dentistas conhecem bem (eles o usam para atenuar a sensibilidade dolorosa de um dente ou de uma gengiva inflamada). Em pouco menos de trinta segundos sua língua, sua gengiva, seu palato e a parte interna de suas bochechas ficam totalmente anestesiados. E a sensibilidade de seus botões gustativos, situados na base de sua língua, enfraquece.

Sendo assim, **se você sair da dieta nesse contexto, não vai aproveitar o que comeu!** Decepcionado, você vai ter melhores chances de se desviar da vontade de comer o que não pode. Experimente! Mas escolha cravos de excelente qualidade e coloque-os durante uma noite inteira enfiados em uma maçã, um marmelo ou uma pera, para atenuar a acidez desta especiaria de gosto encorpado.

Cesta de compras do dia

Já que, hoje, você pode comer legumes, por que não experimentar uma **boa sopa** na hora do jantar, ou mesmo na hora do almoço? Por exemplo, uma excelente sopa **à base de abóbora,** muito fácil de preparar, com a consistência que você quiser lhe dar. Uma sopa de tomate ou uma sopa cremosa de abobrinha também são boas opções. E por que não uma sopa de peixe? De acordo com seu gosto e com a estação do ano, compre o que for necessário.

Sua receita de hoje

Sopa de abóbora

15 min • 40 min • 4

600g de abóbora
2 cenouras
2 cebolas
1 dente de alho
1l de leite desnatado
1 gema
4 colheres (sopa) de requeijão 0% de gordura
2 pitadas de gengibre em pó
2 pitadas de páprica
Sal, pimenta-do-reino a gosto

1. Em uma panela, adicione 1 litro de leite.

2. Descasque e corte a abóbora em pedaços, assim como as cenouras, as cebolas e o dente de alho. Coloque tudo na panela. Cozinhe com tampa durante 40 minutos. Mexa de vez em quando, para verificar se os legumes não estão colando uns nos outros. Adicione um pouco de água, caso seja necessário.

3. Quando estiverem cozidos, bata os legumes no liquidificador. Adicione um pouco de leite, se achar necessário, em função da textura desejada. Tempere com sal e pimenta-do-reino e adicione a páprica e o gengibre em pó. Por fim, adicione a gema e o requeijão, misturando bem.

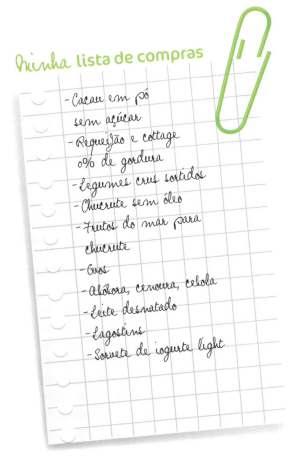

Minha lista de compras

- Cacau em pó sem açúcar
- Requeijão e cottage 0% de gordura
- Legumes crus sortidos
- Churrute sem óleo
- Frutos do mar para churrute
- Ovos
- Abóbora, cenoura, cebola
- Leite desnatado
- Lagostins
- Sorvete de iogurte light

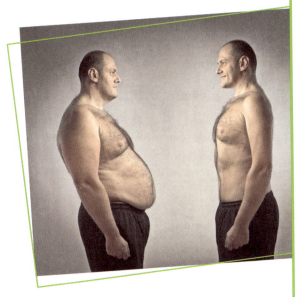

Sua motivação

Se você quiser reforçar sua motivação, pense, antes de mais nada, em tudo que acaba de obter ao longo desses cinquenta dias da fase de cruzeiro (mais os dias da fase de ataque). O peso que você acaba de perder não é uma historinha ou uma ilusão: é algo concreto e palpável, e você, que se pesa todos os dias, sabe que é verdade, pois é o que a balança mostra.

Você consegue perceber essa sensação e esse clique em seu corpo a cada vez que a balança mostra uma perda de peso, mesmo que seja de 200 ou 300g? Uma vontade de explodir de alegria surge em você — é um pouco como a alegria dos jogadores de futebol quando acabam de marcar um gol! Você fica com vontade de ir mais além, para aprofundar esse autocontrole que está adquirindo, dia após dia. Quando o vento sopra, as velas se enchem e o navio começa a navegar pelas ondas: sua motivação está no ápice. **Você tem todas as cartas nas mãos, nada pode resistir a você.** Mas seja prudente.... pois, definitivamente, não é o momento de achar que tudo está ganho. É meu dever lhe dizer que, diante do peso, você sempre será uma presa, nunca o predador: você é sensível à tentação, ao convívio com os outros, ao sofrimento, ao tédio, à solidão e ao estresse.

Seu corpo é um autômato programado para estocar reservas de gordura. O sobrepeso continuará a rondá-lo, esperando o momento em que você baixará a guarda. A única coisa que pode se interpor entre você e o sobrepeso é a construção profunda na sua rede de neurônios daquilo que chamamos de **circuitos preferenciais**, que nada mais são que os novos hábitos. **Você engordou porque tinha hábitos** que davam ao seu corpo a oportunidade de estocar peso. **Atualmente, você começou a construir os fundamentos de novos hábitos,** que o protegerão de ganhar peso novamente.

Fase de cruzeiro • PL • Dia 51

Sua atividade física

Para emagrecer você tem duas alavancas à sua disposição: a dieta e a atividade física. A primeira alavanca reduz a quantidade de calorias consumidas, enquanto a segunda aumenta seu gasto. A mais eficaz e mais simples é **a dieta** (ou comer de maneira diferente), a fim de obrigar seu corpo a viver com as reservas que acumulou. Mas como o corpo tem suas maneiras de se adaptar à escassez, também é preciso que um gasto físico intervenha, para unir forças contra sua resistência.

Os indivíduos não são todos iguais diante do emagrecimento: algumas pessoas queimam mais calorias que outras. Essas terão mais facilidade em emagrecer que as que têm um metabolismo mais econômico.

Para além de parâmetros puramente biológicos existem, também, os parâmetros comportamentais. Quando digo isso, penso, especialmente, **na arquitetura afetiva que vem da primeira infância.** Ainda muito nova, a criança deve gerenciar seus medos (angústia da solidão, medo do escuro). Para compensar o afastamento de sua mãe, a criança chupa o dedo, primeiro artifício simbólico da presença física desta. Quando chega à idade adulta, a criança torna a procurar a relação com sua mãe. É nesse momento que os medos da vida adulta (estresse, abandonos, adaptações necessárias...) fazem com que o dedo que ela chupava reapareça... na forma da comida que engole!

Para você, que está emagrecendo há cerca de dois meses, existe um fator importante a ser considerado: o da resistência que seu corpo faz, que aumenta na mesma medida em que você emagrece. Essa resistência se torna preocupante quando a luta entre seu corpo e sua alimentação se traduz por uma estagnação. **Saiba, então, que seu corpo pode até encontrar meios de resistir à sua dieta,** mas não tem como resistir ao gasto físico. Se você correr durante uma hora e seu peso for de 80kg, seu corpo vai, de qualquer forma, queimar trezentas calorias, nenhuma a menos! Razão a mais para se mexer e emagrecer sem entraves... Isso posto, seu corpo possui um meio de ir contra a atividade física que você lhe impõe: ele pode fazer com que você tenha mais fome e, assim, fazer com que você engorde mais. Ora, basta comer um bolinho para aniquilar os efeitos de uma hora de jogging! A caminhada é a única atividade que não excita o apetite.

Por conseguinte, quando seu peso estagnar de maneira não merecida, adicione atividade física, mas, cuidado... nada de muito intenso, que aumentaria seu apetite. Faça apenas uma caminhada, lenta ou moderada, se tiver tempo (ou uma caminhada rápida, se lhe faltar tempo).

Seu ambiente de saúde

No âmbito de um ambiente de saúde, um ponto de importância maior deve ser levado em consideração: o da sua **hereditariedade familiar** (filho de peixe, peixinho é!). Pense na saúde de sua mãe, de seu pai e, em escala um pouco menor, na saúde de seus avós, tios e tias. O que você deve procurar? Todos os fatores de risco e de propensão: diabetes, hipertensão, problemas de tireoide, idade da pré-menopausa, câncer dos seios ou da próstata, fragilidade brônquica e pulmonar, Alzheimer e, é claro, sobrepeso... É necessário buscar as causas genéticas da vinda inesperada de doenças, mas também as culturais, por exemplo. Para cada caso, para cada patologia que tenha abatido sua família, existe um ensinamento a ser tirado.

Em seu caso, uma vez que você tem problemas de sobrepeso, o mais importante é reagir à **hereditariedade do diabetes**. Cabe apenas a você EVITAR ou, melhor ainda, escapar do diabetes, ou seja, prevenir a doença antes de precisar remediá-la. Basta controlar e reduzir os açúcares, perder peso e se mexer um pouco mais. **Para a hipertensão arterial,** a perda de peso é o único (porém poderoso) antídoto. **Para as apneias do sono,** o mesmo tratamento. **Para a tireoide**, é necessário sempre estar de olho, para não descobrir sua disfunção tarde demais, quando o sobrepeso já estiver instalado no corpo. **Para os cânceres, o emagrecimento é absolutamente recomendável.** Diminuir a ingestão de glicídios reduz a frequência do câncer (e freia sua evolução, quando a doença estiver declarada). **Para o Alzheimer,** os fatos são menos garantidos... mas, estatisticamente, demonstrou-se que o diabetes e o colesterol também aceleram sua aparição.

Meu diário pessoal

Tome conta de si mesmo, trate-se com carinho e venha se queixar em seu diário (ou falar sobre o quanto está orgulhoso de si mesmo). De qualquer modo, venha escrever. O sofrimento pode ser atenuado quando você escreve, assim como sua alegria pode ser ainda mais exaltada.

Fase de cruzeiro • PP • Dia 52

Dia 52
da minha dieta Dukan

meu peso inicial: ....

meu peso atual: ....

total de kg perdidos: ....

meu peso ideal: ....

Panorama do seu 52º dia

Eis que estamos de volta a um dia **PP**: você, com certeza, está começando a conhecer os alimentos ricos em proteínas e a se acostumar a eles. **Aqui vai um dos segredos das pessoas que nunca mais engordam**: depois de terem emagrecido com a minha dieta, elas consomem "um pouco mais" de proteínas do que consumiam antes. Essa simples mudança de hábito é suficiente para protegê-las do sobrepeso. "Quando chego em um restaurante, busco, no cardápio, os alimentos mais ricos em proteínas, sejam carnes, peixes, frutos do mar ou aves. Quando os vejo, me sinto em segurança", me disse, um dia, um paciente que nunca mais engordou novamente. As proteínas são saudáveis e têm importante papel na saciedade

Exercício do dia

- **Jovem e ativo:** Hoje vamos fazer 65 abdominais e 22 agachamentos.
- **Mais de 50 anos e sedentário:** Hoje vamos manter 26 abdominais e 15 agachamentos.

Minha mensagem de apoio para você

"**Cuidado com os discursos que dizem que com uma alimentação equilibrada e tomando cuidado com as quantidades necessariamente se emagrece!**

Se quiser realmente emagrecer e, principalmente, se seu excesso de peso for muito grande, você não vai emagrecer senão seguindo uma dieta suficientemente forte e eficaz para perseguir suas gorduras de reserva bem no fundo de seu tecido adiposo.

Imagine uma pessoa que teria entre 15 e 20kg a perder: se ela se ativer apenas a uma alimentação equilibrada, vai emagrecer 'em fogo brando,' e, com isso, são grandes as chances de se desmotivar.... Em contrapartida, ao fim de seis dias de proteínas, ela vai ter perdido 5 kg: imagine sua motivação!

No futuro, você vai continuar a ouvir esse discurso: muitas pessoas de bem continuarão a afirmar que **para ser magro 'basta ter uma alimentação equilibrada'**. Conformismo, discurso pronto e politicamente correto, além de uma proximidade muito grande com indústrias alimentares e farmacêuticas, explicam, em parte, essa atitude, por mais decepcionante que isso seja. Quanto a você, deixe que seu espírito crítico e seu bom senso trabalhem. **Não é com um chá ou ervas medicinais que vamos ganhar a guerra contra o sobrepeso!**"

Pierre Dukan

345

Fase de cruzeiro • PP • Dia 52

"Escapadas" da dieta

Estamos chegando cada vez mais perto do objetivo, estamos tão perto... Talvez, até, você já tenha perdido os quilos que queria perder. Assim sendo, pedir para você não sair da dieta me parece supérfluo. É aqui que começamos a entender a potência da motivação em ação. **Você chegou a um momento da dieta em que não precisa mais de mim para "voar em direção à vitória".**

É claro, você não tem o menor motivo para recuar agora. Mas, mesmo assim, continuo de olho em você. Desconfie da euforia proporcionada por bebidas alcoólicas, vinho ou champanhe, pois ela pode reduzir sua vigilância e torná-lo irresponsável. AGUENTE FIRME.

Minha lista de compras

- Requeijão 0% de gordura
- Bresaola
- Cottage 0% de gordura
- Bife de hambúrguer com 5% de gordura
- Iogurte 0% de gordura e sem açúcar
- Biscoito de farelo de aveia
- Dukan sabor coco
- Camarões
- Ovos
- Ovas de peixe
- Pudim ou flan zero
- Leite desnatado

Sua receita de hoje

Ovos mexidos
com ovas de peixe

* + 24h para dessalgação

4 ovos + 2 claras de ovos
2 colheres (sopa) de ovas de peixe
(linguado, robalo, tainha, bacalhau...)
Ervas de Provence, pimenta-do-reino

1. Em um recipiente, bata os ovos inteiros com as claras.
2. Tempere com pimenta-do-reino e adicione as ervas de Provence.
3. Em uma frigideira antiaderente, cozinhe as ovas de peixe durante alguns minutos. Quando estiverem cozidas, abra-as delicadamente e retire, se possível, a película exterior que contém os ovos. Adicione as ovas batidas e mexa bem, cozinhando por alguns minutos, mas conservando a consistência um pouco cremosa.
4. Sirva bem quente.

Cesta de compras do dia

Hoje, compre as "peças do açougueiro e do peixeiro". Esses dois comerciantes de proteínas naturais têm seu pequeno segredo: boas peças... que guardam para si. Se perguntarmos, vão dizer que são peças que ninguém pede. Na realidade, existem peças que os peixeiros e os açougueiros não costumam vender, mas que são de altíssimo valor gastronômico.

Se você for um cliente persuasivo, seu açougueiro vai lhe vender uma peça rara de tempos em tempos. O mesmo acontece com o peixeiro: peça que lhe venda ovas de peixe, a parte mais carnuda do salmão... São peças muito originais, festivas e deliciosas, que demandam muito pouco tempo de preparo: uma passada na frigideira, sal, pimenta-do-reino e está pronto. Experimente rápido!

Sua motivação

Hoje vamos jogar juntos um jogo de motivação que eu chamo de "Dança com os lobos".

Você está em um país cheio de neve, em pleno campo, e ouve os sons de lobos famintos. Eles estão rodeando sua casa, atraídos pela vida que podem perceber nela e pelos cheiros de alimentos que você está preparando. Eles rodeiam como tudo que, em sua vida, incessantemente, o incita a comer demais ou a comer mal. Aqui, é uma vitrine de padaria com cheirinho de pão quente. Lá, uma pausa para tomar café com bolo de chocolate preparado por um colega que pensou estar fazendo bem. E, lá ainda, é o almoço no restaurante com seu chefe, que o faz exagerar e o convida a experimentar esse pão crocante e morninho, servido com manteiga, que o garçom acaba de colocar sobre a mesa. Oh! E lá... uma adorável noite na casa dos amigos: tudo que tem para comer é pizza, salame, linguiça, uma salada de arroz e sobremesas sortidas.

Em todas as ocasiões, **essas tentações devem ser consideradas como lobos que giram ao seu redor. Se, ainda por cima, você estiver com fome, isso quer dizer que o inimigo está, ao mesmo tempo, dentro e fora de sua casa.** Sendo assim, tente não se expor ao perigo: evite restaurantes em que as opções de cardápio não são possíveis para você, escolha seus convites a dedo ou vá apenas às casas dos verdadeiros amigos, que estão prontos a ajudá-lo. E quando passar em frente a uma padaria e sentir o tentador cheiro do pão e dos bolos quentinhos, diga a si mesmo que é apenas um perfume químico!

Acima de tudo, nunca vá a um lugar de tentação alta de estômago vazio. E, finalmente, diga a si mesmo que basta comer um ou dois iogurtes, um ovo cozido ou uma colher (sopa) de farelo de aveia para evitar se tornar uma presa fácil para esses predadores...

Fase de cruzeiro • PP • Dia 52

Seu ambiente de saúde

Hoje eu gostaria de insistir em um conceito aparentemente inofensivo... mas muito importante para ajudá-lo a emagrecer e proteger sua saúde. **Quero falar sobre as fibras alimentares.**

A alimentação dos franceses (e dos ocidentais, em geral) é pobre em fibras. E daí? — você me diria. Bom, se não adquirir o hábito de consumir mais fibras, você vai ter dificuldades em estabilizar seu peso e se manter em boa saúde. E, no entanto, não existe nada de muito particular nessas fibras: não há nutrientes, nem calorias, nem vitaminas... **Então, por que elas são tão importantes?** Presentes nos alimentos de origem vegetal, elas regulam o funcionamento da maioria dos órgãos.

Antes de mais nada, elas dão consistência aos vegetais: sua parte crocante **freia o apetite.** E, além disso, as fibras resistem ao trituramento no estômago e diminuem o ritmo do esvaziamento gástrico, facilitando a sensação de saciedade.

No intestino delgado, as fibras do farelo de aveia **diminuem a progressão dos glicídios e a absorção das gorduras,** entre as quais o colesterol. E, finalmente, no cólon, as fibras insolúveis do farelo de trigo facilitam suas contrações e fazem com que o bolo intestinal avance. De maneira geral, as fibras têm um papel muito importante na prevenção do câncer de cólon.

Revestindo as paredes do cólon, as fibras reduzem o tempo de contato entre os dejetos cancerígenos e suas mucosas.

Em suma: tanto para o apetite, a saciedade, a penetração de açúcares e gorduras quanto para o câncer do cólon e o trânsito intestinal, as fibras vindas dos vegetais são muito úteis... Essa ajuda pode se tornar uma verdadeira fortaleza a longo prazo.

Pense em comer alimentos que contenham fibras. É um hábito que deve ser adquirido e que será especialmente útil no momento da estabilização do seu Peso Ideal.

Sua atividade física

Hoje as oportunidades para que nos mexamos se fazem raras... Os seres humanos não precisam mais fazer esforços físicos para obter o que querem.

No entanto, fazer com que seu corpo trabalhe é de extrema importância: **é bom para a saúde,** previne todas as doenças (cardiovasculares, câncer, diabetes, Alzheimer... e tantas outras vulnerabilidades). A atividade física **melhora o humor**, facilitando a secreção de serotonina e dopamina. Mas, na realidade, a caminhada não tem por objetivo nos proteger da doença: ela nos permite, principalmente, ir de um lugar a outro.

A atividade física não deve ser percebida como uma atividade terapêutica em si, mas, antes, como uma atividade natural, cuja ausência é péssima para a saúde. A mesma coisa para beber e respirar, cuja privação representa um perigo...

Seria cômico interpretar a reintrodução da respiração como uma atividade necessária para a nossa saúde! Mexer-se é nada mais que uma necessidade fisiológica, um ato natural e indispensável, cuja ausência é símbolo de desumanização.

Meu diário pessoal

Estou esperando você hoje em seu diário e espero que, agora, já tenha adquirido o hábito de escrever e consiga mantê-lo naturalmente... como se fosse um blog pessoal.

Fase de cruzeiro • PL • Dia 53

Dia 53
da minha dieta Dukan

meu peso inicial:	meu peso atual:	total de kg perdidos:	meu peso ideal:
....	....	....	....

Panorama do seu 53º dia

Hoje é um dia de legumes. Vou correr o risco de ser um pouco repetitivo. Você sabia que a humanidade existe há 200 mil anos? Durante os 190 mil primeiros anos, o homem viveu da caça e da colheita, principalmente de proteínas e legumes... como você, nesse momento! O homem primitivo se alimentava também de algumas frutas selvagens (como mirtilos ou amoras extremamente fibrosas, ácidas na boca) e de certas gramíneas (como o trigo ou o centeio selvagens, raros e sazonais). A sua atividade de caça, muitas vezes, ultrapassava, em gasto calórico, o número de calorias fornecido pela comida que ele ingeria.

Hoje temos chance de ter, à nossa disposição, um verdadeiro Himalaia de legumes, com proveniência de inúmeros países e regiões. **Já lhe disse uma vez e vou repetir: se você está em conflito com seu peso, os legumes são a melhor ajuda alimentar que poderia encontrar.** Adquira o hábito de consumir muitos legumes. São alimentos excepcionais para controlar seu peso, proteger sua saúde e para que você possa aproveitar plenamente os vinte anos de longevidade recentemente conquistados. E, finalmente, para dar minha última palavra (apesar de, agora, eu imaginar que você já saiba qual é): em toda a minha vida de médico nunca encontrei um único obeso que tenha me dito gostar muito de legumes.

Minha mensagem de apoio para você

> **Certas pessoas dizem que quem emagrece rápido corre o risco de engordar novamente, e rápido.** Isso é, ao mesmo tempo, verdade... e mentira! Se você emagrecer rápido e, em seguida, não cuidar mais de sua alimentação, é claro que vai engordar... mas não mais rápido do que se você tivesse emagrecido lentamente! Em contrapartida, emagrecer rápido traz uma satisfação intensa (quando emagrecemos lentamente, esse prazer de emagrecer diminui consideravelmente). **Emagrecer rápido é trazer uma vitória relâmpago, que dinamiza e traz satisfação: nada mais excitante que o gosto do sucesso!** Além disso, foi provado que quem emagrece rápido tem mais tendência, em seguida, a estabilizar corretamente o peso adquirido. No entanto, uma vez que o peso desejado foi obtido, deve-se compreender que nem tudo está ganho: depois da guerra, é preciso instaurar a paz... e esse é outro trabalho.
>
> Nos anos 1970, quando comecei a praticar a nutrição, os pacientes e nutricionistas tinham um único objetivo: obter uma perda de peso que se mantivesse em seguida, pela simples inércia.
>
> Evidentemente, as coisas não podiam funcionar desse jeito!
>
> Nos anos 1980, entendi que sem o plano de consolidação os quilos a mais teriam tendência a voltar. Imaginei uma fase de transição que fosse uma etapa imediatamente após a fase de cruzeiro. Em alguns dias, vou explicar mais em detalhes: você vai adorar. No entanto, apesar de uma franca melhora de resultados graças a essa fase de consolidação, um grande número de pessoas continuou a ganhar peso novamente.
>
> Desde o início dos anos 1990, criei, então, a quarta fase do meu método: trata-se de uma fase de estabilização definitiva, sujeita ao respeito de apenas três medidas simples, eficazes e suficientemente indolores para serem adotadas para o resto da vida.
>
> **Aqueles que emagreceram e vão até o fim das duas outras fases do meu método podem estar certos de que nunca mais engordarão novamente.**
>
> *Pierre Dukan*

"Escapadas" da dieta

Hoje, já é tarde demais, já passou da época de sair da dieta! De qualquer forma, tão perto do objetivo, é raro ver as pessoas abaixarem os braços. E, também, aposto que você já se acostumou a essa nova maneira de se alimentar.

Pela minha experiência, conheci pouquíssimos pacientes apressados para abandonar a dieta. Eu chegaria a dizer que muitos desses pacientes temem passar à fase de consolidação, pois sabem que é o momento de se abrirem a uma nova alimentação, com um grande número de alimentos novos.

Entre os que entram na fase de consolidação (a terceira fase que segue a dieta propriamente dita), notei que sempre existem pacientes que continuam a emagrecer... e, às vezes, preocupam-se com isso. Ainda que vitoriosos graças à dieta, eles têm medo de engordar de novo. Assim, respeitam as novas instruções da fase de consolidação (em que são adicionadas as frutas, pão, queijo, feculentos e refeições de gala...), **mas com uma prudência tão grande que continuam emagrecendo!**

Em geral, ao fim de algumas semanas, ou alguns meses, esses pacientes passam a ver que não engordaram e comem normalmente, até encontrar seu ponto de equilíbrio. Nos próximos dias vou lhe explicar como as coisas vão se passar quando nos despedirmos... Até amanhã.

Fase de cruzeiro • PL • Dia 53

Cesta de compras do dia

Hoje, não se esqueça de comprar cacau. **O chocolate** se tornou um alimento de admiração. Por quê? Porque é o alimento mais psicotrópico (que tem uma ação no cérebro e no comportamento) do planeta. O chocolate deve sua fama às propriedades conjugadas de um certo número de constituintes: seu alto teor de **açúcar**, muito viciante, sua riqueza paradoxal de **estimulantes** (cafeína, teobromina) e de **sedativos** calmantes (magnésio). Finalmente, e sobretudo, o chocolate é rico em **feniletilamina**, precursor da serotonina nos efeitos antidepressivos e euforizantes. Como você ainda não pode comer chocolate, saiba que **o ativo farmacológico do chocolate é o cacau.** Desprovido de açúcar e muito menos gorduroso que o chocolate, o cacau contém, mesmo assim, 30% de gordura. Existe o cacau com 12% de gordura, mas, pouco tempo atrás, encontrei um cacau excepcional, com **1% de gordura**. Se você encontrar esse cacau, pode facilmente controlar sua necessidade de comer chocolate...

Exercício do dia

- **Jovem e ativo:** Hoje vamos fazer 65 abdominais e 22 agachamentos.
- **Mais de 50 anos e sedentário:** Hoje vamos manter 26 abdominais e 15 agachamentos.

Sua receita de hoje

Pudim de chocolate
amargo (PL/PP)

 5 min 10 min 4 min · 6

1l de leite desnatado
10 colheres (sopa) de cacau em pó sem açúcar
8 colheres (café) de adoçante líquido
4 gramas de ágar-ágar ou gelatina sem sabor (ou duas colheres de café rasas)
1 colher (sopa) de aroma de baunilha

1. Misture o ágar-ágar com um pouco de leite para dissolver.
2. Em uma panela grande, despeje o restante do leite e esquente em fogo brando. Adicione o cacau, o adoçante e o aroma de baunilha, misturando bem devagar, para que o preparo fique fluido, sem grumos. Experimente para verificar se o preparo está doce o suficiente para você, em função da quantidade de cacau.
3. Adicione o ágar-ágar.
4. Aumente o fogo até que o preparo entre em ebulição, mexendo sem parar. Continue por pelo menos 1 minuto depois da ebulição, para que o ágar-ágar seja bem-incorporado na mistura.
5. Despeje em uma forma para pudim ou em copinhos individuais. Leve ao refrigerador e espere pelo menos 4 horas antes de servir.

Minha lista de compras

- Leite desnatado
- Repolho roxo ralado
- Fígado de vitela
- Tomates, cebolas
- Iogurtes 0% de gordura e sem açúcar
- Queijo frescal 0% de gordura
- Atum cru, postas de salmão
- Espinafre
- Cacau em pó sem açúcar
- Ágar-ágar ou gelatina sem sabor

Seu ambiente de saúde

Em uma perspectiva de saúde e sobrepeso, é difícil não **falar sobre o magnésio.** Seu papel no sistema nervoso central é essencial. Um déficit de magnésio pode ser traduzido por uma espantosa avalanche de sintomas: espasmofilia, cãibras, entorpecimento, ansiedade, insônia, contrações involuntárias das pálpebras ou dos lábios... e assim por diante.

Podemos ter uma carência de magnésio por diversas razões: o estresse consome e reduz nossas reservas, o excesso de refinamento dos alimentos reduz seu teor de magnésio e, às vezes, as dietas para emagrecer são a causa dessa carência.

Se suas pálpebras "tremem" involuntariamente, isso talvez seja um primeiro sinal de espasmofilia... Converse com seu médico. Na ausência de sintomas e para prevenir sua eventual aparição, consuma os dois alimentos mais ricos em magnésio: o cacau e a soja (e, entre os legumes, consuma espinafre).

Fase de cruzeiro • PL • Dia 53

Sua motivação

Você sabia que em quatro dias a nossa viagem em comum chegará ao fim? Espero que ao longo desses dois meses eu tenha conseguido guiá-lo de maneira eficaz em direção ao seu Peso Ideal (e espero que você tenha chegado a ele quando nos despedirmos!). Para mim, foi uma experiência inédita. Aprendi muitas coisas durante a redação deste diário de bordo: desta vez, não era apenas um livro "estático"; quis viver dia após dia o desenrolar de um caderno de viagem; em companhia de um desconhecido, o qual tive que imaginar, cujas preocupações cotidianas eu tive de perceber. Dia após dia, ao escrever, pude acompanhar de mais perto o esforço que podem representar 60 dias de combate, sem descanso, contra uma das necessidades mais enraizadas da fisiologia e da psicologia humanas.

Nesta sessão, minha missão era motivá-lo. E, por causa disso, pensei muito no sentido dessa palavra tão famosa, e me dei conta de duas coisas novas e surpreendentes. Antes, entendi que a motivação, assim como a força de vontade, não depende nem de sua decisão, nem de seu livre-arbítrio. A motivação é algo que não podemos fazer surgir assim, tão facilmente. Podemos querer nos lembrar de um fato ou nos concentrar em um assunto, mas não podemos decidir do nada nos motivar. Para fazê-lo, é preciso acionar as forças vindas das profundezas de nosso antigo cérebro inconsciente. **Para se motivar diante de uma tarefa tão difícil e também tão "contra a natureza" quanto o fato de emagrecer, deve-se recorrer aos instintos do cérebro reptiliano e aos prazeres do cérebro límbico.** Você é habitado por forças e pulsões inconscientes, que debatem as decisões de seu corpo em um "parlamento de instintos".

Se você quiser emagrecer, vai ter de confrontar o seu instinto alimentar, que se opõe ao emagrecimento mesmo quando esse pode levar a uma obesidade destruidora. Você também vai se chocar com sua necessidade de sentir prazer e se acalmar, que sempre privilegia a satisfação imediata aos benefícios posteriores (mesmo que estes sejam infinitamente superiores).

Diante do sobrepeso, alguns de nós têm a sorte de ter uma motivação maior que a dos outros, pois são levados por melhor coalizão de instintos que os demais. Isso poderia soar como má notícia... Mas ainda existem outras maneiras de contornar o determinismo dessas decisões profundas. Até amanhã, quando desenvolverei mais o assunto...

Sua atividade física

Hoje eu gostaria de falar sobre o *trekking*. Não sei qual é a sua idade, mas, caso ainda seja muito jovem, é possível que a palavra lhe pareça um pouco "fora de moda". **O *trekking* é praticado em grupo, e essa é uma parte de seu segredo.** Estar e trabalhar em conjunto são necessidades humanas fundamentais, pois precisamos uns dos outros.

Você já sabe o que eu penso sobre a caminhada. Se você estiver seguindo corretamente minhas instruções, deve ter caminhando durante 30 minutos por dia durante 52 dias. O *trekking* é completamente diferente. Antes de mais nada, um *trekking* se desenrola em um dia inteiro: começa-se de manhã e termina-se à noite (um dia de final de semana, quando se trabalha).

Juntos, em grupo, encontramos uma velocidade de caminhada comum e conversamos durante o caminho, transitando entre uns e outros. Habitualmente, o *trekking* é feito em um clube de esportes. O ideal é fazer com pessoas que tenham os mesmos interesses e motivação que você. Como você quer emagrecer e estabilizar seu peso, tente encontrar companhias que compartilhem o mesmo objetivo.

De acordo com o último estudo da federação francesa de passeios pedestres, apenas 1,6% de obesos é encontrado entre as pessoas que realizam essa atividade (contra 11,3% encontrados na população em geral).

Meu diário pessoal

Leia e releia seu diário. Assim, você vai entender melhor sua importância. Tente adquirir esse hábito, mesmo que seja apenas uma vez por semana: é excelente maneira de se conhecer e detectar suas próprias forças e fraquezas.

Fase de cruzeiro • PP • Dia 54

Dia 54
da minha dieta Dukan

meu peso inicial: ....

meu peso atual: ....

total de kg perdidos: ....

meu peso ideal: ....

Panorama do seu 54º dia

Faltam apenas dois dias de proteínas puras: hoje e depois de amanhã. Viva cada um desses dois dias com atenção e reconhecimento. Eles são o tempo forte de seu motor a dois tempos. Consumir apenas proteínas aumenta a eficácia da dieta e evita a estagnação do peso, que é muito frequente nas dietas que levam em conta apenas o número de calorias, sem considerar sua origem nutricional. Uma dieta emagrecedora que tolera os glicídios rápidos, como a farinha branca ou os feculentos, acaba, mais cedo ou mais tarde, por fazer com que o corpo resista e o peso fique estagnado.

Acima de tudo, coma com apetite e prazer: a proteína não é um nutriente de dieta, é o único nutriente vital, o que significa que você não poderia sobreviver a uma alimentação muito pobre nesse nutriente fundamental. A proteína também é o único elemento que o organismo não consegue sintetizar a partir de um outro nutriente. **Seu corpo sabe transformar açúcar em gordura ou gordura em açúcar, mas nenhum desses dois pode produzir proteínas.** O que quer que digam, os alimentos mais ricos em proteínas (como as carnes dos animais) são os mais representativos do gênero humano: a caça organizada em bandos com comunicação simbólica é a atividade que fez emergir nossa espécie e tornou-a capaz de desenvolver sua linguagem.

Seu ambiente de saúde

Você costuma se sentir nervoso, tenso e cabisbaixo? Esteja certo de que, entre suas orelhas e seus ombros, **seu músculo conhecido como trapézio** está ainda mais: trata-se do músculo que mais está envolvido e mais é afetado pelo estresse. Para relaxar, mantenha-se ereto e empurre a parte chata da cabeça, como se quisesse fazer com que ela encostasse no teto. Em seguida, abaixe seus ombros, de maneira a estender seu trapézio, que chamamos de "músculo do estresse encarnado". Você vai sentir uma sensação um pouco agradável, um pouco dolorosa e, depois, progressivamente, uma sensação de descontração e relaxamento que vai influenciar muito o seu bem-estar.

Sua atividade física

Você deve ter notado que, à medida que se aproxima do seu Peso Ideal, o corpo procura resistir. É algo compreensível, pois as reservas estratégicas de energia vital diminuem depois de mais ou menos dois meses, e seu corpo começa a entrar em uma vigilância exacerbada. Quando a sobrevivência está em jogo, o corpo dispõe de um acesso prioritário aos comandos biológicos de defesa. Ele resiste de modo ainda mais eficaz e a perda de peso fica mais lenta.

Se você ainda não tiver chegado ao seu Peso Ideal, deverá continuar a fase de cruzeiro. A melhor maneira de forçar as defesas de seu corpo é colocá-lo em uma situação em que ele não terá outra escolha senão continuar queimando suas reservas. Para isso será preciso ser decidido e bater de frente de todas as maneiras possíveis ao mesmo tempo. É o que fazem os médicos quando tratam de doenças resistentes, como a Aids, o diabetes, a hipertensão, o câncer: a técnica se chama "multiterapia".

Neste fim de percurso, a dieta continua a ser, mais que nunca, o grande motor de emagrecimento... Mas é possível que só a dieta já não seja mais suficiente. Intensifique a atividade física, faça uma hora de caminhada por dia, e mais, se tiver tempo e gostar da atividade. Quando caminhar, procure trabalhar bem os glúteos, empurrando ativamente o pé de apoio o mais longe possível para trás, a fim de contrair esses enormes músculos, grandes consumidores de calorias. E enquanto trouxer o pé de trás para a frente, contraia o abdômen; é muito simples e o ato rapidamente se torna automático.

Por outro lado, lute contra as emoções negativas que "machucam" e o tornam particularmente necessitado de comidas que "fazem bem". Diante do que machuca, sente-se, pegue um lápis e um papel e escreva o que lhe parece ser responsável pela emoção negativa ou estresse que o agride (uma notícia ruim, uma dúvida, um problema financeiro, um problema de saúde, um sofrimento do ego etc.).

Escreva sobre essa angústia ou essa dor em duas linhas, não mais. Por exemplo: "O proprietário do meu apartamento quer pegá-lo de volta" ou "Meu inspetor de impostos está me pedindo uma informação complementar sobre os salários que recebi", ou "Terminei com meu namorado", ou "Acabei de descobrir que sou diabético", ou "Acabei de ser demitido" e assim por diante. Depois, pule a linha e escreva, **de maneira clara, a pior das consequências que essas ameaças podem resultar**. Uma vez que tiver escrito, você vai constatar por si mesmo que, com esse ato, impede que sua imaginação vá além: a pior das consequências, em geral, não é tão grave assim.

Exercício do dia

- **Jovem e ativo:** Hoje vamos fazer 65 abdominais e 22 agachamentos.
- **Mais de 50 anos e sedentário:** Hoje vamos manter 26 abdominais e 15 agachamentos.

Fase de cruzeiro • PP • Dia 54

Minha lista de compras

- Cacau em pó sem açúcar
- Ovos
- Ervas finas
- Queijo frescal, requeijão e cottage 0% de gordura
- Presunto magro
- Galeto
- Ricota light
- Peito de frango
- Tofu cremoso
- Chalota, manjericão
- Amido de milho
- Leite desnatado
- Água de flor de laranjeira ou água de rosas
- Canela em pó

Sua receita de hoje
Minibocadas de Salmão defumado

 25 min   20 min 50

Para a massa das bocadas
4 colheres (sopa) de farelo de aveia
2 colheres (sopa) de farelo de trigo
½ sachê de fermento
3 colheres (sopa) de requeijão «0% de gordura
3 ovos + 1 clara
1 colher (café) de aroma de amêndoas
Sal, pimenta-do-reino

Para o recheio
4 cubos de queijo frescal 0% de gordura
3 colheres (café) de requeijão 0% de gordura
Ervas finas ou cebolinha fresca
2 belas fatias de salmão defumado
Sal, pimenta-do-reino

1. Preaqueça a 210°C.
2. Em um recipiente, misture os farelos, o fermento, o requeijão, os ovos, a clara e o aroma de amêndoas. Salgue e adicione pimenta-do-reino.
3. Despeje a massa em uma forma flexível.
4. Sobre a grelha, leve a massa ao forno durante 20 minutos. O cozimento pode ser diferente de acordo com os fornos, por isso, fique atento.
5. Para o molho, misture bem o queijo frescal e o requeijão em um recipiente.
6. Com um garfo, misture todo o preparo. Adicione sal, pimenta-do-reino, um pouco de ervas finas e, se tiver, cebolinha fresca bem picada.
7. Divida o preparo nas minibocadas com a ajuda de uma pequena colher.
8. Corte o salmão em pequenos quadrados e disponha-os para a decoração. Decore com ervas finas.

Dica: Você também pode adicionar ovas de peixe no lugar do salmão defumado ou substituir o recheio à base de queijo frescal por mousse de atum, de salmão ou de tofu defumado.

Cesta de compras do dia

Hoje vou preparar para você uma refeição unicamente a partir de aromas e cheiros mágicos! Não se preocupe, é muito mais simples e concreto do que parece ser.

Se você fizer suas compras hoje, **passe na seção das especiarias** para comprar cravo, canela e baunilha. Escolha especiarias da melhor qualidade possível. Quando estiver em casa, pegue um pequeno frasco hermético (de vidro ou de plástico, um velho frasco de remédio ou outro).

Primeiramente, pegue um pedaço de maçã e enfie seis cravos. Em seguida, coloque-os no recipiente. Adicione cinco grãos de café bem esmagados, uma pitada de pó de canela e algumas gotas de baunilha natural (ou uma vagem de baunilha moída). Feche bem e deixe macerando durante uma noite. **No dia seguinte você vai ter um pequeno objeto, como um talismã, que estará lá para ajudá-lo.**

Você está tendo alguma tentação? Está com vontade de desistir? Está com vontade de comer uma guloseima pura, à qual não quer sucumbir? Pegue esse pequeno frasco, abra-o e sinta seu cheiro por pequenas inspirações curtas e repetidas, até conseguir penetrar bem na mistura de aromas que acabaram por constituir um perfume denso e "perialimentar".

É isso que eu chamo de "refeição de aroma": se você preparou corretamente, vai se deliciar. Uma novidade boa: você pode usar sua refeição de cheiros quantas vezes quiser.

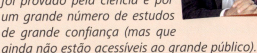

Minha mensagem de apoio para você

" **Hoje, perto do fim do nosso relacionamento diário, gostaria de lhe dar um presente.** Você vai achar que tudo isso é um pouco louco... mas eu insisto. Antes, saiba que o que vou lhe dizer foi provado pela ciência e por um grande número de estudos de grande confiança (mas que ainda não estão acessíveis ao grande público).

Este é meu presente e ele vai lhe ser muito útil: falar, colocar em palavras uma imagem ou um pensamento pode criar uma ideia. Essa ideia, uma vez exprimida, pode começar a ter influência em você.

Se eu digo que 'Esta maçã é branca', enquanto que a vejo verde, quando olho fixamente para a maçã, o fato de ter dito que é branca modifica um pouquinho sua cor. Ao falar, ao dizer em palavras, dou nascimento a uma parcela de realidade. Se eu continuar e insistir na ideia de que a maçã é branca, sorrio com a ilusão que crio para mim, mas, a partir de um determinado momento... não estou sonhando, a maçã certamente não se tornou branca, mas ela passou a ser menos verde do que era antes. Continuo a saber, intelectualmente, que a maçã é verde, mas alguma coisa mudou. Se eu continuar a insistir, é possível que, no meu teatro mental, o branco continue a recobrir progressivamente o verde da maçã. Enfim, se, todas as manhãs, depois duas, três ou quatro vezes por dia, eu continuar a experiência, a maçã branca vai começar a existir mentalmente para mim, inscrita em meus neurônios. Nós temos este poder: o de representar o mundo para nós mesmos segundo o modo que nos é conveniente, sempre de maneira um pouco diferente da dos outros.

Você nunca poderá imaginar a força e a importância do poder de sua mente. "

Pierre Dukan

Fase de cruzeiro • PP • Dia 54

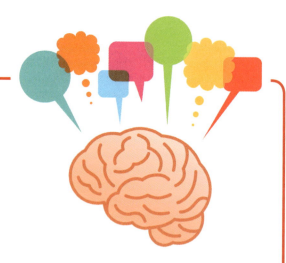

Sua motivação

Ontem eu lhe expliquei o que acontecia nos "bastidores da motivação". Descrevi como as coisas se decidiam dentro de você, secretamente, nas profundezas de sua programação arcaica, na qual um jogo de forças (às vezes antagonistas) se confrontam e interagem. Aparentemente, não teríamos voz no meio dessa guerra tribal de instintos primitivos. Isso é verdade... ao menos enquanto não tivermos consciência dessa mecânica instintiva, que tem mais a ver com a fisiologia que com a psicologia e a razão.

A boa notícia é que é possível intervir nessa guerra de instintos. O que a consciência tem a mais que o inconsciente é, justamente, sua consciência. Nessa luta para emagrecer, tão áspera e contra a natureza, você agora já sabe como as coisas se passam e quais são os intervenientes presentes. Sendo assim, você pode, através do pensamento, influenciar as forças capazes de sustentar seu combate. Seu papel é escolher seus aliados nesse lugar e desenvolver um jogo de influência capaz de reforçá-los.

Vou lhe dar um exemplo: você é jovem e bonita... mas obesa. Sempre a cortejam, mas você fica inibida por seu sobrepeso. Seu instinto de mulher e sua necessidade de seduzir representam duas forças extremamente poderosas: tente se apoiar nelas para vencer na decisão de emagrecer!

Graças à sua obesidade, é possível que você tenha diabetes, colesterol alto ou apneias durante o sono. Aqui, faça um apelo aos poderes do instinto de conservação, que também é um aliado muito forte.

Seu sobrepeso faz com que você se sinta isolado? Faça um apelo à sua necessidade natural de pertencer a um grupo.

Falemos, agora, dos instintos que poderiam se opor ao seu projeto de emagrecer. Seu hipotálamo foi programado para que você coma, pelo menos, tanto quanto gasta. Seu cérebro límbico, por sua vez, foi programado para que seu prazer seja sempre superior ao seu desprazer. Antes de mais nada, neutralize a avidez de seu instinto alimentar, comendo à vontade os 100 alimentos autorizados na minha dieta.

Em seguida, neutralize a necessidade de prazer e tranquilidade, encontrando, pura e simplesmente, o prazer em emagrecer, assim como em gastar calorias fisicamente, a fim de liberar serotonina. Você deve usar artifícios contra essas forças profundas, compreender seu funcionamento profundo, para que elas se tornem suas aliadas.

Não vivemos mais da mesma maneira uma vez que sabemos como funciona nosso cérebro.

"Escapadas" da dieta

Minha dieta é frequentemente chamada de **"dieta das proteínas"; não é mentira, mas é terrivelmente incompleto.** Você tem uma boa posição para saber que os legumes têm um papel essencial no meu método. Então, hoje, como o tempo urge, **gostaria que você fizesse para mim um dia de celebração dos legumes.** Faça o que quiser com os alimentos proteicos... Mas faça um esforço particular para comprar e preparar TODOS os legumes que gostar e, se possível, misture-os.

Já que estamos na coluna das "escapadas", aproveite o fluxo de legumes para não sair da pista. **Lembro a você que uma escapada raramente é algo decidido, mas a consequência de uma emboscada na qual você cai.** Às vezes, é difícil dizer "não" sem decepcionar ou ser obrigado a contar detalhes da sua vida a alguém... Então, tome cuidado! Como sou médico, as pessoas que me convidam para jantar ou almoçar sempre têm um prazer um pouco sádico em me fazer comer um pouco mais que os outros! Não estou de dieta, mas adquiri o hábito de me alimentar como aconselho na fase 3 de meu plano (fase de consolidação): delicio-me nas duas refeições de gala a que tenho direito por semana e, assim, não tenho maiores dificuldades sociais.

Mas se começam a me servir sistematicamente, adicionam queijo à sobremesa... aí eu já não aceito! Quando insistem demais e o tomam como algo pessoal, fico irritado: "Fui eu ou o médico que você convidou para comer?" Para dizer a verdade, já faz muito tempo que não aceito mais convites de pessoas que não são tão próximas de mim e que tentam me deixar em maus lençóis com seus modos à mesa. Aconselho a você que faça o mesmo.

Meu diário pessoal

Agora é com você. E não se esqueça de que eu tenho um endereço de e-mail. Você pode me fazer uma pergunta (caso não encontre a resposta em meus livros, no meu site na internet ou nos outros sites das pessoas que seguem minha dieta). No entanto, eu já lhe disse que não poderei responder a todas as perguntas. Sendo assim, só me escreva se tiver algo pertinente a dizer, algo que seja realmente importante para você...

Fase de cruzeiro • PL • Dia 55

Dia 55
da minha dieta Dukan

meu peso inicial:

meu peso atual:

total de kg perdidos:

meu peso ideal:

Panorama do seu 55º dia

De volta aos legumes, com a habitual vontade de aproveitá-los plenamente e, principalmente, entender que esses alimentos são de primeira importância para garantir o futuro do seu peso. Quanto mais se acostumar a eles durante essa nossa experiência em comum, mais vai ter chances de se estabilizar. A cada vez que colocar na boca um legume cheio de virtudes, diga a si mesmo que isso representa um alimento sem tantas virtudes do qual seu estômago acaba de escapar, AFINAL, VOCÊ TEM APENAS UM ESTÔMAGO. E seu estômago, por mais distendido que seja, tem seus limites. Ora, os primeiros que chegarem serão mais bem-aceitos... Então, hoje, aproveite e coma muitos legumes.

Sua atividade física

Estou me dando conta de que ainda não falei realmente sobre a dança. Talvez você não goste de dançar ou talvez pense não ter o dom, nem o ritmo, nem ouvido para fazê-lo. Mas, caso você goste, isso muda tudo... Pois gostar de algo torna tudo prazeroso.

Estamos juntos porque você tem um problema de peso para resolver. Assim sendo, quanto mais você obtiver prazer fora da comida, maiores e melhores serão suas chances de não engordar novamente. Não sei qual é a sua idade, mas, se você for jovem ou relativamente jovem, experimente a dança africana para modelar as coxas, a dança do ventre para modelar o abdômen, o sapateado para os glúteos, a zumba para intensificar as combustões de calorias.

O ideal é praticar duas vezes por semana (ou apenas uma, mas o fazendo uma segunda vez em sua casa, com um DVD ou um CD). Caso você não seja mais tão jovem assim, as mesmas danças serão acessíveis se você tiver uma boa constituição e estiver em boa forma. Ou, então, você já pensou na dança de salão, no tango, na valsa ou no pasodoble? Praticadas a dois, essas danças também são muito agradáveis.

Para você, que é homem, o modern jazz e a zumba são danças engraçadas e estimulantes, assim como as danças de salão são originais e elegantes. Mas repito: faça apenas aquilo que realmente lhe agradar. Minha primeira prescrição em termos de atividade física sempre foi a caminhada, e vai continuar a ser, mas, evidentemente, aceito tudo que possa se adicionar a ela e lhe trazer mais alegria.

Minha mensagem de apoio para você

> *Neste fim de percurso, sabendo que, muito em breve, vamos nos separar, **gostaria de recapitular com você tudo que realizamos juntos... e o que ainda falta para fazer** para levar este projeto até o fim.*
>
> *Este diário de bordo foi concebido para durar dois meses, com o foco em uma perda de peso de cerca de 10kg (em média, 2kg na fase de ataque, depois mais 8kg, em uma média de 1kg por semana, ou seja, oito semanas de fase de cruzeiro). **Aqueles que, no início, tinham menos de 10kg para perder, já devem ter parado. Mas o que devem fazer aqueles que tinham mais de 10kg para perder e que ainda não terminaram?***
>
> *Ou continuam o método, que agora já é bem conhecido, sozinhos (alternância de dias PP e dias PL, exercício físico, zero escapadas e assim por diante), ou vão querer continuar em minha companhia... e, nesse caso, podem rapidamente me enviar um e-mail.*
>
> *Muito em breve, vou publicar a continuação deste diário de bordo, sob a forma de uma 'recarga': os que tinham entre 10 e 20kg a perder poderão continuar a me seguir durante dez semanas complementares (com um acompanhamento de dois dias por semana).*
>
> ***E, finalmente, para aqueles cujo objetivo era, precisamente, perder 10kg, estes chegarão — caso já não tenham chegado — ao seu Peso Ideal dentro de dois dias.** Se essa for sua situação, a partir daqui você tem uma DÍVIDA para comigo. Você tem o dever de CONTINUAR seu percurso, passando pelas duas últimas fases: a de consolidação e, em seguida, a de estabilização. Se você não o fizer, vai acontecer o que acontece com todas as pessoas que seguem uma dieta desprovida de plano concreto de manutenção do peso perdido: apenas 3% das pessoas conseguem manter o peso que perderam. Em contrapartida, se seguir essas duas últimas fases (a última é para o resto da sua vida), posso lhe garantir QUE*
>
> *VOCÊ NUNCA MAIS VAI ENGORDAR NOVAMENTE. Não sou obrigado a lhe dizer isso de maneira tão forte e segura: faço-o porque **nunca, em minha vida, conheci pacientes, leitores ou internautas que tenham me afirmado que engordaram de novo tendo seguido meu método até o fim, passando por suas quatro fases.***
>
> *Quando tiver se livrado desses 10kg você deverá, então, passar à fase de consolidação. Essa terceira fase é crucial. Seu papel é constituir uma transição entre a dieta muito enquadrada e estrita das duas primeiras fases e a quarta e última fase, na qual você vai poder voltar a se alimentar normalmente. A fase de consolidação tem uma duração de dez dias por quilo perdido, ou seja, cem dias, caso você tenha perdido 10kg. Essa fase se divide em duas metades (duas vezes cinquenta dias), para não abrir rápido demais o seu perímetro alimentar.*
>
> *Na primeira parte da fase de consolidação, a partir do primeiro dia e com a base das proteínas e legumes ainda podendo ser consumidos à vontade, você vai adicionar: uma fruta (pode ser qualquer uma, menos banana, uva e cereja), duas fatias de pão integral, uma porção de 40g de queijo, uma porção de 200g de feculentos (porção pesada uma vez cozida) por semana e uma refeição de gala por semana (uma entrada livre, um prato principal livre, uma sobremesa e uma taça de vinho, mas você não vai poder se servir duas vezes do mesmo prato). Às quintas-feiras, você deverá fazer um dia inteiro de proteínas puras (PP).*
>
> *Na segunda parte de sua fase de consolidação você vai seguir a mesma dieta... mas vai poder consumir duas frutas, em vez de uma, duas porções de feculentos, em vez de uma, e duas refeições de gala por semana, em vez de uma. Amanhã vou lhe dar algumas instruções complementares...*

Pierre Dukan

Fase de cruzeiro • PL • Dia 55

Sua receita de hoje
Shiratakis à bolonhesa

2 pacotes de shiratakis (400g)
1 cebola cortada em pequenos cubos
1 dente de alho picado
1 cenoura cortada em pequenos cubos
1 ramo de aipo picado
1 colher (café) de orégano
1 colher (café) de tomilho
1 colher (café) de louro
Sal, pimenta-do-reino a gosto
300g de carne moída (magra)
1 pote de molho de tomate com coentro
(ou dois tomates grandes, descascados e cortados em grandes pedaços)
1 xícara de caldo de carne sem gordura

1. Leve uma panela grande a fogo brando e despeje um pouco de água. Em seguida, adicione o dente de alho picado e a cebola cortada em cubos e refogue. Depois de 1 minuto, adicione os cubos de cenoura, de aipo, o tomilho, o orégano, o louro, o sal e a pimenta-do-reino e deixe cozinhar por cerca de 10 minutos. Adicione a carne moída, desfazendo-a com um garfo, e, em seguida, o molho de tomate com coentro (ou os tomates descascados e cortados em pedaços grandes). Adicione, também, o caldo de carne. Espere chegar à ebulição, tempere com sal e pimenta-do-reino e deixe cozinhando por pelo menos 1 hora.

2. Quando o molho estiver quase pronto, lave os shiratakis abundantemente com água corrente. Encha uma panela de água e leve ao fogo, até ferver.

3. Quando a água estiver fervendo, adicione os shiratakis e deixe cozinhando de 2 a 3 minutos. Escorra e passe novamente em água fria corrente.

4. Adicione os shiratakis ao molho. Sirva quente.

Na fase PP, limite o molho de tomate a duas colheradas grandes por pessoa e não adicione cenoura.

Cesta de compras do dia

Minha lista de compras

- Requeijão 0% de gordura
- Algas nori
- Camarão ou caranguejo
- Iogurtes 0% de gordura e sem açúcar
- Peixes crus para sashimi
- Repolho, berinjela
- Barras de farelo de aveia Dukan sabor chocolate
- Shiratakis
- Cenoura, cebola, alho, aipo
- Carne moída magra
- Tomates ou molho de tomate sem açúcar
- Tofu cremoso
- Aroma de cereja e amêndoa
- Gelatina
- Leite desnatado

Hoje, na sua cesta de compras, vou colocar um alimento que é simplesmente mágico. Seu nome é complicado para um ouvido ocidental: os shiratakis. Quando o descobri, era apenas um alimento japonês, como as massas servidas em uma sopa exótica, que me parecia terrivelmente desinteressante... Até o momento em que soube que essa massa no fundo da tigela, escute bem, não continha UMA CALORIA SEQUER, nada!

Você pode imaginar o que um médico como eu, envolvido até o último fio de cabelo na luta contra o sobrepeso, deve ter sentido quando soube disso. É um tubérculo vegetal chamado shirataki que, ao longo de toda a sua existência vegetal esvazia-se de suas calorias para preparar a aparição de um caule, ramos e folhas. Quando a planta chega à sua maturidade, o tubérculo fica totalmente esvaziado de suas calorias. E é sob essa forma que é transformado em massa. Restam apenas as fibras preciosas, que possuem um poder fortíssimo de saciedade e uma ação de regulação de colesterol e de açúcar.

Um moderador de apetite que não contém uma caloria sequer é uma verdadeira bênção nos dias de hoje. Desde então, muitas águas passaram por baixo da ponte e eu fiz tudo para que esse alimento entrasse no meu método, assim como o farelo de aveia. Consegui convencer os distribuidores dos grandes supermercados a introduzi-lo em suas prateleiras.

Fase de cruzeiro • PL • Dia 55

Sua motivação

Ontem eu terminei com a seguinte frase: "Não vivemos mais da mesma maneira quando descobrimos como funciona nosso cérebro." Você deve ter notado que durante nossa experiência em comum, muitas vezes, fiz apelo às neurociências. Acredito que estejamos em uma encruzilhada da história do homem. Importantíssimas mudanças tecnológicas, culturais, de moral e costumes vêm se produzindo no espaço em algumas dezenas de anos.

Ao advento da sociedade de consumo sucedeu a revolução das tecnologias da informação, que interconectam milhares de terrestres em tempo real. As grandes ideologias morreram ou não têm mais o mesmo impacto (marxismo, a teoria freudiana, o materialismo vindo da sociedade de consumo...). Quanto às novas tecnologias, essas não podem nos trazer o entusiasmo que mobiliza o homem. **Estamos em uma pane ideológica.** Como a natureza tem horror ao vazio, uma nova ideologia já esta a caminho, e é como uma estrela cuja luz ainda não conseguimos ver. Eu acredito que **essa nova ideologia, que carrega os valores humanos, será o conhecimento do funcionamento do cérebro.** Penetrando em seus arcanos, saberemos o que é o homem, conheceremos suas VERDADEIRAS necessidades e, graças a isso, as maneiras de satisfazê-las.

Eis o que sabemos hoje e como "a chama" da vida se sustenta ao longo de toda a existência... **Na sexta semana de vida embrionária, nas profundezas do cérebro arcaico, uma "pulsão de vida" emite uma mensagem** e uma energia que mobilizam os recursos do indivíduo para que ele viva e tente, através de todas as maneiras postas à sua disposição, proteger sua sobrevivência. **A partir do nascimento, o cérebro se arma de comportamentos que facilitam a sobrevivência.** Quando esses comportamentos atingem seu objetivo de maneira eficaz, uma recompensa é emitida sob a forma de uma sensação agradável, chamada prazer.

Alimentar-se e procriar, dois exemplos clássicos, garantem, respectivamente, a sobrevivência do indivíduo e da espécie (alimentar-se é recompensado pelo prazer alimentar e reproduzir-se, pelo prazer sexual).

Ao mesmo tempo que o prazer, nosso cérebro secreta uma dose correspondente de serotonina e, em seguida, de dopamina, recarregando essa pulsão de vida que nos "fornece" a vontade de viver. Assim, o ciclo se fecha: a vontade de viver nos induz aos caminhos que nos levam ao prazer... que, por sua vez, conserva a vontade de viver.

É dessa maneira que os homens vivem e esse ciclo se perpetua indefinidamente (exceto quando é interrompido pela depressão, quando a pulsão de vida se apaga).

Amanhã será nosso penúltimo dia juntos...

"Escapadas" da dieta

Hoje, tão perto do objetivo, seria de extremo mau gosto que você saísse da dieta, ainda mais sabendo que pode consumir legumes. Sua missão é comer mais legumes que o normal... como se estivesse dando uma rápida olhadinha no papel tão importante desses alimentos para o futuro do seu peso e de sua estabilização. É possível que, como todos os dias, aliás, a tentação vagueie ao seu redor. Emagrecendo, você talvez oculte o brilho daqueles que não tiveram sua sorte... e que, inconscientemente, o invejam e fazem de tudo para tentá-lo.

Você conhece o discurso clássico: "Ah, só uma vezinha!" **Saiba que, em menos de uma semana, você vai poder fazer uma refeição de gala por semana, vai poder comer uma porção de feculentos, também uma vez por semana, assim como massas ou arroz integral, sêmola de trigo e lentilhas.** Então, espere um pouco e não ameace o essencial por algo tão insignificante.

Olhe bem nos olhos daqueles que tentam colocá-lo em tentação. Se forem seus amigos, diga-lhes que você não pode comer o que lhe oferecem. Aos outros, diga simplesmente que não quer, e mantenha-se firme.

Exercício do dia

- **Jovem e ativo:** Hoje vamos fazer 65 abdominais e 22 agachamentos.
- **Mais de 50 anos e sedentário:** Hoje vamos mantes 26 abdominais e 15 agachamentos.

Fase de cruzeiro • PL • Dia 55

Seu ambiente de saúde

Hoje vamos falar sobre a depressão. Trata-se de um ressecamento doloroso da vontade de viver. Quem nunca teve depressão seria incapaz de compreender o mal absoluto que os deprimidos vivem. Falo sobre isso aqui, pois, de uma certa maneira, sobrepeso, obesidade e depressão têm pontos em comum. Habitualmente, comemos demais ou mal quando precisamos ser consolados pela comida. Para nos sentirmos alegres, felizes, é preciso que uma certa dose de serotonina seja secretada por nosso sistema nervoso. Quando a colheita de alegrias e satisfações de um ser humano se reduz, a liberação de serotonina também. **Quando o déficit de prazer persiste** (ou quando o desprazer e o estresse se acumulam), **a fonte de serotonina, totalmente seca, para de transmiti-la.** Desse modo, a vontade de viver se apaga e dá lugar ao desespero... e, em seguida, à vontade urgente de fazer com que o sofrimento de existir se acabe.

Muito felizmente, há mais de vinte anos, existem medicamentos que aumentam o nível de serotonina. São os antidepressivos modernos, cujo primeiro representante foi o Prozac. Se você tiver uma velha vulnerabilidade afetiva oriunda de sua infância — ou se, recentemente, atravessou um período difícil —, deve ter sentido a força da pulsão levando-o em direção à comida para produzir serotonina com urgência. É uma excelente maneira de escapar da depressão... que, infelizmente, gera um ganho de peso.

Desde que começamos a trabalhar juntos com este diário de bordo, **o objetivo era conseguir encontrar uma maneira não alimentar de produzir serotonina**, fiadora de sua vontade de viver. Por enquanto, durante a fase de cruzeiro, encontramos o prazer justamente no fato de emagrecer (vencer a si mesmo, autovalorização, aumento da autoestima etc.).

No entanto, quando tiver chegado ao seu Peso Ideal, você não vai mais ter a poderosa sensação de ver o ponteiro da balança descendo. Pois bem, é de extrema importância que você não caia novamente em sua fuga inconsciente em direção à comida. Diga a si mesmo que ainda existem outras maneiras de fazer com que sua serotonina aumente: a atividade física, cuja ação é atualmente mais que provada, a vida sexual, que incorpora o amor, a densidade das ligações familiares, mas também a arte, a espiritualidade, a música, o contato com a natureza e com os animais, a satisfação profissional, entre tantas outras coisas. Sua missão é recolonizar alguns desses territórios que não costumava explorar suficientemente antes.

Meu diário pessoal

Seu diário de bordo está chegando perto do fim e, de todo meu coração, espero que você ainda esteja comigo. Conserve o hábito de escrever sobre si mesmo, sobre os acontecimentos de sua vida. Posso garantir que não vai se arrepender. Não se esqueça que deixei meu endereço de e-mail, caso você tenha alguma pergunta essencial.

Fase de cruzeiro • PP • Dia 56

Dia 56
da minha dieta Dukan

meu peso inicial: ....

meu peso atual: ....

total de kg perdidos: ....

meu peso ideal: ....

Panorama do seu 56º dia

Hoje é um dia de tempo forte do motor que funciona em dois tempos. Hoje é dia PP. Como último empurrão antes de concluir... vamos tentar terminar este percurso testemunhando, mais uma vez, o poder das proteínas. E lembre-se: tanto para hoje quanto para o futuro, **quanto mais damos importância às proteínas, quer sejam animais ou vegetais, melhor emagrecemos e melhor ainda estabilizamos nosso peso.** O que é válido para as proteínas é ainda mais válido para os legumes.

Seu ambiente de saúde

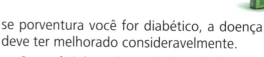

Já que estamos nesta sessão, em que, todos os dias, falo sobre as relações entre seu peso e sua saúde, gostaria de fazer **um balanço geral do conjunto desses elementos de saúde.** Mais uma vez, não sei qual era seu peso antes de começar a dieta e qual é seu peso hoje. Mas o que sei é que você tinha peso para perder e que, hoje, já conseguiu eliminar alguns quilos.

Tendo perdido esse peso, você melhorou consideravelmente a sua saúde. E eu diria ainda mais: **você melhorou sua equação vital.**

Caso você seja jovem, talvez não perceba o alcance dessa equação. Mas se conseguir manter esse novo peso, sua vida futura vai sentir, esteja certo disso.

Caso você já tenha passado dos 50 anos, ter perdido 10kg é algo notável: as consequências da perda de peso em sua saúde são incalculáveis. Talvez você tenha a sorte de sempre ter tido uma boa saúde... Mas, se porventura você for diabético, a doença deve ter melhorado consideravelmente.

Se você tinha colesterol alto, ele deve ter diminuído. Se você tinha uma taxa elevada de triglicerídeos, eles terão diminuído. Se você era hipertenso e tomava medicamentos para regular sua hipertensão, seu médico deve ter diminuído a posologia. Se você tinha dor nos quadris, agora, deve sentir menos dores e ter mais liberdade de ação. A mesma coisa para os problemas vertebrais, principalmente para as lombares e, mais ainda, para os joelhos. Se você roncava, agora deve fazer menos barulho enquanto dorme; se você tinha apneias do sono, essas devem ser menos frequentes e menos longas.

Em todos os casos, sua vida vai sentir os benefícios da perda de peso. Essa é, então, uma excelente razão para fazer tudo... para nunca mais engordar novamente!

Minha mensagem de apoio para você

> *Ontem eu imaginei você como uma das minhas leitoras e leitores que tinham 10kg para perder. Expliquei como passar para a fase de consolidação. Obrigo-me a lhe dizer que, de acordo com a minha experiência nesta dieta, **se você não seguir a terceira fase, mais cedo ou mais tarde vai acabar engordando de novo.** É o que acontece com todas as dietas que acabam depois da obtenção do peso desejado. Tome como exemplo qualquer dieta, atual ou mais antiga, e você não vai encontrar uma sequer que proponha um plano completo, concreto e estruturado para não engordar novamente. Durante os dez primeiros anos da minha vida de nutricionista confiei nessas dietas, pois meus pacientes não queriam ouvir falar em continuar a fazer esforço depois do emagrecimento.*
>
> *Mas, a partir dos anos 1980, constatando que a maioria esmagadora dos meus pacientes engordava de novo depois de ter emagrecido, procurei construir alguma coisa que prolongasse a perda de peso. Assim, elaborei a fase que você vai começar amanhã (consolidação) e, rapidamente, notei que os ganhos de peso pós-dieta se tornaram menos frequentes, adiados e, na maioria das vezes, parciais.*
>
> *Em 1990, dei um passo a mais e instaurei uma quarta fase de estabilização definitiva, que se baseava apenas no respeito a três regras elementares e indolores, mas não negociáveis, para o resto da vida.*
>
> *****Ao entrar na fase de consolidação você vai poder ampliar sua base alimentar, o que será suficiente para não engordar novamente, mas insuficiente para engordar.*** Essa fase foi concebida para durar dez dias por quilo perdido, ou seja, para você que tinha 10 kg para perder, são cem dias ou três meses e dez dias. Durante esse tempo, você vai utilizar um certo número de alimentos cujo conjunto constitui, na minha opinião, o fundamento de uma alimentação humana perfeita. Uma alimentação assim, instaurada a longo prazo, garante um peso equilibrado e uma boa saúde. **A alimentação que você vai adotar durante a terceira fase** vai lhe trazer, ao mesmo tempo, nutrientes, vitaminas e micronutrientes necessários... mas também os ingredientes de prazer, como o queijo, os feculentos e tudo que você poderá comer nas refeições de gala.*
>
> *****É difícil chamar tudo isso de dieta: trata-se de uma alimentação completa, inteligente, e que poderia, sem maiores problemas, ser conservada para o resto da vida.*** Mas como você vai ver, quando tiver terminado essa fase e puder passar à quarta fase, de estabilização definitiva, não haverá mais enquadramento dietético a ser respeitado. Você vai poder comer espontaneamente, mas conservando, ao lado desse modelo de alimentação humana universal, as três regras de base da estabilização para o resto da vida.*

Pierre Dukan

Fase de cruzeiro • PP • Dia 56

Minha lista de compras

- Leite desnatado
- Filés de frango
- Iogurte e requeijão 0% de gordura
- Cottage 0% de gordura
- Fígado de boi ou frango
- Ricota light
- Água de rosas
- Ovos
- Presunto magro
- Codornas
- Cebola, cogumelos
- Aromas sabor conhaque

Sua receita de hoje
Torta de frango

30 min | 1h15 | 6

2 ovos inteiros
1 iogurte desnatado (sem soro)
4 colheres (sopa) cheias de queijo cottage 0% de gordura
4 colheres (sopa) de requeijão 0% de gordura

Recheio:
1 peito de frango cozido e desfiado (reserve o caldo)
3 cebolas
2 dentes de alho
salsinha e cebolinha
pimenta-do-reino
Sal
Orégano

1. Bata os ovos, o iogurte desnatado, o queijo cottage e o requeijão no liquidificador. Adicione sal a gosto. Reserve.
2. Para o recheio, refogue as cebolas e o alho com um pouco do caldo de frango reservado até amolecerem e ficarem transparentes.
3. Acrescente o frango desfiado e o restante dos temperos espere o caldo secar.

Montagem:
Uma camada de massa líquida + uma camada de frango refogado + uma camada de massa líquida + orégano

Leve ao forno preaquecido a 180°C por aproximadamente 1 hora e 15 minutos

Dica: Algumas opções de recheio são atum refogado com cebola, cubos de queijo frescal com peito de peru, carne moída refogada.

Sua atividade física

Hoje eu vou lhe revelar meu pequeno segredo pessoal no que diz respeito à atividade física: é o **gesto do guerreiro,** um equivalente em miniatura do haka dos All Blacks! Você provavelmente conhece esses gestos de guerra sagrados que os jogadores de rúgbi neozelandeses executam antes dos jogos importantes. Vou explicar a você o que é o meu gesto de guerreiro.

De pé, com os braços dobrados em ângulo reto, com as mãos fechadas, você deve projetá-las uma contra a outra, como se fosse aplaudir com seus punhos... mas deve parar antes que se toquem! Depois, você deve afastá-los, do mesmo modo, com força e rapidamente, e recomeçar, da maneira mais intensa possível. A cada ida e volta, conte um, depois dois, depois três... Até dez. Em seguida, você pode recomeçar a série... quantas vezes quiser.

Tente continuar até que os músculos dos seus ombros (deltoides), dos braços e dos peitorais comecem a ficar mais aquecidos. Para que funcione, o gesto precisa ser verdadeiramente digno de um guerreiro: poderoso e rápido. A melhor época para fazê-lo é quando faz frio, pois o movimento nos aquece rapidamente.

Cesta de compras do di

Hoje, último dia de proteínas puras da sua fase de cruzeiro. Para terminar em grande estilo, **faça deste dia um dia de festa.** Faça um esforço e compre os alimentos ricos em proteínas de que você mais gosta. Talvez um filé de boi, um escalope à milanesa empanado com ovo e farelo de aveia? Ou, talvez, salmão defumado, uma posta de linguado ou de robalo, belos camarões rosa, vitela ou peito de peru? Ou, ainda, talvez um cozido de carne caseiro, codornas recheadas com requeijão, sobremesas de proteínas, como pudins, mousses, ilhas flutuantes, muffins de farelo de aveia... **Como você pode ver, se despedir dos dias de proteínas puras sem festejar está fora de questão!**

Exercício do dia

- **Jovem e ativo:** Hoje vamos fazer 65 abdominais e 22 agachamentos.
- **Mais de 50 anos e sedentário:** Hoje vamos manter 26 abdominais e 15 agachamentos.

Fase de cruzeiro • PP • Dia 56

Sua motivação

Ontem abri meu coração para você, falando sobre a minha convicção de que o século XXI será o século de uma compreensão mais profunda do funcionamento do cérebro humano. Eu lhe apresentei a "pulsão emissora de vida" que ativa os comportamentos de busca do prazer, a secreção de serotonina e dopamina, que vêm para recarregar essa mesma pulsão, a fim de permitir que ela continue a difundir a vontade de viver.

Atualmente, todas as pesquisas comportamentais e epidemiológicas indicam que uma enorme proporção dos habitantes dos países ricos tem dificuldades em se alegrar dentro deste modelo de sociedade, unicamente voltado para a equação econômica. Entre esse bilhão e meio de seres humanos em sobrepeso, **cada caso é particular, mas o denominador comum é sua vulnerabilidade.** Quer seja a pobreza, o acúmulo de estresse, a compressão do tempo, o afastamento da natureza humana e da própria natureza, o enfraquecimento da relação inter-humana, as distâncias, o apagamento do corpo e do movimento, o materialismo fazendo a espiritualidade e a religião recuarem... **todas essas privações de alimentos humanos fazem mal.** Para contornar e neutralizar o sofrimento as pessoas comem sempre mais: de maneira mais gratificante, mais açucarada, mais gordurosa, mais desequilibrada. Certamente, tais pessoas se acalmam enquanto comem, mas também engordam e, dessa maneira, aumentam sua doença e sua necessidade de serotonina. E quando chega o momento de emagrecer, é preciso não apenas parar de comer tanto para secretar serotonina, mas também passar a um modo alimentar restritivo.

Para ter melhores chances de não regredir é preciso ter consciência dessa mecânica cerebral (necessidade de prazer/serotonina como carburante vital). Muito felizmente, a comida não é o único provedor de prazer. Durante o tempo de emagrecimento, **o mais evidente prazer de substituição é, pura e simplesmente, o fato de emagrecer — e emagrecer rapidamente —,** melhorar sua aparência, voltar a sentir-se à vontade com seu próprio corpo e reencontrar o bem-estar, sentir-se normal e apto à vida em grupo, ganhar mais autoestima e assim por diante. **O prazer em emagrecer é imenso:** conheço um grande número de pessoas que me dizem que o fato de terem perdido peso mudou suas vidas.

O que acontece quando conseguimos atingir nosso objetivo e o prazer em emagrecer cessa? É o momento de **buscar, entre as grandes necessidades fundamentais, aquelas com as quais você sente maior afinidade.** Deve-se tentar cultivar tais necessidades, responder ao seu chamado e torná-las suas amigas, alimentar-se delas e **reencontrar o caminho da serotonina.** Ao longo de toda a nossa viagem, muitas vezes, falei sobre os "Dez Pilares da Felicidade", base da minha teoria do contentamento. Explore-os e recolonize certos territórios esquecidos.

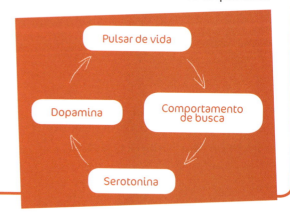

"Escapadas" da dieta

Hoje não me resta mais muito tempo para lhe passar minhas últimas mensagens. Tenho certeza absoluta de que você entendeu que, nesses dois últimos dias, sair da dieta não seria algo aceitável. Confiando em seu bom senso, gostaria de insistir no prazer. **"Tudo que é feito sem prazer, cansa, tudo que se faz com desprazer, se quebra."**

Vou repetir, mas de outra maneira: busque em si mesmo o que é importante em sua vida e o que pode lhe trazer prazeres diferentes do prazer de comer. É uma oportunidade sonhada para cavar em seu eu profundo e aprender a se conhecer. Isso não é tão simples quanto parece... **mas é algo enriquecedor.** Trata-se de sua beleza, seu corpo, sua imagem, sua sexualidade, seus filhos, o espaço da sua casa, sua atividade profissional, sua natureza, sua vida espiritual, sua criatividade, sua vida cultural! Tudo isso pode ser rico e gratificante... tanto quanto a comida, ou até mais que ela! Em vez de compensar suas dificuldades, mal-estar ou insatisfações com a **"comida de gratificação", componha uma música de felicidade com os instrumentos que você vem deixando de lado há tanto tempo.** É possível, escolha um território de caça, e não largue mais!

Meu diário pessoal

Amanhã será o último dia em que virei lembrar a você sobre a importância de se comunicar consigo mesmo. Pense nisto: esse gesto cotidiano é tudo menos algo irrelevante; é um ato profundo, uma qualidade inerente ao ser humano, que possui a consciência e que pode se dar o tempo de parar para interrogar tal consciência.

Fase de cruzeiro • PL • Dia 57

Dia 57
da minha dieta Dukan

meu peso inicial:

meu peso atual:

total de kg perdidos:

meu peso ideal:

Panorama do seu 57º dia

E aqui estamos nós, no último dia deste diário de bordo. **Eu me acostumei a vir aqui para falar com você.** Vou sentir sua falta... mas, paralelamente, estou trabalhando na continuação deste diário, que é adaptada à terceira fase, de consolidação. Sendo assim, é totalmente possível que nossos caminhos se cruzem novamente, em breve.

Hoje vamos fechar nosso ciclo com **um dia de proteínas e legumes**, que é uma maneira de terminar em grande estilo. Aproveite este dia PL sabendo que, amanhã, ao entrar na fase de consolidação, você vai poder comer, além desses legumes e proteínas à vontade, para o resto da vida, uma fruta, duas fatias de pão integral e uma porção de queijo, imediatamente. Para terminar a semana, você vai poder, além disso, comer uma porção de feculentos e fazer uma refeição de gala. Nas páginas que se seguem, vou lhe dar todas as instruções para aterrissar com leveza e, principalmente, não perder o fruto do trabalho que executamos juntos.

Exercício do dia

- **Jovem e ativo:** Hoje passaremos a setenta abdominais e faremos 24 agachamentos.
- **Mais de 50 anos e sedentário:** Hoje vamos tentar passar a 30 abdominais e a 15 agachamentos.

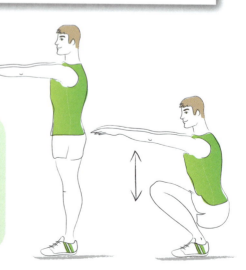

Minha mensagem de apoio para você

"Esta será minha última mensagem de apoio. Todos os dias vim aqui com a missão de lhe trazer meu suporte, o que fiz de todo o meu coração, da mesma maneira que faria se estivesse diante de você. O exercício foi difícil, pois você não estava comigo. Mas existe um elemento essencial comum a todas as pessoas em sobrepeso, homens ou mulheres, jovens ou idosos: uma maneira muito peculiar de utilizar a comida para aliviar o estresse e as contrariedades da vida.

Hoje, para concluir, gostaria de lhe dizer algo. **Se você seguiu seriamente as duas primeiras fases deste plano, você não pode não ter emagrecido, pois isso nunca aconteceu.** No que diz respeito às duas próximas fases, antes, a consolidação e, em seguida, a estabilização para o resto da vida, posso lhe dizer que, assim como para as duas primeiras fases, se você as seguir segundo minha prescrição, nunca mais vai engordar novamente. Isso também nunca aconteceu.

Mas essa promessa tem um corolário: se, com seu Peso Ideal conquistado, você achar que poderá se virar sozinho e negligenciar a terceira e a quarta fases do meu método, é meu dever assegurar que você vai engordar de novo. Pronto, agora você já está prevenido. Faça a escolha certa e, acima de tudo, não se deixe enganar por um peso aparentemente estável, apesar de algumas escapadas da dieta. Você poderia imaginar que, graças ao efeito da dieta, seu metabolismo mudou e você perdeu sua tendência a engordar. De jeito nenhum! Trata-se de uma simples inércia passageira de seu metabolismo, mas ela não vai durar muito tempo. A gestão de suas reservas de gordura é assegurada por um mecanismo biológico programado para proteger tais reservas. Quando você engordou, seu corpo descobriu um peso que inscreveu em seu programa. Assim como um autômato, ele vai tentar fazer com que você volte a ter esse peso. Esteja consciente disso e nunca baixe a guarda durante muito tempo.

Além disso, minha longa experiência me indica que pouca coisa basta para estabilizar um peso: uma consolidação pontual de dez dias por quilo perdido e, em seguida, **uma estabilização baseada em três medidas que representam o mínimo irredutível a ser aceito para não engordar novamente.**

Quando chegar a ela, não deixe de lado essas três medidas, pois elas formam um tripé de estabilização. Repito solenemente, mais uma vez, a última: ao respeitar as três medidas, esteja certo de que vai conservar seu Peso Ideal. Sem elas, você vai engordar de novo. E caso se deixe levar e ganhe peso novamente, não espere muito para reagir. Quanto mais o tempo passa, mais esse peso se instala, para depois se incrustar, obrigando você a voltar à estaca zero da dieta."

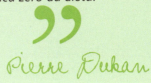

Pierre Dukan

Fase de cruzeiro • PL • Dia 57

Minha lista de compras

- Farelo de aveia e farelo de trigo
- Requeijão 0% de gordura
- Aroma de coco
- Cardamomo
- Pepino
- Cottage 0% de gordura natural
- Carne moída magra
- Presunto magro
- Peito de frango
- Ovos
- Salsa, alho, cebola
- Caldos (de carne, galinha, legumes) em cubo, sem gordura
- Biscoito de farelo de aveia Dukan sabor avelã
- Caranguejo
- Salada, tomate, gérmen de soja
- Alho-poró
- Shiratakis
- Vieiras
- Sorvete de iogurte light

Sua receita de hoje
Macarrão de abobrinha e cenoura
com molho de tomate

1 cenoura
2 abobrinhas grandes
6 unidades de tomate italiano
8 unidades de minitomate-cereja
1 cebola
2 dentes de alho
Folhas de manjericão fresco
Sal, pimenta-do-reino moída na hora e temperos a gosto

1. Corte a cebola e coloque em uma frigideira antiaderente e vá mexendo até que fique transparente. Junte os tomates picados ou batidos, conforme a sua preferência. Tempere e deixe cozinhar por aproximadamente 25 minutos. Ao final do cozimento, acrescente os tomates-cereja inteiros, para amolecer. Reserve. Outra opção é usar o molho de tomate pronto 0% de gordura.
2. Em dois pratos, coloque a cenoura e a abobrinha em fios como um spaghetti, regue com o molho de tomate, salpique um pouco de queijo frescal ralado por cima e decore com os tomates-cereja e folhas de manjericão fresco.

Seu ambiente de saúde

Antes de deixá-lo eu gostaria de lhe explicar sobre **a atual polêmica em torno das dietas.** O problema do sobrepeso, da magreza e da silhueta é um assunto recorrente na imprensa feminina. Há trinta anos são ditos os maiores absurdos a esse respeito. Atualmente, é de bom-tom interessar-se pela "não dieta": **finge-se acreditar que bastaria comer de maneira equilibrada, de maneira comedida e razoável para emagrecer.** É preciso nunca ter estado no terreno do sobrepeso e desconhecer fundamentalmente o comportamento dos obesos e das pessoas em sobrepeso para dizer ou deixar que digam uma incongruidade como essa.

Uma pessoa em sobrepeso tem uma relação afetiva, emocional e desordenada com a comida, o que vai no sentido contrário da famosa alimentação equilibrada sugerida pelos defensores da não dieta. **Se um obeso fosse capaz de ter tal senso de medida, equilíbrio e moderação, nunca teria acumulado um sobrepeso, graças ao qual sofre.** É preciso nunca ter sido muito gordo ou obeso para imaginar o contrário. As pessoas em sobrepeso considerável sabem muito bem que é impossível emagrecer de maneira substancial sem seguir uma dieta emagrecedora eficiente. Dizer ou deixar dizer que as dietas de nada servem e que são perigosas é recusar seu recurso terapêutico: é ser igual àqueles que, por questões ideológicas, se recusam, por exemplo, a tomar antibióticos ou vacinas. O que importa é que VOCÊ tenha bom senso e espírito crítico suficiente para não sucumbir a esses modelos. Muitos interesses estão em jogo, muitos lobbies se ativam para paralisar a luta contra o sobrepeso.

Não espere que qualquer coisa caia do céu: a única verdadeira solução só pode vir de você mesmo. Para se guiar, interrogue aqueles que emagreceram, que estão contentes, orgulhosos e com uma saúde melhor.... E, principalmente, que não engordaram de novo. Essas pessoas existem, conheci muitas em minha vida. Espero que você venha a se tornar uma delas e que proteja o fruto do seu esforço. **Quando esse for o caso, espalhe ao seu redor:** quem emagrece ao ponto de mostrar que sua vida mudou é uma excelente fonte de emulação, de motivação. Graças aos seus esforços sobre si mesmas, essas pessoas dão a muitas outras a vontade de fazer o mesmo, e eu as vejo como motor principal na luta contra a calamidade do sobrepeso.

Cesta de compras do dia

Para os legumes, **a cada vez que puder escolher, compre-os frescos.** Mas, caso queira ter alguma reserva, para estar certo de que não vão lhe faltar, você também tem a possibilidade de usar legumes congelados e em conserva.

Os legumes congelados podem rivalizar com os legumes frescos. Hoje em dia os produtores otimizam as compras, os prazos entre a colheita e o condicionamento. Eles retiram a casca e fervem rapidamente os legumes antes de os congelarem, para melhor proteger as vitaminas e micronutrientes. Em geral, o descongelamento deve ser lento e o cozimento deve acontecer imediatamente após.

Os legumes em conserva passaram por altas temperaturas que eliminaram grande parte das vitaminas frágeis, como a vitamina C, mas, em contrapartida, melhoraram a assimilação de caroteno. Os legumes em conserva costumam não ter conservantes, mas vêm com sal. Não jogue fora a água na qual os legumes são conservados, pois ela é rica em vitaminas. E não lave os legumes, a não ser que você esteja seguindo uma dieta sem sal.

379

Fase de cruzeiro • PL • Dia 57

Sua motivação

Ao longo de todo o seu percurso sua motivação frequentemente esteve em jogo. Essa força estranha, que vem das profundezas de sua vida instintiva, dita as escolhas ligadas ao seu instinto de sobrevivência: ela lhe confere a força de vontade ou a energia necessária para viver.

Durante 60 dias você surfou nessa força para conseguir emagrecer. Espero que tenha obtido sucesso e que, hoje, já tenha chegado ao seu Peso Ideal. Neste momento, na medida em que seu peso se normalizou, você corre o risco de perder o impulso dessa motivação. **Infelizmente, emagrecer traz mais prestígio que conservar o peso perdido.** Mas o percurso não para por aqui e a motivação deve permanecer, de alguma maneira...

Até agora, você emagreceu dentro de um sistema bastante estrito, que o protegia das tentações. A partir de amanhã, você vai entrar na fase de consolidação, o que quer dizer que vai poder comer muitos outros alimentos. É verdade, **você corre o risco de se sentir desorientado diante dessa profusão.** Para evitar o efeito de ruptura conservei, nessa fase mais aberta, um enquadramento, alguns pontos de referência, indicações e um roteiro extremamente protetor. Peço que você siga as instruções "ao pé da letra", pois essa fase é essencial para o futuro de sua estabilização.

Um lapso de tempo é necessário para proteger o peso obtido, arduamente conquistado e ainda vulnerável. Para isso mantenho uma vigilância bastante atenuada, mas ainda bem-estruturada, que deverá durar dez dias para cada quilo que você perdeu (ou seja, cem dias para 10kg perdidos). É tempo suficiente para que o conjunto dos alimentos dessa fase componha, em sua mente, uma base firme e perfeitamente visualizada. Durante a fase de consolidação você deve continuar dentro dessa base.

E, depois, uma vez que os cem dias tiverem passado, você vai passar à **fase de estabilização definitiva** e voltar à arena da alimentação consumida pelo "grande público". Aqui, você reencontra, ao mesmo tempo, a liberdade e seus perigos. **No entanto, você vai conservar para sempre, quer queira, quer não, a lembrança e os reflexos adquiridos que compõem a base da consolidação.** Protegido dessa forma, você vai poder comer espontaneamente, respeitando as três medidas fundamentais do meu método para o resto da vida.

"Escapadas" da dieta

Acredito que neste nosso último dia juntos não seja necessário pedir para que você não saia da dieta. Aproveitarei, então, para lhe dizer o que essa "matriz de escapada" deve se tornar.

Na fase de consolidação você não vai poder comer TUDO que quiser, quando quiser, mas em função do timing da semana.

Desse modo, se você quiser comer uma fruta, ou até duas, vai poder comê-las. Você vai poder comer pão: duas fatias todas as manhãs, mas não três. Se quiser uma porção normal do queijo à sua escolha, também vai poder, mas em apenas uma refeição.

Se quiser um bom prato de massa, vai poder comer, mas sempre cozida al dente. Uma porção de arroz? Sim, mas de arroz integral, de preferência, ou branco, se for comer em um restaurante japonês ou chinês. Lentilhas, feijão, quinoa ou sêmola de trigo também... A porção média fica em torno de 200g, peso do alimento já cozido. Você vai poder comer apenas uma porção por semana durante os primeiros cinquenta dias, depois, duas vezes por semana, na segunda parte da consolidação.

E, finalmente, guardei o melhor para o final: você vai poder comer uma **refeição de gala** por semana, na primeira parte da consolidação, depois duas refeições de gala por semana, na segunda parte. Lembro que uma refeição de gala é composta por uma entrada livre (inclusive uma fatia de foie gras!), um prato principal (o prato que você quiser, até mesmo uma feijoada ou um risoto!) e uma sobremesa totalmente livre. A refeição de gala pode ser acompanhada de um copo bem cheio de vinho.

No entanto, nessa refeição de gala, você não vai poder se servir do mesmo prato duas vezes. Com essa alimentação da fase de consolidação você terá em mãos uma matriz alimentar ideal... que se despedaçou completamente a partir dos anos 1950, com o modelo alimentar do consumo desenfreado.

Você pode ver que, a partir de amanhã, a palavra "escapada" vai se tornar obsoleta. E apenas descrevi a fase de consolidação. A estabilização será, como para a cultura, "aquilo que resta quando já nos esquecemos de tudo".

Sua atividade física

Para concluir a questão da atividade física, gostaria de levantar um debate. Sim, a atividade física queima calorias e facilita o controle energético do peso. Sim, a atividade física mantém a forma e faz com que, como já disse inúmeras vezes, você secrete serotonina (o que atenua a necessidade de buscá-la na comida).

No entanto, dar ao seu corpo uma atividade não deve ser considerado um luxo: é uma necessidade instintiva. Não sei se você tem consciência disso: vivemos em um mundo que mudou radicalmente desde o fim da última guerra (mais que ao longo do percurso muito longo que foi a civilização). **Estamos ébrios de conforto e ricos em possibilidades oferecidas pela tecnologia, mas muito empobrecidos no plano humano.** Ora, a felicidade humana não pode despontar senão numa vida que se desdobra como um ser humano foi programado para vivê-la. Enquanto nossa existência for governada por uma genética oriunda do Paleolítico, cada inovação cultural, por mais resplandecente que seja, vai nos afastar da razão pela qual fomos criados. Se somos muito gordos hoje, se recorremos sempre a antidepressivos, é porque não vivemos a vida para a qual fomos feitos. Nós nos adaptamos, mas essa adaptação nos leva muito longe de nossos territórios de tranquilidade.

Caminhar sobre os dois membros inferiores foi o primeiro gesto humano a partir do qual certos primatas evoluídos, os grandes antropoides, abriram a longa caminhada em direção ao homem. Isso quer dizer que essa atividade pedestre está inscrita no mais profundo do nosso cérebro mais arcaico, um pouco como as primeiras experiências emocionais de uma criança pequena constroem, para o resto de sua vida, sua arquitetura afetiva.

Não sei se você está prestando atenção ao que estou lhe falando agora: nada no mundo tem mais valor que sua felicidade. O peso que você ganhou e que acaba de perder são a testemunha de dois fatos evidentes: você engordou para conseguir encarar um ambiente hostil e emagreceu resistindo a esse mesmo ambiente. Tendo em vista a evolução do mundo, o ambiente não tem qualquer razão para mudar: se você quiser se proteger, vai ter que viver aceitando abrir os olhos para essas realidades. E a CAMINHADA é um dos elementos através dos quais você vai manifestar sua humanidade, sua felicidade... e a estabilidade de seu novo peso.

Meu diário pessoal

Seu diário termina aqui, no que diz respeito a este diário de bordo. Mas, caso você tenha descoberto o prazer de escrever, não o abandone. Mais uma vez posso lhe garantir que essas poucas linhas cotidianas, que são a testemunha de sua auto-observação, serão extremamente úteis: uma vida inteira pode ser bifurcada graças à descoberta de uma maneira desconhecida de se funcionar. Mais uma vez, não se esqueça de que você tem o meu endereço de e-mail e que ele é uma passarela entre você e eu.

E a seguir...

O que fazer depois desses 60 dias?

Nossa missão comum era que você perdesse 10kg.

Se você tinha 10kg ou menos para perder, sua missão Peso Ideal chegou ao fim.

Se você tinha mais de 10kg para perder e ainda lhe faltam 5, 10 ou 20kg, você pode continuar sua dieta com meus livros, ou, melhor ainda, se inscrever no site: www.dietadukan.com.br.

Para todos vocês **a fase três de consolidação e a fase quatro de estabilização** são cruciais.

Da mesma forma que garanti que você perderia 10kg durante esses 60 dias, posso dizer que, sem seguir as duas últimas fases, você vai engordar novamente. Não conheço ninguém que, tendo seguido as quatro fases, não tenha emagrecido e estabilizado seu peso.

CIP-BRASIL. CATALOGAÇÃO NA PUBLICAÇÃO
SINDICATO NACIONAL DOS EDITORES DE LIVROS, RJ

D914s
3ª. ed.

Dukan, Pierre, 1941-
60 dias comigo / Pierre Dukan; tradução: Ana Ferreira Adão. - 3ª. ed. - Rio de Janeiro: Best*Seller*, 2015.
il.
Tradução de: 60 jours avec moi
ISBN 978-85-7684-852-3

1. Dukan, Pierre, 1941-. 2. Desenvolvimento pessoal. 3. Dieta de emagrecimento. 4. Hábitos alimentares. 5. Qualidade de vida. I. Título : Sessenta dias comigo. II. Título.

14-10038

CDD: 613.25
CDU: 613.24

Texto revisado segundo o novo Acordo Ortográfico da Língua Portuguesa.

Título original francês
60 jours avec moi
Copyright © 2013 by Éditions J'ai lu
Copyright da tradução © 2014 by Editora Best Seller Ltda.
Crédito das fotos: © Folia.com © Dreamstime © Caradine ©Natacha Nikouline (receitas páginas 20 e 60) © Mary Erhardy © Santé Magazine (p. 134)

Capa: Sense Design e Comunicação
Editoração eletrônica: Ilustrarte Design e Produção Editorial

Todos os direitos reservados. Proibida a reprodução, no todo ou em parte, sem autorização prévia por escrito da editora, sejam quais forem os meios empregados.

Direitos exclusivos de publicação em língua portuguesa para o Brasil adquiridos pela Editora Best Seller Ltda.
Rua Argentina, 171, parte, São Cristóvão
Rio de Janeiro, RJ – 20921-380
que se reserva a propriedade literária desta tradução

Impresso no Brasil

ISBN 978-85-7684-852-3

Seja um leitor preferencial Record. Cadastre-se e receba informações sobre nossos lançamentos e nossas promoções.
Atendimento e venda direta ao leitor: mdireto@record.com.br ou (21) 2585-2002

Este livro foi composto na tipologia FrutigerNextLt, em corpo 11 e impresso em papel Offset 90 g/m² na Prol Gráfica